LE FANTÔME
DE LA TOUR EIFFEL

DU MÊME AUTEUR

Aux Éditions Gallimard

PASTEL, *roman*, 2000. Folio n° 3607.

Chez d'autres éditeurs

LE PRINCE DE LA FOURCHETTE, *roman*, Paris, Éditions Arléa, 1995.

L'ÎLE, *conte*, Paris, Éditions Jacques Grancher, 1993.

MADAGASCAR, *récit de voyage*, Paris, Éditions Fer de Chances, 1997.

OLIVIER BLEYS

LE FANTÔME
DE LA TOUR EIFFEL

roman

nrf

GALLIMARD

À Laetitia,
de la Tour précieux homonyme.

FONDATIONS

1

Armand laissa un franc dans la main du cocher et s'écarta d'une enjambée, sans attendre la monnaie.

Il s'était fait déposer à distance du portail, exactement dans l'angle que formaient le bâtiment des bureaux avec un entrepôt de brique. Que faire ? Se présenter aussitôt ? Armand préféra s'accorder du temps. Personne n'attendait sa visite, personne n'était même au courant... Il pouvait donc choisir son heure, tranquillement assis dans un café du voisinage, à méditer l'entretien dont dépendait peut-être sa carrière.

« Un café... Quelle bonne idée ! On prétend qu'à Paris ce sont les meilleurs. »

Le jeune homme eut un regard circulaire : ni buvette ni restaurant, pas la moindre enseigne amicale. Le paysage désert manquait même d'un porche pour s'abriter.

« C'est donc ici qu'Eiffel a sa tanière ? Vraiment, le drôle de bonhomme ! »

Armand contourna le fiacre pour avoir une vue d'ensemble. Comme tout différait de son imagination ! Au lieu d'une rue passante, un chemin herbeux dont les pavés, tassés par de lourds convois, rentraient sous terre ; au lieu d'un bel alignement de façades, une palissade à brèches, laissant voir les broussailles d'un terrain vague. Au point du jour dansaient les serpents fauves des cheminées d'usine.

« Bah ! Qu'importe le théâtre ? Si la pièce est bonne ! »

Le garçon sentit la gêne de son faux col. Lui qui s'était costumé comme à l'invitation d'un ministre ! Quel air pouvait-il avoir, dans sa redingote en drap fantaisie, avec sa cravate piquée d'un brillant et sa montre à gousset ? Celui d'un imbécile, simplement.

Telle fut sa déception qu'il songea à tourner bride. Déjà sa main se tendait vers le cocher mais, avisant le sourire de celui-ci — content bien sûr de renouveler une course lucrative —, le voyageur eut un sursaut d'orgueil. Non, il ne serait pas dit qu'il avait renoncé !

« Qu'attendez-vous ? Débarrassez ! » fit Armand avec toute l'autorité dont disposaient ses vingt-trois ans.

Bonne âme, le cocher haussa les épaules et fouetta son attelage. Le fiacre s'anima pesamment sur le chemin de la ville.

C'était joué, maintenant ; il n'y avait plus à reculer ! Prenant une longue inspiration, Armand fit quelques pas sur la terre crevée de flaques. Il marchait avec précaution, avec délicatesse même, à cause des souliers vernis dont la location lui coûtait deux francs. Le grincement d'un loquet le fit tressaillir. Dans le bâtiment bas qui longeait le chemin, une fenêtre venait de s'ouvrir. Armand ôta prestement son chapeau.

« Monsieur ? » demanda un homme en sortant la tête.

Armand répondit son nom, la raison qui l'amenait.

« Entrez ! Je suis Gustave Eiffel. »

Le pied d'Armand s'éclaboussa de boue.

Sa carrière faillit avorter de cette pâle rencontre.

« Je n'aime pas les irrésolus ! » lui déclara Eiffel en guise d'assaisonnement à leur poignée de main. Le sang afflua aux joues du garçon.

Et cependant Armand jugea remarquable qu'un homme si affairé, qui venait d'ouvrir le chantier du monument le plus haut du monde, regardât quelqu'un marcher sous ses fenêtres. « C'est qu'on nous épie ! » confia l'entrepreneur, son pouce roulé dans sa chaîne de montre. « Les échotiers ! Leurs commis viennent jusqu'ici, à Levallois-Perret, mendier des croquis. » Et sur un fin sourire vite dissipé, Eiffel ouvrit la lettre qu'Armand lui avait remise.

« J'ai bien connu votre père, fit le constructeur en déchiffrant la signature. Un homme estimable... »

Mais un regard à ras de lorgnon découragea le visiteur d'en espérer aucun avantage. Eiffel entama sa lecture, ses yeux sillonnant à toute allure le papier décacheté.

Cet intermède laissa le temps au garçon d'apprécier le physique du constructeur, connu seulement par les portraits des journaux — avantageux si les feuilles étaient bienveillantes, enlaidissants si elles étaient hostiles.

Au premier coup d'œil on était frappé par sa petitesse, aggravée encore par la voussure des épaules : sans être un phénomène d'allongement, Armand le passait d'au moins une tête — ce qui laissait Eiffel, pourtant en chapeau, à la hauteur de son sternum. Par quel hasard un homme si court combinait-il des édifices si importants ? Le viaduc de Garabit, celui de Porto, à présent la

13

Tour de 300 mètres ! « Il compense... », supposa le garçon.

Un développement en largeur rattrapait un peu l'insuffisance verticale : on notait la forte encolure, la taille épanouie, les membres trapus qui remplissaient l'habit. Pareille silhouette dénotait le paysan mieux que l'ingénieur, quelqu'un dont les atouts sont musculaires plus qu'intellectuels.

Or, le visage corrigeait cette impression. Sans perdre un fond gaillard qu'Eiffel tenait de souche bourguignonne — de là : la joue sanguine, la mèche en bataille —, ses traits disaient aussi la raison, l'étude, enfin le pragmatisme qui accordait à ce surdoué de faire ce qu'il avait pensé. Une ride suivait l'arcade sourcilière, distinction des vrais réfléchis — non ceux qui froncent les sourcils sur des questions insolubles, mais ceux qui les lèvent, par effort d'y répondre. La face oursonne, ancrée d'une barbe claire et d'un semis de rousseurs, retenait moins que les yeux, d'un bleu patiné de locomotive, ardents ou glacés selon l'humeur de la chaudière.

« Ainsi, vous avez le goût de la construction métallique ? reprit Eiffel en tirant le jeune homme de sa rêverie. Vous voulez faire des ponts ? Ou travailler peut-être à la Tour de 300 mètres ? »

Armand acquiesça d'un « oui » viril, pour corriger l'impression veule qu'il avait donnée.

« Nous n'avons pas besoin de vous, lui apprit le grand homme sans changer de ton. Nos collaborateurs sont déjà recrutés. »

Puis, rendant la lettre :

« Vous trouverez certainement à vous employer ailleurs. Tout sera métallique à l'Exposition universelle !

14

La Galerie des Machines, par exemple : on y fait une dépense de fer et de calcul presque aussi grande que sur la Tour ! »

Dans la hâte des derniers mots, Armand perçut l'irritation d'un homme qui se reprochait une perte de temps. Il n'en accrocha pas moins la manche d'Eiffel, avec l'élan désespéré des timides.

« Je ne peux rentrer à Saint-Flour avec cette réponse ! Que dirait mon père ? »

Une lueur s'alluma sous les paupières d'Eiffel.

« Saint-Flour, dites-vous ? N'est-ce pas ce bourg près de Garabit ? Je croyais votre père à Limoges.

— Nous habitions Limoges quand il travaillait au pont sur la Vienne, reprit Armand avec espoir. Plus tard, informé de votre projet d'un grand viaduc, il a transporté toute la famille dans le Cantal. Nous sommes Sanflorins depuis ce jour...

— Charmante histoire..., fit l'entrepreneur avec un sourire de grand-père. Monsieur, je suis enchanté de vous avoir connu ! »

Eiffel renouvela sa poignée de main, qui avait la netteté d'un point final. Il prit congé d'Armand sans autre parole, laissant au courant d'air le soin de le reconduire.

« Par exemple ! » s'indigna le Sanflorin.

Il chercha en lui la ressource d'insister mais ne la trouva pas. Au contraire, dans cet instant où croulaient tous ses espoirs, un renoncement paisible lui venait. À quoi bon heurter une porte qui ne voulait pas s'ouvrir ? D'un coup la fatigue du voyage, l'ennui des heures de train dans le compartiment de troisième classe se firent sentir au visiteur. Il décida de prendre son billet de retour le jour même.

Sa main poussait déjà la porte quand une voix le

héla. Armand tourna la tête et vit un homme marcher à sa rencontre. En même temps lui apparut tout le décor — ce décor pour lequel, pendant son entretien avec Eiffel, il n'avait pas eu un regard : les bureaux alignés sous les lampes à pétrole, le tableau d'ardoise avec sa craie pendue au bout d'un fil et, assis sur des chaises tournantes, parmi des rouleaux de papier, des hommes en cravate qui avaient une tournure d'ingénieurs. Quelques-uns, lassés de calculer, s'accoudaient à leur table pour observer le visiteur. Ainsi donc, on avait épié sa conversation avec le patron ! Tant de témoins de son humiliation !

Une révolte orgueilleuse brouilla les traits d'Armand. Il fit mauvais accueil à l'homme qui lui offrait la main.

« Voulez-vous un siège ? proposa l'inconnu aux bésicles dorées.

— Non merci ! répondit Armand en s'appuyant au chambranle de la porte.

— Je me présente : Adolphe Salles. Monsieur Eiffel m'a confié la partie mécanique de la Tour. »

Armand opina sans courtoisie. Il lui tardait d'être dehors, cette causerie n'était qu'un contretemps désagréable. Et puis, le bonhomme le rebutait : ce visage finement modelé, cette sveltesse d'escrimeur mondain, ce fer à cheval piqué sur la cravate, sans parler des moustaches en hameçon qui sentaient la pommade... Il mit la main à son chapeau.

« Savez-vous que M. Eiffel avait une très bonne opinion de votre père ? reprit Adolphe en glissant une main dans sa boutonnière. C'était un charpentier de grand mérite. Je ne l'ai pas connu moi-même, cependant je peux témoigner qu'ici, son départ fut regretté... »

« Le compliment de circonstance ! » songea le San-

16

florin. Il toisa les ingénieurs, guettant le sourire qui l'exciterait à partir. Mais personne ne lui prêtait plus attention. Au reste, Salles enchaînait déjà :

« Nous serions flattés d'associer le nom des Boissier à la Tour de 300 mètres.

— Mon père a quitté le métier, fit sèchement le jeune homme.

— Il ne s'agit pas de votre père, mais de vous-même... »

Armand tressaillit. Avait-il bien compris ?

« Vous... vous parlez de m'engager ?

— Positivement ! Bâtir la Tour exige un concours de cervelles tel que jamais, peut-être, la science n'en a produit. Songez que nous avons ici cent cinquante métallurgistes, trente dessinateurs, vingt-deux ingénieurs, cinq architectes, tous hommes de grand métier ! Et ce n'est pas assez encore ! Nous manquons de main-d'œuvre.

— Pourtant, M. Eiffel... »

Un clin d'œil chahuta les bésicles dorées :

« M. Eiffel est un homme très occupé. Croyez-vous qu'il soit disponible aux moindres devoirs d'un bureau d'études, comme le recrutement des calculateurs ? C'est une tâche dont nous pouvons le soulager.

— Vous ne me connaissez guère ! objecta encore Armand pour éprouver sa bonne fortune.

— Certes, mais nous croyons le bien que votre père dit de vous. Vous avez suivi une école, vous en êtes sorti avec un rang très honorable. C'est assez pour vous prendre à l'essai... Si vous faites l'affaire, vous rejoindrez M. Backmann qui est chargé de la question des ascenseurs. »

Le Sanflorin se récria à ce mot magique.

« Il y aura des ascenseurs dans la Tour ?

— S'il est une construction qui en requiert, c'est bien elle ! Alors, marché conclu ? Vous travaillez pour nous ? »

La joie empêchait Armand de sortir aucun mot. Faute de mieux, il prit la main d'Adolphe Salles et la secoua tel un bras de pompe.

Ah ! que cet homme lui semblait sympathique, à présent !

L'hôtel de Jules Boissier était l'image au petit pied des bâtisses fastueuses dont la rue de Bruxelles offrait un large échantillon.

Plus court d'étages, plus serré de porte, moins fourni de jardin, il n'apportait au ruban uni des façades qu'un pauvre renfort, celui du carré de cuir sur le tapis troué. La pierre en semblait moins claire, l'ornement moins riche ; surtout, on n'y relevait aucune concession au style historique alors en faveur, coupable partout ailleurs de tympans sculptés et de baies à meneaux.

C'était le toit convenable pour un homme simple, sans épaisseur de fortune ni de renommée. De fait, Jules Boissier n'était ni banquier, ni journaliste, ni auteur à succès, mais un ingénieur retiré depuis dix ans de l'humble carrière de constructeur de rails et de locomotives. Son entrée dans le petit hôtel de la rue de Bruxelles avait été pour ses voisins le signe d'une corruption sociale, d'un pénible retour au passé. On croyait revenu le temps où riches et pauvres s'étageaient dans un même immeuble, des caves aux greniers, quand l'ordre nouveau les distribuait par quartiers, offrant le remède définitif aux voisinages irritants comme aux levées de barricades.

À l'usage, toutefois, Jules Boissier s'était révélé un voisin tolérable, c'est-à-dire insignifiant. Il ne sortait guère de son hôtel et, s'il sortait, sa réserve lui défendait d'adresser la parole à quiconque, ce dont lui savaient gré ses voisins qui n'auraient pas répondu. C'était comme si les années passées à calculer des rails d'écartement constant lui avaient inculqué de maintenir une distance pareille envers autrui.

Ses journées de retraité, Jules Boissier les occupait comme il avait rempli ses journées d'ingénieur : il se levait dès l'aube, faisait une toilette de soldat et, sans tarder, s'asseyait à sa table de travail. Les plans d'une locomotive électrique ou d'un canon autonettoyant y voisinaient avec l'assiette mal essuyée d'un potage, parmi des empilements de tasses de café.

Le coude sur des papiers, Jules Boissier travaillait là ses quinze ou seize heures, avant de s'étendre à bout de forces jusqu'au lendemain, une journée toute pareille.

Ce fut donc attablé qu'Armand trouva son oncle, le soir du 9 mars 1887. Le jeune homme était entré sans invitation, poussant simplement la porte que Jules laissait ouverte, même en hiver, parce qu'il aimait la fraîcheur qui garde les idées claires.

Le retraité fut un peu surpris de voir son neveu, attendu le lendemain.

« J'ai avancé mon départ, expliqua le garçon. Il me tardait de venir. »

Jules l'embrassa affectueusement puis débarrassa un fauteuil que des livres encombraient.

« Assieds-toi, je t'en prie. As-tu fait bon voyage ? »

La voix détachée, un peu rêveuse, fit sourire Armand.

Dans la famille Boissier, Jules était perçu comme un original. On commentait sa rage de travail, cet égarement studieux qui était le sien certains jours, au point qu'il perdait toute attache à la réalité.

Armand enjamba les politesses pour donner aussitôt la bonne nouvelle.

« Je viens de m'entretenir avec Gustave Eiffel.

— Le constructeur ? fit l'oncle réveillé.

— En personne ! Il m'offre une place dans son bureau d'études. Je commence après-demain. J'aurai ma part de la Tour de 300 mètres ! »

Jules se recula, les poings aux hanches. Il semblait considérer son neveu d'un nouvel œil, où perçaient de l'estime et un peu d'envie.

« C'est formidable, cela ! Mes compliments ! Voilà un beau début de carrière ! »

Puis, après un silence réfléchi :

« Sais-tu à quelle partie de la Tour M. Eiffel veut t'affecter ?

— Nous ne sommes pas entrés dans les détails. Je crois qu'il s'agit des ascenseurs.

— Les ascenseurs ? répéta l'oncle un peu déçu. Pourquoi pas ? C'est nouveau ! Les journaux disent qu'ils représentent un grand défi, à cause de la hauteur de l'édifice et de son profil incurvé. Il faudra sans doute installer plusieurs machines, en relais... Je l'ai lu quelque part. »

Tout en parlant, Jules sortit un article découpé d'une pile de papiers. Les marges étaient toutes griffonnées — notes, calculs, croquis géométriques.

« Vous vous intéressez à la Tour, mon oncle ?

— Qui ne s'y intéresse pas ? Elle interpelle chacun dans sa partie ! L'ingénieur s'interroge sur le moyen de la construire, l'architecte se préoccupe de l'embellir, le militaire questionne son rôle dans la défense de Paris, le médecin étudie les bienfaits de son altitude... il n'est pas jusqu'au prêtre qui la médite, puisque ce monument de la science dépassera du double le plus haut élevé par la religion : je veux dire la cathédrale de Cologne, dont la flèche culmine à 156 mètres ! »

Le Sanflorin commenta rêveusement :

« C'est une chose qu'on a peine à imaginer !

— Oui, notre pensée n'est pas formée à raisonner à telle échelle ! Nos yeux même n'ont pas appris à embrasser tel objet qui, pour l'observateur à ses pieds, occupera tout l'horizon en remplissant encore la moitié du ciel. Néanmoins, il faut relever ce défi... La différence entre l'homme et l'animal n'est pas seulement que le premier va debout quand le second va sur quatre pattes, elle est aussi que l'homme scrute le ciel quand la bête regarde la terre ! »

Armand fixait le plafond dont la nudité blanche, un peu sale, lui évoquait en négatif les profondeurs de l'infini.

« 300 mètres ! En voilà une hauteur ! Est-il vrai, mon oncle, qu'on a eu l'idée d'élever un ballon pour donner l'impression visuelle du futur monument ?

— Oui, avec quatre câbles reliant la nacelle à l'emplacement des piliers, et des drapeaux marquant les étages... Le projet n'a pas eu de suite. On craignait l'affluence des badauds.

— J'ai lu aussi que la Tour cumulera les hauteurs de Notre-Dame, de la statue de la Liberté, de trois fois la colonne Vendôme, de l'arc de triomphe et d'un immeuble de six étages ! »

Jules eut un reniflement agacé.

« Encore une formule pour journalistes ! Sûrement, les faiseurs d'échos sont les plus enragés après la Tour ! Elle n'existe pas qu'on écrit déjà sur elle ! L'avènement d'un roi n'est pas plus attendu. »

Le retraité s'échauffait un peu de la conversation. Trois fois déjà, il avait fait le tour de la pièce à grandes enjambées, en changeant plusieurs fois le sens de sa révolution. Une saute d'idées le faisait obliquer du bureau vers la fenêtre, ou du poêle vers le portemanteau, comme un cheval s'écarte au coup de fouet. Pour son troisième voyage, il emporta des tasses vides, abandonnées plus loin sur une étagère, puis un dossier sanglé qu'il jeta dans les bras d'Armand.

« Toute la Tour est dedans ! » déclara fièrement l'oncle.

Le jeune homme défit la ceinture de cuir. Le dossier serrait une grosse liasse de feuilles dont le coin portait manuscrits des dates et des numéros. Sur chaque feuille, un article à propos de la Tour.

« J'ignorais que vous faisiez cette collection !

— C'est le passe-temps des mauvais jours, confessa Jules. Ne crois pas que l'artiste mendie seul son œuvre à l'inspiration ! Pour l'ingénieur aussi il est des moments où tout va bien, où les calculs les plus brouillés s'enlèvent comme des amusettes, et d'autres qui sont l'opposé. Certains soirs, je ne suis bon qu'à lire le journal ! Alors, j'occupe mon temps à cette bagatelle... »

Le Sanflorin feuilletait ces coupures faites hâtivement, poissées de glue, dont plusieurs débordaient d'une marge ou d'une colonne l'alignement grossier du tas.

« Quels sont les papiers les plus intéressants ?

— Celui sur le paquet a paru le mois dernier. Une pépite ! »

Armand amena l'article sous la clarté jaune de la lampe.

« Ça, par exemple ! Une pétition contre la Tour ! Dans *Le Temps* !

— Eiffel ne t'en a pas parlé ? Rien d'étonnant ! Il a dû loucher sur ce pamphlet ! »

Le neveu lut à voix haute certains passages :

« " Nous venons, écrivains, peintres, sculpteurs, architectes, amateurs passionnés de la beauté jusqu'ici intacte de Paris, protester de toutes nos forces [...] contre l'érection, en plein cœur de notre capitale, de l'inutile et monstrueuse Tour Eiffel [...] Car la Tour Eiffel, dont la commerciale Amérique ne voudrait pas, c'est, n'en doutez pas, le déshonneur de Paris ! [...] une tour vertigineusement ridicule [...] une noire et gigantesque cheminée d'usine [...] odieuse colonne de tôle boulonnée [...] mercantiles imaginations d'un constructeur de machines... "

— Ah, ça ! fit l'oncle Boissier. Ils n'ont pas trempé leur plume dans du lait ! Lis les signatures : Alexandre Dumas, Guy de Maupassant, Leconte de Lisle, Charles Gounod, Sully Prudhomme, François Coppée, Charles Garnier... Ce n'est pas un coup, c'est une volée ! Et pourquoi faire ? Pour sauvegarder, selon le bon mot du ministre, cet " incomparable carré de sable qu'on appelle le Champ-de-Mars " ! À sa demande, la pétition sera d'ailleurs affichée dans les vitrines de l'Exposition. Ses auteurs en rougiront, sans doute ! »

Armand siffla entre ses dents, blessé d'une critique qu'il prenait à son compte. Car charger la Tour, c'était déjà l'attaquer, lui. Sans en connaître aucun, il se sentait solidaire des ingénieurs appelés à servir l'œuvre monumentale. Ne serait-il pas bientôt leur collègue ?

« Et que lit-on ensuite ? La réponse d'Eiffel ?

— Précisément... Elle n'est pas mal tournée. Le bonhomme a des lettres ! Quand il promet que la Tour aura sa beauté propre, parce que les conditions de la force répondent aux lois de l'harmonie, on lui fait confiance.

— Et ceci donc : "Pourquoi ce qui est admirable en Égypte deviendrait-il hideux et ridicule à Paris ?" Rapprocher la Tour des pyramides, belle audace !

— C'est au reproche d'inutilité qu'Eiffel répond le mieux. La Tour, affirme-t-il, permettra d'intéressantes observations pour l'astronomie, la météorologie et la physique. En temps de guerre, elle tiendra Paris constamment relié au reste de la France par la télégraphie optique. Je ne sais personne qui puisse mépriser cet argument, vingt ans après le siège des Prussiens !

— Ah, mon oncle ! Vous m'apprenez beaucoup ! se réjouit le Sanflorin. Mais dites-moi encore : quel est le papier le plus ancien de votre collection ?

— Il s'agit d'un article paru dans *La France*, une revue de génie civil, en décembre 1884. Trois ans déjà ! Observe que c'est la même année, et presque le même mois, qu'a été pris le décret portant décision d'une Exposition universelle. N'est-ce pas éloquent ? Eiffel, dès le début, avait les faveurs du gouvernement... Quand le concours d'architecture a été publié l'année dernière, son projet était mûr et le choix du jury déjà arrêté. La centaine d'autres candidats — les malheureux ! — se sont vainement épuisés à fournir, en deux semaines, l'esquisse d'une "tour de 300 mètres, en fer, de base carrée" dont les plans dormaient depuis deux ans dans les tiroirs d'Eiffel. »

Chaque fois qu'on s'en prenait au constructeur,

Armand écoutait d'une oreille distraite, sinon plus du tout. Il demanda pour faire diversion :

« L'article de *La France* parle-t-il de la Tour ?

— Elle n'y est encore qu'une abstraction, un songe de calcul. Eiffel ne s'intéressait pas au pylône dont deux de ses ingénieurs, Kœchlin et Nouguier, lui avaient soumis le projet. Plus tard, bien sûr, il changea d'avis !

— Ainsi donc, l'idée de la Tour n'est pas d'Eiffel ? gloussa le neveu.

— Non ! Les journaux étrangers ne manquent pas de lui en faire procès, surtout en Suisse d'où Kœchlin est natif. C'est à Eiffel pourtant qu'il revient de construire le pylône... À qui le mérite, celui qui conçoit ou celui qui fait ? »

Armand quitta son fauteuil avec un bâillement.

« C'est un débat que nous pourrions ouvrir à table, mon cher oncle ! J'ai voyagé tout le jour sans rien avaler, et j'ai une faim de tigre !

— Bien sûr ! Bien sûr ! s'exclama Jules en se frappant le front. Où avais-je l'esprit ? Allons, débarrasse-toi ! Tu as encore ton manteau de voyage sur les épaules... Je vais mettre la soupe à réchauffer. »

2

Dans la chronique de la famille Boissier, le premier jour d'Armand chez Gustave Eiffel & Cie devait prendre un relief certain.

La veille, l'oncle Jules avait envoyé son neveu chez son tailleur particulier pour commander un habit à ses mesures. « Il faut quelque chose d'élégant et de sobre, avait dicté l'oncle. Un tissu raide, une coupe droite... Ces gens prisent le calcul. » Des emplettes libérales chez le chemisier, chez le parfumeur, plus une longue séance au salon de coiffure achevèrent d'appliquer au neveu les idées que Jules Boissier se faisait d'une « toilette d'ingénieur ».

Son goût était si juste qu'en poussant la porte des bureaux d'Eiffel, le Sanflorin ne fut d'abord remarqué de personne. Son faux col droit, sa redingote à petit revers le fondaient au décor et semblaient l'ajouter au nombre des hommes vêtus de sombre qui passaient et repassaient dans les couloirs. Peut-être eût-on laissé le visiteur à la porte, s'il n'avait enfin abordé l'employé le plus proche.

« Je suis Armand Boissier, annonça poliment le nouveau venu. Avant-hier, M. Adolphe Salles... »

Sans lui laisser le temps de sa phrase, l'employé lui désigna une table inoccupée.

Hélas ! Elle était loin du poêle et près des carreaux, livrée aux courants d'air. Armand ne pouvait douter de sa destination, puisqu'une enveloppe à son nom l'attendait sous une lampe. Dieu, que le bureau était étroit ! Quel Pygmée pouvait se suffire de cette demi-planche, dont l'écritoire occupait déjà une moitié ?

Armand digérait sa déconvenue quand un petit homme l'accosta.

« Bonjour, monsieur Boissier. Je suis M. Pluot, le chef du bureau des dessins d'exécution. »

Le visiteur était bien aise qu'on s'adressât à lui. Mais M. Pluot semblait pressé et peu disposé à faire la conversation. Déjà il déroulait un plan sur la table.

« Voici le dessin d'une poutrelle. Nos artistes viennent d'y mettre l'encre. N'oubliez pas le buvard sous votre coude... Une tache malencontreuse, c'est un rivet faussé et la Tour qui s'écroule ! »

Le mot était porté d'un clin d'œil, sec comme un coup de fouet. Armand n'eut pas le temps d'en sourire car le chef était déjà parti, laissant sur le bureau un petit bloc de caoutchouc blond : une banale gomme.

« Et pour quoi faire ? » se demanda l'ingénieur. Il considéra d'un œil vague le plan sur la table, si grand qu'il débordait de tous côtés et roulait même à terre. Son regard revint à la gomme — posée là, bête, au milieu du dessin.

Alors il comprit la tâche qu'on lui assignait...

« Moi, un ingénieur, gommer des croquis ? » s'esclaffa le garçon.

Pour qui le prenait-on ? Tenait-on ses diplômes en si

pauvre estime, qu'on lui confiât le travail d'un sta-giaire ?

Frondeur, Armand se carra dans sa chaise et sortit un cigare. C'était un présent discret de l'oncle Jules, glissé à l'insu du jeune homme dans la poche de son gilet. Le Sanflorin n'avait jamais fumé de ces grandes feuilles dont les mégots avaient leurs ramasseurs professionnels, sur les boulevards, et même un marché dans la capitale. À l'école d'ingénieurs, on ne tirait guère que sur la cigarette, jugée plus décente que le calumet des artistes, et moins banquière que le havane. En outre, la façon mécanique de la cigarette, son cylindre coupé net avec toujours la même mesure de tabac, flattait la rigueur des étudiants de science. C'était autre chose, tout de même, que la broussaille nauséabonde du tabac à pipe !

Armand en était là de ses réflexions, lorsqu'un toussotement se fit entendre. Il avisa un jeune homme dont le bureau donnait contre le sien, et qui semblait sa copie au miroir : même lampe à cornet de céladon, même chaise en chêne ciré, même coffret à plumes John Mitchell, jusqu'à la gomme pareille posée sur le dessin. Seulement, des pelures blanches avouaient qu'elle avait servi, ce dont l'ingénieur conçut aussitôt du mépris pour son collègue.

Supérieur, il détourna les yeux.

« À votre place, je n'allumerais pas ce cabañas ! »

Armand toisa l'inconnu en frottant une allumette sur le mur.

« Et qui m'en empêcherait ?

— Personne, assurément, mais M. Pluot vous mettrait à la porte. Fumer est défendu à ceux qui manipulent les plans... C'est un article du règlement ! »

Armand fut tenté de répondre hautainement, mais se

retint. Pourquoi bouder l'amitié qui s'offrait ? Raisonnable, il éteignit son cigare et le rangea où il l'avait pris.

« Êtes-vous ingénieur ? s'informa le jeune homme en pivotant d'un quart de tour sur sa chaise.

— Oui, j'ai suivi l'enseignement de l'École centrale des arts et manufactures.

— Centralien ! Et vous grattez des plans ? Mais dites-moi, n'est-ce pas l'établissement où Eiffel s'est formé ? Ce sont des représailles, alors ! »

Armand partit d'un rire que l'autre voulut bien partager.

« La maison Eiffel est ancienne ! commenta le voisin indulgent. Nous sommes tout frais, mais d'autres y font carrière depuis quinze ans ! Il est bien excusable de réduire un peu les nouveaux venus...

— Soit ! Je m'en remets à votre douce philosophie. Puisqu'il faut gommer... gommons ! »

Et les deux jeunes gens, rebrassant leurs manches d'un même geste, s'appliquèrent à frotter les dessins.

L'amitié d'Armand Boissier et d'Odilon Cheyne avait connu dès ce moment un fabuleux essor.

C'était admirable de voir deux êtres si bien accordés, deux natures si consonantes. Beaucoup les rapprochait : l'âge, également jeune ; la scolarité, celle d'ingénieur ; le talent, qui semblait de même eau ; et encore l'expérience, à peu près nulle.

Quand ils se parlaient d'une table à l'autre, on eût dit non pas deux personnes en conversation, mais une seule, dans son débat intérieur.

Le voisinage de leurs bureaux accusait encore cette

ressemblance. Les plans très étendus, qu'il fallait dérouler sur plusieurs tables, couvraient toujours les leurs. Dans les ateliers, on s'habituait à les voir ensemble, à parler d'eux uniment. Eiffel lui-même, pourtant sec d'humour, les surnommait les « jumeaux de la gomme », en rappel de la corvée qu'ils subissaient coude à coude.

Ce fut à son instigation qu'on leur confia des travaux pour quatre mains. Il existait dans leurs dons une précieuse complémentarité : Odilon excellait dans les premiers jets, les ébauches nerveuses sur une feuille nue ; Armand à sa suite dressait les plans définitifs. Les dessins d'exécution passaient d'un bureau à l'autre, et semblaient dans cet échange suivre une voie naturelle, emprunter des rouages bien coordonnés.

Sur un point toutefois, Armand et Odilon différaient radicalement : c'était le milieu.

Armand était un enfant de Saint-Flour : les lectures et les précepteurs, puis l'école en uniforme n'avaient pu chasser l'empreinte un peu rustique qui restait à ses manières. Ce jeune homme au teint rose se retournait encore sur les tramways et peinait à nouer ses lacets. Les souliers, du reste, étaient presque une nouveauté pour lui : toute son enfance, il était allé en sabots.

Le Sanflorin ne déguisait pas qu'il avait étrenné la redingote pour visiter M. Eiffel et que la capitale, où c'était son premier voyage, fourmillait d'inventions méconnues. À ce campagnard, il fallut apprendre en un mois ce que la civilisation avait mis un siècle à produire : l'éclairage électrique qui baignait certaines pièces des bureaux d'Eiffel ; la photographie dont il avait admiré des épreuves dans le bureau de M. Salles ; et encore le téléphone installé chez son oncle. Armand ne vouait pas à toutes ces nouveautés une admiration égale, loin s'en faut. Si le phonographe excitait chez lui l'enthousiasme d'un badaud de foire, il n'apprivoisait guère le téléphone, qu'il accusait d'asservir les usagers : « Alors c'est ça, votre téléphone ? lançait Armand quand se manifestait l'étrange appareil. Il sonne et vous répondez ? Un valet fait de même ! »

À l'opposé, Odilon avait tous les traits du citadin. Dans sa chevelure longue, coupée à l'artiste, flottaient des parfums étudiés qu'il faisait composer exprès chez Lubin ou chez d'Houbigant, et dont il avait, paraît-il, une riche collection. Ses mouchoirs étaient imprégnés d'essence de fleurs, rime olfactive du beau spécimen qui ornait sa boutonnière — œillet rouge, narcisse ou géranium muscade selon la saison.

Malgré son jeune âge, Odilon s'appuyait sur une canne, fier d'arborer ce bel objet qui lui avait coûté un mois de salaire. Avec son fût en bois de Malacca et sa poignée taillée dans une dent de phacochère, l'accessoire faisait l'admiration de tous, inclus Eiffel qui avait le goût des parures.

« D'où tenez-vous ce bâton ? lui avait un jour demandé le constructeur.

— Un héritage », mentit Odilon qui sentait la futilité de dépenser tant d'argent.

Eiffel ne fut pas dupe, qui jouait la semaine suivante d'une canne toute pareille, ornée celle-ci d'une réduction en argent de la Tour de 300 mètres.

Il était difficile de concevoir un être plus raffiné qu'Odilon. Sa chemise en foulard, son gilet à boutons nacrés, sa toque de fourrure castor qu'il échangeait parfois pour un chapeau de paille anglaise, dénotaient l'homme de goût, fin et civilisé. De fait, il prisait la société des peintres et courait les vernissages. Lui-même, demi-bohème, s'essayait au portrait : quelques lavis talentueux portaient sa signature. On savait qu'il avait suivi les cours des Beaux-Arts avant ceux de l'École centrale, d'où son entrée tardive dans la profession.

Si marqué semblait le penchant d'Odilon pour les arts qu'on s'étonnait de le voir épouser la carrière d'ingénieur. N'eût-il pas mieux investi ses dons dans la peinture ? À ce discret reproche que lui faisait parfois M. Pluot, en raison du trait un peu libre de ses dessins d'exécution, Odilon répliquait que la science a besoin d'intuition, comme l'art a besoin de discipline. La sympathie du jeune homme n'en allait pas moins aux rares artistes collaborant à la Tour — tel Stephen Sauvestre, l'architecte en chef du monument, qui portait comme lui une lavallière quand tous les autres nouaient de banales cravates noires.

L'amitié d'Armand et d'Odilon reflétait ces dissemblances, assises sur une profonde complicité. Très tôt, il s'était établi entre eux le rapport du maître au disciple, ou plutôt du mystagogue à l'initié. Les quatre années qui faisaient l'avance d'Odilon sur Armand, mais surtout sa connaissance intime d'une ville où le Sanflorin venait de mettre pied, indiquaient le sens de cet enseignement.

« Il faut faire ton éducation parisienne ! » avait déclaré un jour Odilon.

Son ami l'avait pris en mauvaise part.

« Mon éducation ? Qu'entends-tu par là ? Malgré ta canne et tes grands airs, tu n'as rien à m'apprendre !

— J'aimerais te présenter à des amis...

— Quels amis ? Les gandins que tu fréquentes ? Ces *gommeux* et ces *corpuchics* ? Merci bien ! Mes goûts ne sympathisent pas avec les leurs. Je ne m'intéresse pas au tir aux pigeons, ni aux courses de chevaux, ni aux parties de baccarat. Je ne corresponds jamais avec un chemisier pour discuter la forme de mes manchettes, ni avec un tailleur pour étudier la coupe de mes gilets. Cette vie guindée n'est pas la mienne. D'ailleurs, en aurais-je les moyens ? À la mort de mon père — « fin papa » comme disent tes camarades —, je n'hériterai que de dettes !

— Ne te monte pas..., sourit le Parisien. Mes amis t'indisposent ? Soit ! Nous sortirons sans eux ! Aimerais-tu visiter Paris ?

— Pardi ! »

Sur quoi, les deux amis avaient dressé un programme d'excursions à travers la capitale. Il s'agissait de cafés, de musées, de cabarets jugés par Odilon les plus propres à faire respirer l'air de la ville.

« Un air unique au monde ! s'animait l'ingénieur. Tu verras : tout ce qui crée, tout ce qui se pense, tout ce qui s'admire a son berceau près de la Seine ! Les plus belles femmes sont ici, les hommes les plus illustres vivent à nos portes !

— Quand commençons-nous ?

— Bientôt, bientôt... ne sois pas si pressé ! Dimanche arrive, nous ferons une promenade du côté de l'Alma. Veux-tu voir le chantier de la Tour ?

— Pourquoi pas ? Je la dessine sans la connaître. Est-ce intéressant ?

— Pas beaucoup. Aujourd'hui, on creuse ; demain, on élèvera. Cependant Eiffel apporte au problème de fondation des piles, dont deux s'appuient sur un mauvais terrain, des solutions qui valent le coup d'œil.

— C'est entendu ! Dimanche, au Champ-de-Mars ! »

Armand avait attendu sa sortie parisienne comme un lycéen guette son congé d'internat.

Dès le point du jour, à l'heure où les porteurs de journaux livrent sous les portes, il était monté dans la voiture réservée la veille pour se rendre au Champ-de-Mars. Sauf les tonneaux d'arrosement de la préfecture, les rues étaient désertes, le gaz encore en flamme : on fut au Dupuy en quelques tours de roue.

« Sapristi ! C'est fermé ! constata l'ingénieur devant les grilles du café.

— Le Dupuy n'ouvre qu'à 8 heures. C'est une maison bourgeoise ! » expliqua le cocher qui reconduisait parfois les habitués de l'établissement.

Armand boutonna sa redingote jusqu'au haut. Le froid était vif en ce matin d'hiver — un froid qui n'était pas celui, animal et diffus, de la campagne, mais un autre plus âpre, comme si la Seine aux reflets d'acier avait porté sa lame au cœur des rues sombres. De longs couteaux de vent s'aiguisaient aux ponts comme à une pierre de meule, avant d'éprouver leur tranchant sur les hautes façades.

« Brrr ! Un vermouth de Turin, bien chaud ! » implora l'ingénieur en soufflant dans ses mains.

Non moins étrangers que la température lui semblaient les bruits. Le silence rural du petit jour, ridé à peine d'un lointain chant de coq, devenait rumeur et presque tumulte au sein de la ville. Si tôt le matin, on entendait déjà le grondement des tramways, le halètement des péniches à vapeur, les cris des marchands ambulants avec le piétinement de la foule en marche

— la foule épaissie d'instant en instant, vaquant activement aux tâches journalières.

Dans cette mêlée de sons, un bruit se détachait avec relief : le râle actif et pressé d'une machine. C'était du côté du Champ-de-Mars. « Le chantier de la Tour ! » s'émut l'ingénieur. Il consulta sa montre. « J'ai bien le temps, je vais jeter un coup d'œil ! »

Le Champ-de-Mars n'était alors qu'une plaine rase, un horizon désert au cœur de le capitale. De ses premières dispositions — un clos de vigne, une aire de maraîchage —, rien ne subsistait que des lambeaux de broussailles, habillant çà et là l'immense nudité. Pendant plus d'un siècle, les soldats s'étaient ébattus d'un bout à l'autre du carré de sable, simulant des charges et creusant des tranchées. Quand la guerre n'était pas sur le Champ-de-Mars, on y donnait la messe ou des courses de chevaux, on y lâchait des ballons qui emportaient Nadar avec sa boîte photographique. Hélas ! Même embelli d'Expositions universelles tous les dix ans, même enceint de planches — soustraites tout aussitôt par les romanichels —, le Champ-de-Mars retournait toujours au vent et à la poussière. Tel il avait été, tel il restait : une vaste inutilité...

Armand s'avançait à grands pas vers une palissade. De l'écran de bois ne dépassaient qu'un mât encordé et quelques potences mais, à la trépidation du sol, on sentait quel travail profond se poursuivait dessous. Impatient de voir, il escalada le mur de planches.

Quel spectacle ! La plaine entière était bouleversée. C'était un chantier grandiose et incompréhensible, une carrière à ciel ouvert, où l'on semblait construire et détruire tout ensemble.

Ici, des processions de bennes à chevaux hissaient la

terre du fond du gouffre. Là, d'étranges péniches de métal coiffées d'un cabanon nageaient en plein sable ; Armand reconnut les caissons à air comprimé, autorisant le creusement sous l'eau, dont il avait dressé les plans.

Il fallait du métier pour situer les emplacements des quatre piles de la Tour, encore indéfinies dans le méli-mélo des blocs, des rampes, des tas de gravier. L'œuvre des terrassiers évoquait çà et là des ruines antiques : Rome, par ces épaisses murailles de moellons ; l'Égypte, par ces maçonneries inclinées telle l'assise d'une pyramide.

« Monsieur ! C'est défendu de grimper ! »

L'ingénieur surpris roula sur le sol. Odilon vint le relever, hilare.

« As-tu idée de faire des tours pareils ? protesta son ami. J'ai cru mourir de peur !

— Et que crains-tu ? Tu n'es pas à chaparder des pommes ! Va, ils sont quelques-uns à prendre ton poste, tous les jours ! Cet arbre là-bas se souvient de leurs ascensions !

— Enfin, quel coup d'œil ! reprit Armand en époussetant son chapeau. On n'y comprend rien ! »

Le Parisien entraîna son collègue vers l'ouverture de la palissade.

« C'est que les piles n'ont pas toutes eu le même traitement. Pour celles en pleine terre, il a suffi d'excaver : des tonnes et des tonnes d'argile et de gravier, vidées par les tombereaux dans les décharges publiques. Mais pour les piles du côté de la Seine, il y avait l'eau !

— L'eau ? On n'est pourtant pas sur la berge !

— Nos ancêtres l'étaient. À l'emplacement des piles nord et est coulait jadis un bras du fleuve, avec de petits îlots nommés Treilles, Vaches et Longchamp. Les îlots furent réunis pour faire une île, et les duellistes s'y donnèrent rendez-vous ; d'où son nom de Malequerelle. À l'occasion, elle servit aussi aux fermiers qui menaient paître leurs bêtes, aux bouchers qui lavaient leurs tripes dans l'eau claire de la Seine. Louis le Grand y éleva des oiseaux de Scandinavie à l'abri de hautes palissades. L'endroit s'appela dès lors l'île des Cygnes, jusqu'à son rattachement à la berge avant la Révolution.

— En sais-tu des choses ! admira le Sanflorin.

— C'est un sujet qui m'intéresse... Je ne crois pas qu'on décide au hasard le lieu d'un monument. Certainement le choix de planter la Tour ici, plutôt qu'à Bastille ou à Montmartre, a d'autres motifs que la sûreté du sol... Sais-tu qu'en faisant la fouille, on a déterré des squelettes humains ? Ce sont les ossements de huguenots massacrés à la Saint-Barthélemy. La Tour, dressée sur un cimetière ! Voilà qui donne à réfléchir, n'est-ce pas ? »

Odilon avait prononcé ces paroles d'un air mystérieux qui intrigua Armand. Le Sanflorin dévisagea son ami. Mais celui-ci était tombé dans un silence buté qu'il garda tout le temps de leur visite.

Tandis que les jumeaux découvraient le chantier de la Tour, deux autres promeneurs étaient entrés sur le Champ-de-Mars. Leurs pas lents et recueillis semblaient attachés à un convoi funèbre.

Le premier était de haute taille, avec un costume à carreaux, des bottes souples, des bretelles en croix dont le goût trahissait son origine américaine. Le second était noir tout entier sauf un petit point rouge à la boutonnière, comme la goutte de sang d'un duel perdu : la rosette républicaine.

« Hélas ! Ils creusent ! » soupira Gordon Hole dans un français tourmenté d'accent atlantique.

Une ride sceptique coupa le front du deuxième personnage.

« Ils creusent, mais bâtiront-ils ? C'est enfantin de creuser... Quant à mettre debout une tour de 300 mètres, voilà une autre affaire ! »

Gordon Hole tira pensivement sa salive.

« Monsieur Bourdais, permettez-moi de vous parler en confrère. Vous êtes l'illustre architecte du palais du Trocadéro. Les gratte-ciel dont j'ai dressé les plans m'ont valu aussi quelque renom de l'autre côté de l'océan. Nous savons tous deux que cette tour métallique est une folie, qu'elle ne s'élèvera pas... Ou bien, si elle monte, elle s'abattra. On n'a jamais construit si haut !

— On n'a jamais conçu si mal ! enchérit Jules Bourdais en chassant un caillou du pied. Ah ! que n'ont-ils élu mon projet de Colonne Soleil ! 360 mètres, tout en granit !

— Cinq étages flanqués de galeries ! récita Gordon Hole. Un musée permanent de l'électricité ! Des balcons baignés d'air pur pour le traitement des poitrinaires ! Et tout en haut... une lanterne géante !

— Oui ! rugit Bourdais en tendant une main vers le ciel. Un fanal électrique, amplifié par des miroirs paraboliques... donnant toute la nuit, dans tout Paris, huit fois plus de clarté qu'il n'est besoin pour lire son journal ! L'ombre vaincue, chassée de la Ville lumière ! Voilà une ambition sérieuse !

— Un projet admirable, cher maître ! Hélas ! Le génie de la science qui couronne votre phare n'ouvrira jamais les yeux sur Paris ! On a préféré les bricolages d'un constructeur de ponts aux vastes desseins de l'architecte ! On a sacrifié l'art à la mécanique ! Maudit Eiffel ! »

En entendant le nom de son rival, Jules Bourdais sembla se tasser sur lui-même. Ses épaules tombèrent, l'homme tout entier parut diminuer de taille. Il marchait en regardant la pointe de ses souliers — terne et absent.

Gordon choisit ce moment pour prendre affectueusement la main de son confrère.

« Garderiez-vous un secret, monsieur Bourdais ? »

L'architecte lui jeta un regard éperdu. Il avait l'air d'un enfant blessé qui attend une parole de consolation.

« Je connais Gustave Eiffel mieux que quiconque. Voici trente-cinq ans, nous partagions le banc de la même école d'ingénieurs. Il ne s'occupait alors que de chimie et briguait une place dans la distillerie de vinaigre de son oncle. Ses résultats ne lui ouvraient guère d'autre carrière : il s'était classé onzième la première année de ses études, vingt-deuxième la seconde, trente-troisième la dernière ! Surtout, il abominait le dessin.

— Curieuse histoire ! Je ne l'avais jamais entendue ! fit Bourdais intéressé.

— À ce moment, j'étais déjà épris de construction métallique. Il me semblait qu'on pouvait employer utilement le fer pour bâtir de grands ouvrages, sans recourir aux techniques anciennes de l'arche, de la voûte ou du dôme. Le fer n'est-il pas économique et incombustible ? N'offre-t-il pas, mieux que la fonte, une résistance à toutes sortes d'efforts ? J'employais donc mes nuits à perfectionner un système. En classe, j'en faisais l'exposé devant mes camarades. Eiffel écoutait... Que n'ai-je tenu ma langue ! J'étais abusé par le peu d'intérêt qu'il semblait porter au sujet. Or il notait tout, et copiait les formules par-dessus mon épaule... »

Bourdais serra fortement la main de l'Américain laissée dans la sienne.

« Eiffel, un usurpateur !

— Il n'y a pas d'autre mot... Regardez le vilain profil de sa Tour : deux pattes, un arc, une flèche surmontée d'un lanternon, le tout zébré d'un réseau plus ou moins lâche de fermes métalliques ! Ne ressemble-t-elle pas à tant de viaducs en fer, lancés depuis quarante ans sur tous les gouffres du monde ? Songez au pont de Crumlin en Angleterre, à celui de la Sarine près de Fribourg, à ceux de la Cère, du Busseau d'Ahun !

— C'est ma foi vrai ! admit Bourdais en croisant les bras.

— Toutefois, c'est bien de mes calculs qu'Eiffel a tiré son modèle. Sachez que j'ai conçu, monsieur, le premier gratte-ciel au monde : le Home Insurance Building à Chicago. Sa construction est achevée depuis deux ans déjà. Or, dépouillez cet édifice, étudiez son armature de fer : vous y lirez tous les secrets de la Tour. La vérité est là... Eiffel m'a volé ! »

Tout le temps que Gordon parlait, Jules Bourdais avait écouté avec beaucoup d'attention. Les yeux mi-clos, il semblait savourer chaque mot de l'architecte, l'assimiler lentement. Puis soudain, le Français se tourna vers Gordon Hole et l'arrêta d'une main sur la poitrine.

« Monsieur, ce que vous dites est sérieux ! Au nom de

la science, on ne peut taire de tels secrets ! Laisserons-nous triompher un escroc ? Laisserons-nous pousser, telle une mauvaise herbe, cette tour qui n'a rien de nouveau, quand déjà elle n'était rien de beau ? Il faut lutter ! Je connais du monde à Paris : des journalistes, des magistrats ! L'affaire éclatera au grand jour ! »

L'Américain eut un sourire tiède.

« Oui, vous parlez d'alerter la presse... C'est à faire, assurément, je vous y encourage. Mais ne croyez pas qu'une salve d'encre abattra jamais la Tour ! Le chantier est ouvert, monsieur Bourdais, avant trois mois nous verrons le fer commencer son escalade ! Pour l'empêcher, il n'est qu'un moyen. »

Jules Bourdais se raidit comme un soldat qui attend les ordres.

« Soit, monsieur ! Je vous écoute. Quel est ce moyen ? »

Gordon Hole plongea ses yeux dans ceux du Français. Il resta un long moment ainsi, sondant l'âme de l'architecte, y cherchant une réponse. Enfin, d'un souffle sec, un souffle qui fit vibrer ses narines et creusa des fossettes méchantes aux coins de ses lèvres, il prononça :

« Un sabotage. »

Une pâleur subite vint à Jules Bourdais. Il dévisagea l'Américain comme s'il avait vu monter un serpent derrière sa tête.

« Avez-vous perdu la raison ? »

Gordon Hole l'agrippa convulsivement. Sa voix s'était tendue, comme étirée par la peur.

« Un sabotage, monsieur Bourdais ! Il n'est pas d'autre voie ! J'ai voulu vous connaître, car j'ai senti en vous un homme résolu, hardi, même, quand les circonstances l'exigent ! Je ne peux agir sans appui dans ce pays qui n'est pas le mien... Mais à nous deux, tout est possible ! Nous culbuterons la Tour ! Gustave Eiffel a engagé ses biens pour la construire, il ne s'en relèvera pas ! Alors, me suivez-vous ? »

Bourdais dégagea sa manche avec violence.

« Je ne vous suis nulle part, vieux fou ! Et surtout pas en prison ! »

Sur quoi, Jules Bourdais pivota sur ses talons et partit sans saluer.

Gordon Hole regardait le Français s'éloigner à pas vifs vers l'avenue de Suffren. Ses traits d'abord convulsés se relâchèrent, pour ne plus marquer qu'un pli long et profond, qui descendait des premiers cheveux jusqu'à l'attache du nez. À cet instant, sa main se porta vers une poche intérieure de sa veste, déformée par un objet pesant. Il tira un revolver, un Remington Deringer nickelé, calibre 41 annulaire, dont le double canon portait gravées ses initiales.

« Pas de bêtises », se raisonna Gordon. Il rangea l'arme et se dirigea vers une calèche qui stationnait près de là.

Gaspard Louchon prit la fiole dont il tira le bouchon. Son œil se colla à l'épaisse paroi de verre. Un liquide ondulait mollement à mi-hauteur. Il secoua la bouteille qui dégagea une odeur énervante et poivrée.

« Ah ! la bonne liqueur ! » jubila Gaspard.

Puis il vissa le col à sa narine gauche et renversa la tête en arrière. Peu après, sa bouche s'ouvrit comme celle d'un poisson hors de l'eau. Une humeur laiteuse coulait aux commissures de ses lèvres.

Ce fut à cet instant que Gordon Hole pénétra dans la voiture.

« Fichu rêveur ! » s'écria l'architecte en découvrant Gaspard le flacon dans le nez.

Il arracha la fiole qu'il jeta par la fenêtre.

« Si je te reprends à téter ce poison, parole ! »

Mais l'autre, avachi sur la banquette, la poitrine soulevée de spasmes, semblait ne pas entendre. Sa langue enflait bizarrement.

« M'écoutes-tu, Gaspard ? » fit Gordon en secouant rudement le drogué.

Il lui appliqua un soufflet qui jeta sa tête contre la portière, tout près d'un écriteau de réclame : « Chez Faussillon & Cie, grand déballage de gants dépareillés, spécialité pour messieurs les manchots. » Une deuxième, puis une troisième gifle hissèrent peu à peu Gaspard à la conscience. Les prunelles du drogué émergeaient d'un rideau de larmes.

« Monsieur..., fit Gaspard d'une voix gélatineuse.

— Je t'ai encore sauvé la vie, petit crevé... Mais c'est la dernière fois ! Je n'ai que faire d'un empoisonné ! Es-tu poète, à la fin, pour fumer tout le jour des cigarettes de camphre ? T'es-tu rallié aux *zutistes*, aux *hirsutes* ou aux *hydropathes* ? Oh, puis c'est assez ! »

Gordon Hole tapa du poing sur la portière capitonnée. Aussitôt, la calèche se mit en branle.

« Quelque chose n'est pas bien, monsieur ? demanda Gaspard qui recouvrait peu à peu ses esprits.

— Oui, j'ai mal à la tête. C'est votre français qui me bat les tempes, des migraines insupportables ! Vraiment, je hais cette langue, surtout quand j'en dépense pour rien !

— M. Bourdais n'a pas... ? fit Gaspard en se mouchant le nez.

— Non ! tonitrua l'architecte. Qu'espérais-tu ? Bourdais est un lâche doublé d'un imbécile ! À tout prendre, je ne suis pas fâché qu'il ait repoussé notre offre... On n'a que faire, dans pareille entreprise, d'un homme qui bâtit encore avec des pierres — des pierres, comme dans l'Antiquité ! L'idiot rétrograde ! N'a-t-il pas pris la leçon de Washington ? Cet obélisque en granit qui devait culminer à 183 mètres, et qu'on coiffa péniblement à 169, après trente ans de travaux ! Bourdais n'est pas avec nous ? Bon débarras !

— Si vous êtes content, je le suis aussi ! » bredouilla Gaspard dans ses vapeurs.

Gordon Hole lui lança un regard noir et déroula le store de la portière.

« Ces Français sont tous des rêveurs. Ils n'ont pas l'esprit d'entreprendre, l'esprit anglo-saxon ! Quels sont les chefs-d'œuvre de l'architecture dans notre siècle ? L'enceinte du Crystal Palace... à Londres ! Le pont de Brooklyn... à New York ! Les Français n'ont rien fait de bon.

— Et cependant, intervint Gaspard dont la drogue stimulait le patriotisme, lors du concours de la Tour de 300 mètres, on a vu des projets très nouveaux ! »

L'architecte s'esclaffa.

« Parlons-en ! S'agit-il de cet édifice en forme d'arrosoir, conçu pour abreuver Paris en cas de sécheresse ? Ou encore de cette guillotine géante, qui rappelait gracieusement le souvenir de la Révolution ? Ah ! Il y a le dessin de M. Hénard : un temple dans le style indien, supporté par des éléphants ! Cela fait rire, vraiment... »

44

Gaspard agrippa l'Américain par le col de sa veste avant de lâcher dans une rafale de postillons :

« La Tour de 300 mètres sera française, monsieur ! Française et parisienne ! C'est la revanche de notre pays vaincu en 1870 ; c'est un membre de fer pour remplacer celui dont les Prussiens nous ont amputés : l'Alsace et la Lorraine ! »

L'Américain n'eut qu'à remuer les épaules pour se dégager de la molle étreinte du drogué.

« J'ai pitié de toi, Gaspard... Une vie perdue à dessiner des vespasiennes et des kiosques à journaux ! Que sais-tu de la Tour de 300 mètres ? D'ailleurs, ce n'est pas ainsi qu'il faut l'appeler ; elle se nomme "Tour de 1 000 pieds". Ton compatriote Sébillot a ramené le projet d'Amérique, où il est né voici un demi-siècle. Nos ingénieurs ont rêvé ce pylône avant les vôtres. Dans un monde équitable, ils l'auraient aussi construit ! »

L'architecte se massait doucement les tempes.

« Il faut changer nos plans. Nous avions tort de chercher des alliances. La vérité combat seule ! »

Gaspard tortillait son mouchoir à l'intérieur de ses oreilles.

« Quelle est votre idée, monsieur ?

— Je n'ai rien décidé encore. Le sabotage est-il efficace ? Et d'ailleurs, comment saboter ? Vaut-il mieux dynamiter l'une des piles de la Tour ? Faire s'effondrer le premier étage ? Provoquerons-nous la chute d'un ascenseur, d'une grue de montage ? Ou bien, le jour de l'inauguration, remplacerons-nous les feux d'artifice par des charges d'obus ?

— Il faudra des moyens considérables ! »

Gordon Hole toisa froidement son acolyte.

« Te voilà bien raisonnable pour un mangeur de

rêves ! Ignores-tu la puissance des explosifs ? Ce que peut un homme seul avec une fiole de nitroglycérine ?

— Trouver la mort, bien sûr !

— Silence ! fit l'Américain excédé. Plus un mot ! Votre français me broie la cervelle ! »

Gordon tourna le dos à Gaspard qui poursuivit tranquillement sa toilette.

La calèche s'arrêta peu après à la porte d'un hôtel particulier. Gaspard descendit et mania le heurtoir. Une tablette de marbre portait l'inscription : « Club des constructeurs métalliques ».

Leur visite du chantier achevée, Armand et Odilon quittèrent à pied le Champ-de-Mars.

L'intéressant tableau des fouilles avait dissipé l'humeur trouble d'Odilon. De nouveau il riait, plaisantait, clignait de l'œil au passage des jolies filles. Sa verve aussi semblait ranimée : il ne tarissait plus sur Paris et ses merveilles, celles à robes surtout, et promettait au provincial « des baisers sous chaque réverbère ».

« Vraiment, on s'embrasse partout ? s'extasia le jeune homme que sa candeur faisait tout prendre à la lettre.

— Oui, pour ainsi dire ! Rien n'est plus naturel que d'aimer à Paris ! C'est comme s'il régnait ici un printemps perpétuel. Observe ce pont, ce square avec son joli kiosque vert. N'est-ce pas qu'ils semblent faits pour recevoir une scène galante ?

— C'est ma foi vrai ! admit le Sanflorin en battant des mains. Ah ! je suis content d'être ici ! »

Odilon considéra son ami d'un œil finaud.

« Toi, tu cherches une fiancée ! Cela se lit sur ta

figure ! Eh bien, fais ton choix ! Sur le boulevard des Italiens, on voit moins de fenêtres que de filles à marier ! Des modistes, des couturières, des fleuristes ! Les plus cotées sont les blanchisseuses de fin : tous les jeunes gens rêvent d'accrocher à leur bras une de ces jolies lavandières, propres comme des cygnes, qui exhalent le frais parfum du linge.

— Oh, montre-moi ! Emmène-moi ! »

Armand, subjugué, voulait courir au spectacle ; il tirait le bras d'Odilon comme un chien tire sa laisse.

Un doute les arrêta pourtant à l'angle des boulevards. Quelle direction prendre ? Choisir un trottoir c'était quitter l'autre, et manquer peut-être un trésor à portée de pas. Le grand théâtre de Paris donnait ses représentations au jour et à la nuit, sans qu'on sût toujours où brillait la scène.

Bien sûr, Odilon avait une idée mieux formée des visites à faire : « C'est le Louvre ! soutenait l'ingénieur. Commençons par le meilleur ! » Mais Armand était d'un autre avis : « La barbe des musées ! Nous aurons bien le temps, quand le poil nous poussera aux oreilles ! Allons plutôt au café-chantant ! Tu m'as dit du théâtre des choses étonnantes... »

Le débat traîna en longueur. Odilon tenait résolument pour les belles choses, quand Armand défendait farouchement son plaisir. Le soleil déjà haut brusqua leur décision : ils prirent le parti de suivre la Seine toute proche. Les amis descendirent sur la berge.

Ce fut le début d'une calme flânerie, suivant les méandres du fleuve et les détours imposés de loin en loin par les tas de marchandises.

Armand et Odilon marchaient côte à côte, le nez dans leurs écharpes en garde du froid. Le voisinage de l'eau abaissait encore la température : de grandes barbes glacées pendaient aux amarres des péniches à quai, pour beaucoup prises dans le gel. Les promeneurs firent halte devant une gabarre cernée d'une vraie petite banquise. Avec ses voiles rouges et les tuyaux cuivrés de sa chaudière, on eût dit un rubis de Golconde dans son écrin.

Tout était pour Armand un sujet de curiosité : il s'étonna des matelassières adossées au parapet, qui arrachaient à pleines mains la bourre grise des vieilles literies ; il observa de près les bateaux-lavoirs avec leurs enfilades de matrones battant la palette, et d'encore plus près les écoles de natation où de rares baigneuses affrontaient l'eau glacée. Le spectacle d'une dragueuse à vapeur le retint longuement, fasciné comme un enfant par le va-et-vient de la pelle mécanique.

Des portefaix formaient à grand train des monticules de marchandises. C'étaient ici des pyramides de fruits jaunes ou verts qui enchantaient l'air d'un éclat de vitrail ; là des mottes de charbon ou de sciure, des collines de sable qui migraient à pelletées des chalands vers le quai. Sur le pont de Solferino, un pêcheur solitaire surveillait sa ligne, menacée par les glaçons à la dérive.

Vers midi, Armand et Odilon s'attablèrent dans une friterie fréquentée par les débardeurs. Le déjeuner passa à faire la revue de ces impressions curieuses.

« Me diras-tu enfin pourquoi cet homme portait un panier plein de toiles d'araignée ? demanda le Sanflorin en piochant distraitement dans son assiette.

— Il en fait commerce, bien sûr !

— Vendre des toiles d'araignée ? La belle occupation !

— C'est pourtant vrai. Je connais sa méthode : il délaye la soie d'araignée dans la colle, en passe une couche sur le verre, puis saupoudre le tout avec de la sciure. »

Le couteau d'Odilon raclait une tartine en imitant le travail du marchand de toiles. Armand suivait l'opération, subjugué.

« Mais qui peut bien acheter cette sorte d'article ?

— Les cabaretiers... Une bouteille entoilée fait bon effet. Elle paraît vieille et se vend cher.

— Inouï ! s'extasia Armand la bouche pleine. On n'a pas cela à Saint-Flour ! »

Odilon sourit à ce trait d'innocence.

« Oh ! Paris recèle bien des mystères ! Par exemple, as-tu remarqué ce vieillard barbu qui remontait le fleuve sur son radeau de planches ?

— Avec les cadavres de chiens qu'il avait en remorque ? Comment le manquer ?

— Quel métier crois-tu qu'il exerce ? »

Le Sanflorin réfléchit le temps d'un verre de vin.

« Je l'ignore, mais, à coup sûr, il ne vit pas de ses rentes !

— Cet homme fabrique des asticots. Du matin au soir, il godille sur la Seine en quête d'animaux noyés, ces charognes atroces, gonflées comme des vessies, qu'on voit dériver au courant. Il les harponne et les attache derrière sa barque. D'autres fois ce sont des chats crevés qu'il achète aux chiffonniers pour quelques sous. Toute cette viande rejoint un grand coffre dans son grenier, où il la laisse putréfier. Une semaine plus tard, les asticots sont prêts, il n'y a plus qu'à les cueillir dans des boîtes en fer-blanc ! »

Saisi d'un haut-le-cœur, Armand repoussa son assiette.

« Le dégoûtant bonhomme ! Je ne lui serrerais pas la main ! En as-tu des histoires !

— Ça, oui ! Les originaux ne manquent pas dans la capitale ! Que veux-tu ? La misère force l'imagination...

— Dis-m'en encore ! réclama le Sanflorin.

— À Paris, tu peux t'établir loueuse de sangsues : pour trente sous, cette dame fournit les vers et assure la pose ; ses services sont très recherchés des malades. Si tu portes un beau nom, deviens père putatif, et transmets ton patronyme aux enfants qu'on n'a pas reconnus ! Aimes-tu fumer ? Sois culotteur de pipes : ce métier de paresseux consiste à pétuner tout le jour pour noircir les fourneaux. Les bohémiens le pratiquaient avant qu'on invente les manufactures de culottage. Je pourrais t'en nommer mille autres : l'implanteur de cheveux, la trieuse de crottes de chiens, la réveilleuse de travailleurs de nuit, le marchand de grillons — pour ceux qui aiment entendre l'insecte ronfler dans leur cheminée —, le berger en chambre, et encore...

— Assez ! Assez ! fit Armand dans un éclat de rire. Tu vas me faire regretter d'exercer le métier si commun d'ingénieur ! »

Le repas payé, les amis prirent un escalier raide qui montait sur le quai. En passant Odilon désigna la passerelle voisine : « Le pont des Arts, le premier pont de fer construit en France ! »

Ce fut un choc de retrouver la circulation parisienne, son trafic à plusieurs lits — les piétons, les chevaux, les voitures et les tramways — qui grondait à quelques pas des berges paisibles. On eût dit un second fleuve, plus tourmenté, suivant son cours près du premier.

Les ingénieurs s'attardèrent chez un bouquiniste, mutilé de la dernière guerre, qui exposait ses livres et ses médailles sur le parapet. Ils trouvèrent des gravures de la Tour, assez mal venues. On devinait que l'œil des artistes, formé aux monuments de pierre pleine, s'accommodait mal de cette construction en résille de métal, pleine de reflets et de scintillements.

« Dis ! L'heure avance ! observa le Parisien. Louons un fiacre, un *sapin* comme on dit à Paris... je suis fatigué de marcher ! »

Ce fut donc assis qu'ils poursuivirent le voyage. Armand s'accusait d'avoir flâné trop longtemps. Les files déjà formées aux portes des théâtres, les fiacres en procession sur les boulevards augmentaient son malaise.

« Ah ! c'est trop bête ! Perdre ainsi la journée ! » regrettait l'ingénieur en agaçant les capitons de la banquette.

Ils furent bientôt au Quartier latin. « La patrie des étudiants », commenta Odilon pour son ami penché à la portière. Armand opina distraitement et fit signe d'aller.

Le fiacre déboucha peu après sur le boulevard Saint-Germain. Le décor était tout différent : les façades bohèmes des rives de la Seine cédaient à de beaux hôtels particuliers, aux porches surmontés d'écussons de pierre. Les pipes fumées par les écoliers devenaient cigares, joints aux lèvres par de précieux becs d'ambre ou d'écume. Armand se rappela son cabañas, inachevé, qu'il tira de sa poche et poursuivit.

Dans le carreau du fiacre défilaient les faubourgs : la Chaussée d'Antin des financiers, la Nouvelle Athènes des artistes, le faubourg Saint-Honoré des ambassades... Le Sanflorin ne voulait stationner nulle part, mais prenait plaisir à ce carnaval chamarré, ces scènes unies et sitôt défaites dans le champ de son regard.

Après deux heures de course, la voiture s'arrêta à la station du Louvre.

« Terminus ! aboya le cocher en tirant la bride.

— Déjà ? s'étonna Armand. Nous avons fait le tour de Paris ?

— Du meilleur, sans contredit !

— Ce n'est pas assez ! Je n'ai rien vu ! Où sont les filles que tu m'as vantées ? Et l'Opéra, et les bals costumés ?

— Une semaine n'y suffirait pas ! allégua Odilon en tendant sa monnaie au cocher. Nous irons la prochaine fois ! »

Armand fit un caprice, martelant du talon le plancher du fiacre.

« Ça non, par exemple ! Je ne rentrerai pas chez mon oncle sans un beau souvenir ! C'est le meilleur de Paris, disais-tu ? Montre-moi le pire ! »

Il n'en démordait pas. Leur circuit parisien le laissait sur sa faim : il attendait des morceaux plus forts, plus crus, fidèles aux romans qui avaient tissé son rêve de la capitale.

« Un cauchemar, plutôt ! s'esclaffa Odilon. Soit, tu veux du frisson ? Tu vas être servi ! »

Et l'ingénieur de souffler au cocher une adresse mystérieuse, leur nouvelle destination.

Les jumeaux de la gomme furent déposés à la tombée du jour sur le quai aux fleurs, ainsi qu'on nommait, à la pointe est de l'île de la Cité, le passage adossé à l'église Notre-Dame. Il portait bien son nom : le parapet et une portion de la chaussée accueillaient les fleuristes, venus déployer là — en bottes, en pots ou sur tiges — les jolies créatures dont ils faisaient commerce. Des vendeuses, aux tabliers salis comme ceux des peintres, composaient avec goût des bouquets odorants.

« Un coin de paradis ! admira le Sanflorin.

— Le marché aux fleurs, qui devient chaque dimanche le marché aux oiseaux. Suis-moi ! »

Peu après le pont Saint-Louis, le quai tournait pour épouser la forme en éperon de l'île. Cette partie était ombreuse : la nuit nappait déjà les trottoirs, trouée de place en place par l'éclairage public. Ce n'étaient pas des becs de gaz qui brûlaient ici, mais, à l'ancienne mode, de grosses lampes carcel à huile. Le pavé baignait dans leur clarté rouge sang.

Au bout du quai se trouvait un petit square, avec au fond un bâtiment à demi enterré. Odilon appuya sur le bouton de sonnette.

Au même instant, un fourgon passa la porte cochère. Le flanc ouvert du véhicule laissait voir l'intérieur : Armand devina un agent de police avec son caban et sa matraque blanche, deux autres individus reculés dans l'ombre, et entre eux la silhouette d'une femme étendue. Cette femme n'avait plus de tête.

« C'est fermé ! grinça une voix à travers le judas.

— Ouvre-nous, Père la Pudeur ! Je suis Odilon Cheyne ! »

La serrure joua capricieusement. Dans la porte entre-bâillée parut un vieil homme qui tenait une chandelle. Il avait l'air d'une gravure du siècle passé avec ses pantoufles en moquette, sa calotte en tapisserie coiffant de longs cheveux blancs. Une forte odeur l'accompagnait, celle du liquide conservateur des cadavres.

« Ce n'est pas régulier, il est tard ! grogna le barbon. Il n'y a pourtant pas séance aujourd'hui !

— Une visite de courtoisie... », expliqua Odilon très à l'aise.

Le Père la Pudeur s'effaça en secouant la tête. « Pas régulier... », marmonnait-il encore dans le couloir.

« Odilon, où sommes-nous ? s'enquit Armand d'une voix mal assurée.

— À la morgue ! »

Ils furent introduits dans une salle obscure. Rien sauf l'écho de leurs pas n'en indiquait les dimensions. La chandelle du gardien était cernée d'une ombre épaisse, une mélasse de nuit qui semblait consistante : la main croyait pouvoir la tâter, la bouche la goûter. Armand s'étonnait du froid, plus vif que dehors.

« Peut-on avoir de la lumière ? » sollicita l'ingénieur qui venait de buter contre une marche.

Toujours grommelant, le Père la Pudeur transporta un brandon enflammé d'un bec à l'autre, ce qui rappela un peu de jour. Lentement, des formes se dégagèrent de l'obscurité — des formes de bras, de jambes, des aspects de têtes couvertes d'un linge, après les arêtes cuivrées des vitrines sorties les premières du néant. L'ombre relâchait à regret ses proies, dégouttait de chaque table comme une glace qu'on échauffe. On eût dit la débâcle d'un hiver de la mort.

Le dernier bec fut allumé. La salle s'éclaira tout entière.

« Juste ciel ! » s'écria Armand en agrippant une barre derrière lui.

Six cadavres d'hommes et de femmes reposaient sur des tables de marbre noir, régulièrement disposées dans la pièce. Il ne s'agissait pas de dépouilles ordinaires attendant leur mise en bière, mais de victimes d'assassinats dont les plaies, les sanies, les membres tordus ou mutilés s'offraient sans pudeur à la curiosité publique. Rien ne séparait les morts des vivants qu'une légère boîte de verre. On pouvait donc observer du plus près l'éviscération d'une femme, ou suivre dans la poitrine d'un homme le trajet d'une balle ou d'une lame d'épée. Parfois, le sang qu'on n'avait pas encore lavé souillait les corps, mêlé à la cervelle ou à d'autres matières éclaboussées.

Armand n'avait jamais affronté pareil spectacle.

« Nous avons de la chance ! commenta Odilon en marchant le long des vitrines. Aux heures d'ouverture, cette salle est bondée. Beaucoup de monde vient les midis d'été, pour la fraîcheur des machines réfrigérantes. C'est encore pis les lendemains de meurtres : le peuple attend les égorgés dont parlent les journaux !

— Odilon, pourquoi m'avoir conduit ici ? haleta le Sanflorin qui se sentait tourner de l'œil.

— Mais c'est le Paris romanesque, mon ami ! Nous sommes quelques-uns à fréquenter la morgue aux premières heures de la nuit, quand le public s'est dispersé. Quel meilleur endroit pour méditer la finitude de l'homme ?

— Je... je me sens mal ! » geignit Armand.

Il déboutonnait mollement sa chemise, adossé à un mur de la salle.

« Eh bien, eh bien ! fredonna le Parisien. Voilà un garçon bien impressionnable ! »

À ce moment, un fracas épouvantable se fit entendre. Une porte à deux battants s'était ouverte dans le fond de la salle, livrant passage à une civière portée par deux hommes. Les ingénieurs reconnurent le corps sans tête qu'ils avaient entrevu dans le fourgon. Un troisième individu, le sergent de ville, entrait avec un plateau : il supportait la tête, enveloppée dans un torchon comme un jambon à l'os.

Armand se détourna et rendit gorge.

« Eh ! mon parquet ! protesta le Père la Pudeur.

— Ce n'est rien, bon-papa ! Nous passerons la serpillière ! » lança Odilon en soutenant son ami.

Le gardien haussa les épaules et rejoignit les visiteurs en train d'installer la morte sur une table libre.

« Drôles de bonshommes..., confia le Parisien à mi-voix. Sais-tu que les prosecteurs et les carabins se procurent ici des cadavres, pour bien peu d'argent ? Pardi ! Il faut bien qu'ils exercent leur scalpel ! Certains devancent les ramasseurs de la morgue, en achetant le corps encore tiède d'un assassiné. Il leur en coûte trente francs pour un homme fait, vingt francs pour un enfant. Cela se passe à Clamart ou au faubourg Saint-Marceau...

— Par pitié, cessons de parler de cadavres ! » implora l'ingénieur qui reniflait un mouchoir imbibé d'alcool.

Le policier avait déballé la tête et cherchait à l'ajuster au corps, inclinant la sienne pour juger de l'effet artistique. Faute de mieux, il la posa debout à côté.

Ce fut alors qu'un phénomène étrange se produisit. Comme Armand levait les yeux, il vit la tête détachée que le sergent de ville tenait encore par les cheveux. Les paupières de la morte étaient restés ouvertes. Or, bien que ces prunelles sombres ne reflétassent aucune vie, une expression leur était restée — celle, atroce, d'une âme arrachée à l'existence sans pouvoir dire son secret ni le nom de son assassin. L'ingénieur éprouva alors comme une *aspiration* qui l'entraînait au fond de ce regard, telle la barque happée par le tourbillon. Il poussa un cri.

Au même instant, plusieurs vitrines de la morgue volèrent en éclats.

« Saperlotte ! » jura le gardien. Les autres témoins de la scène demeurèrent interdits. Des débris de verre jonchaient le plancher.

« Qu'est... qu'est-il arrivé ? » demanda Armand qui sentait tous les regards fixés sur lui.

Odilon le dévisageait avec intensité.

« Rien du tout ! finit par dire l'ingénieur en relevant son ami. Une fulmination de gaz, sans doute... Les mineurs connaissent bien les dangers de cet élément. Allons, il est temps de partir ! Nous dérangeons ces messieurs... »

Odilon entraîna Armand hors de la salle. Il le tirait par le bras avec énergie, presque avec autorité, comme si leurs vies avaient dépendu qu'ils fussent bientôt dehors. Les deux amis sortirent de la morgue. Par chance le cocher, assoupi sur son banc, n'avait pas songé à reprendre sa liberté. Le claquement de la portière lui rendit la conscience.

« Quelle adresse, bourgeois ? fit l'homme avec un bâillement.

— Chez moi, rue de Berri ! renseigna Odilon. Vous déposerez monsieur ensuite. »

Le fiacre se mit en mouvement, sa capote vernie luisant sous les lanternes rouges.

Gaspard Louchon traça son nom sur le registre de maroquin. Il allait refermer le livre quand il avisa, sur la même page, une longue liste de dîneurs. C'était tout un groupe uni par une accolade, avec cette mention vis-à-vis : « Ingénieurs ».

« Donne-t-on une soirée aujourd'hui ? demanda Gaspard au portier du Club des constructeurs métalliques.

— En effet, monsieur. L'ingénieur Jules Boissier fête l'engagement de son neveu chez Gustave Eiffel. »

Le dard de porc-épic resta suspendu au-dessus du cahier.

« Chez Eiffel ! Voilà un jeune homme qui promet ! Curieux, je n'ai pas reçu d'invitation...

— Une omission, sans doute », observa pudiquement le portier.

Gaspard Louchon lui laissa une pièce et s'isola dans les commodités. Il mit sa veste au net à l'aide d'un chiffon doux et d'une brosse à poils de soie. Un savon au mimosa bannit toute grisaille de ses ongles à l'impeccable demi-lune. La touche finale fut apportée par une pastille ronde qu'il laissa tomber d'un pilulier. Avalée avec un peu d'eau, elle amena une douce rougeur sur ses pommettes, et dans son esprit comme une brise limpide. Il adressa un clin d'œil à son reflet.

Une pénombre feutrée régnait dans la salle de billard. Gaspard salua le garçon pointeur qui s'ennuyait, sans joueurs à servir. Le salon de lecture avec ses fauteuils capitonnés, le salon de musique autour du piano Érard n'étaient pas plus fréquentés. Tous les membres du club refluaient vers la salle à manger, d'où parvenaient des bruits de piétinements et de conversations. Gaspard tendit sa carte au maître d'hôtel, qui annonça d'une voix bien timbrée : « Monsieur Gaspard Louchon, ancien ingénieur des travaux publics. »

Un homme jovial vint aussitôt à sa rencontre, portant deux coupes de champagne. Il en tendit une à Gaspard.

« Soyez le bienvenu, monsieur Louchon ! Je suis Jules Boissier, ingénieur des chemins de fer, aujourd'hui retiré. Je n'ai pas l'honneur de vous connaître ?

— En effet, pardonnez mon intrusion ! Ancien membre du Club, j'ai pensé...

— Vous avez bien fait ! Mes confrères se réjouissent de faire votre connaissance. Plusieurs ont œuvré dans les travaux publics. »

Son devoir d'hospitalité rempli, Jules Boissier allait se retirer quand Gaspard porta sa coupe contre la sienne.

« Eh bien donc... À la santé de votre neveu !

— Je suis touché, merci ! fit le vieil homme un peu brusqué. Comment savez-vous ?

— Une indiscrétion du portier... Ainsi, ce garçon a été recruté par M. Eiffel ?

— Voici deux semaines, et il s'en porte bien ! Ce n'est encore qu'un tâcheron, commis aux dessins des petites pièces et aux calculs de vérification. Mais mon neveu est ambitieux et travailleur, je suis sûr qu'il trouvera sa place !

— Je n'en doute aucunement ! flatta Gaspard en léchant ses lèvres dorées de champagne. Et comment s'appelle ce jeune homme ? J'ai moi-même un ami haut placé parmi les collaborateurs de Gustave Eiffel.

— Armand Boissier, son nom est Armand Boissier !

— Armand... Fort bien ! approuva Gaspard en écrivant sur un minuscule carnet à reliure d'écaille. Je ne manquerai pas d'en dire du bien.

— C'est très aimable à vous ! conclut Jules en lui serrant la main. À présent, passez une bonne soirée ! »

Gaspard Louchon s'inclina avec un sourire. La satisfaction d'avoir confessé l'oncle Boissier, jointe à l'effet dilatant du cachet, lui procurait un joyeux contentement de lui-même. Il se mêla à deux ou trois groupes d'ingénieurs où l'on discutait pylônes et cours de l'acier, puis vida sa coupe dans une jardinière et quitta la salle.

Le Club disposait d'un tout nouveau téléphone, installé dans un coin du fumoir. Personne n'avait encore essayé l'appareil, un Ader n° 4 en acajou verni qui trônait, flambant neuf, près d'un manuel d'instructions. Gaspard pressa plusieurs fois le bouton d'appel et attendit la sonnerie. Quand elle survint, il décrocha les écouteurs et demanda l'Hôtel Britannique à la demoiselle du téléphone. Quelques minutes plus tard, un nouveau tintement lui apprit que la communication était établie.

Ce fut le réceptionniste qui répondit. Il fallut attendre qu'un garçon d'étage allât poliment réveiller Gordon Hole, dont la voix ensommeillée résonna enfin dans les deux écouteurs.

« Gordon Hole à l'appareil...

— C'est moi, monsieur ! Gaspard Louchon ! » articula l'ingénieur, la bouche collée à la planchette de sapin.

Un sifflement contrarié se fit entendre à l'autre bout du fil.

« J'espère que tes raisons sont bonnes pour appeler à cette heure de la nuit ! Sans cette damnée migraine, je serais en train de dormir.

— Mes raisons sont excellentes, monsieur ! J'ai découvert un jeune homme employé chez Gustave Eiffel ! Il s'appelle Armand Boissier ! »

La conversation se poursuivit en américain, Gordon Hole refusant de parler plus longtemps la langue de La Fayette. La voix de l'architecte était couverte par les grésillements, et Gaspard avait peu de vocabulaire étranger : il ne comprit qu'un mot sur trois. C'était d'ailleurs le mieux, car les autres étaient désobligeants.

« Vous semblez irrité, monsieur. Je ne comprends pas... N'avons-nous pas intérêt à faire un complice de ce jeune ingénieur ? Est-il plus sûr moyen de nous procurer les plans de la Tour, afin de préparer notre action ?

— Ce serait habile... si l'ingénieur avait quarante ans. Mais crois-tu qu'un débutant, qui vient d'intégrer une maison, qui s'y prépare une carrière, irait trahir son patron en sabotant l'œuvre de sa vie ? Impensable !

— Avec de l'argent...

— L'argent n'est pas tout, Gaspard. Il n'est même qu'un appât médiocre auprès de la gloire. La discussion est close. Renonce à cette idée ! »

Gaspard sentit qu'on allait raccrocher et débita à toute allure :

« Une minute, monsieur ! M'autorisez-vous à filer le jeune homme ?

— Tu perds ton temps ! »

Puis, après un instant de réflexion :

« Cependant, pourquoi pas ? Je n'ai rien pour t'occuper aujourd'hui... À ta guise ! »

Cette fois, la ligne fut coupée.

Gaspard déposa les deux récepteurs et se frotta les mains. « Vraiment, une belle soirée ! » exulta l'ingénieur. Ce nouveau succès méritait bien une friandise. Sans tarder, Gaspard sortit son pilulier qui lui procura un... non, deux nouveaux cachets du bonheur. Il les baigna d'une gorgée de bitter hollandais pour en amplifier l'action. Sa tête partit sur le dossier du fauteuil.

Guère plus tard, la porte du fumoir s'ouvrit. Jules Boissier entra en bâillant et se dirigea vers le téléphone.

Il fut saisi quand le fauteuil pivota d'un demi-tour, révélant un Gaspard hilare, les joues briquées comme un Père Noël, qui secouait son verre où dansait le genièvre.

« Pardon... J'ignorais ! » fit le retraité en reculant vers la porte.

Mais l'autre bondit sur ses pieds avec un « hop ! » d'acrobate.

« Nullement ! Nullement ! fit-il presque en chantant. J'ai téléphoné à ma sœur. L'appareil est à vous ! »

Jules remercia, brusqué quand même par les façons de son confrère. Il s'installa au bureau en signalant — car Gaspard ne semblait pas vouloir partir :

« C'est l'affaire d'un moment ! La soirée est en l'honneur de mon neveu qui tarde à venir. Mes invités trépignent... Je vais appeler chez moi.

— Un brave garçon ! commenta l'ingénieur en coiffant son chapeau. Mais attention ! Les communications vers la rive gauche passent mal.

— J'habite la rive droite... Au surplus, la ligne est bien tirée rue de Bruxelles. Il s'y trouve quelques célébrités, toutes abonnées du téléphone. Émile Zola, par exemple...

— Alors c'est bien ! »

N'y tenant plus, Gaspard Louchon partit d'un grand rire, un rire tonitruant qui l'accompagna dans le couloir, dans le vestibule, et qu'on entendait encore lorsqu'il fut dans la rue.

« Curieux personnage ! » songea Jules Boissier en décrochant les récepteurs.

Commencée si étrangement, la nuit des jumeaux termina d'une façon régulière.

Odilon se fit déposer chez lui et prit congé de son ami avec une poignée de main. Ni l'un ni l'autre n'avaient repassé l'épisode de la morgue. Le Parisien surtout semblait vouloir le silence, comme s'il redoutait qu'Armand l'interrogeât. Il quitta le fiacre avec un visible allégement.

Armand donna d'abord l'adresse de son oncle, puis se rappela l'invitation au Club des constructeurs métalliques et fit changer de route. Lorsqu'il se présenta, la réception tirait à sa fin. Le Sanflorin ne dut qu'à la présence des derniers invités d'éviter la remontrance de son oncle.

« Bon Dieu, où étais-tu passé ? » s'informa quand même Jules au détour d'un couloir.

Armand eut toutes les peines du monde à former un mensonge. Une fatigue nerveuse lui restait des événements de la soirée, qui rejetait êtres et choses derrière un écran de gaze impossible à percer.

Il but deux ou trois coupes, trinqua sans élan à sa carrière d'ingénieur et, dès qu'il lui parut convenable, prit congé de tout le monde en alléguant la fatigue.

« Tu pars déjà ? s'étonna Jules.

— Un collègue m'a promené dans Paris. Je suis épuisé...

— Ménage-toi ! On en sait d'autres reconduits à la porte parce qu'ils finissaient leur nuit sur la table à dessin ! »

Armand eut un sourire obéissant et passa son manteau. De retour rue de Bruxelles, il prit l'escalier comme un fantôme, ne fit même pas la lumière dans sa chambre et s'endormit comme il était.

3

Le lendemain, Armand et Odilon avaient repris leurs postes chez Gustave Eiffel.

Une certaine gêne leur était venue, non de l'aventure de la morgue mais du silence qui l'avait suivie, et qu'aucun des deux n'avait osé rompre. Cette trahison de leur amitié leur laissait un goût amer, de même qu'à des amants le premier baiser donné par habitude.

Leurs collègues ne furent pas longs à s'en apercevoir. Rien n'avait changé dans la disposition des deux tables, les deux vestes se recouvraient toujours sur le porte-manteau, pourtant un silence inhabituel régnait dans ce coin du bureau.

À midi, on fit en sorte de laisser les jumeaux de la gomme prendre leur repas ensemble, à la même table, dans un indispensable tête-à-tête. Son âge destinait Odilon à faire le premier pas. Il s'exécuta après le potage :

« Nous sommes bêtes de nous ignorer. Et, je veux bien le dire, j'ai été sot de t'amener à la morgue... »

La réponse ne vint pas aussitôt, ce qui troubla un peu l'ingénieur. Il s'accusa d'être allé droit au but, d'avoir ignoré certains ménagements.

En fait, c'était seulement le temps pour Armand de finir sa bouchée.

« Il est arrivé une chose curieuse là-bas, fit celui-ci en piquant sa fourchette. Quand j'ai vu cette tête de femme, il m'a semblé... Non, tu me prendrais pour un fou !

— Poursuis ! l'encouragea le Parisien.

— Eh bien, à l'instant où j'ai croisé le regard de la morte, il m'a semblé entrer en elle, attiré par ses yeux comme par une pierre d'aimant. À moins que ce fût le contraire, elle introduite en moi ? »

Odilon montrait de l'intérêt aux paroles de son ami. Toutefois, comme la veille sur le chantier, une certaine opacité envahissait sa physionomie.

« Aïe ! Revoilà ta mauvaise figure ! soupira le Sanflorin. Si c'est ainsi, je me tais !

— Continue, je t'en prie..., répéta son ami avec toute la chaleur possible.

— L'impression d'être *habité* m'est restée toute la soirée. Mon crâne ne m'appartenait plus tout entier, mais semblait partagé par deux esprits, soumis à deux volontés : une autre et la mienne. Je n'en fus libéré qu'avec le sommeil.

— C'est remarquable ! fit Odilon en mâchant un morceau de pain. Deux esprits, dis-tu ? Voilà un langage qui n'est pas neuf pour moi, et où réside peut-être la clef de l'énigme ! »

L'air concentré du Parisien pouvait signifier l'attention ou la raillerie. Armand fit le choix le plus naturel.

« Tu te moques de moi !

— Nullement ! s'insurgea Odilon. Pas le moins du monde ! La question est trop grave pour en plaisanter ! »

L'ingénieur repoussa son assiette et vint à l'oreille de son ami.

« J'hésitais à te parler. En somme, on ne se connaît guère... Tu aurais reçu de moi l'image d'un farfelu, au détriment peut-être de notre amitié. D'ailleurs, c'est un sujet dont on ne peut s'ouvrir au premier venu, et qu'il faut toucher avec prudence dans le milieu où nous sommes.

— Que veux-tu dire, à la fin ? éclata le Sanflorin. Assez de mystères ! »

Odilon se recula un peu, les yeux dans ceux de son ami.

« Tu n'es pas prêt, pas tout à fait... Dans quelques mois, je te présenterai le groupe et tu comprendras tout ! »

Odilon se servit un verre de vin et ne parla plus. Il fut impossible à son collègue d'en savoir davantage. Armand eut beau ruser, flatter, menacer, Odilon se taisait. De temps à autre revenait cette phrase, « Tu sauras à ton heure », que la voix du jeune homme dotait d'une ampleur mystérieuse.

« Oh, puis c'est assez ! jeta le Sanflorin à bout d'arguments. Parlons d'autre chose ! »

La conversation dévia. Il ne fut plus question de leur soirée à la morgue.

À midi précis, le canon-chronomètre du Palais-Royal tonna sur sa borne de granit.

D'un même geste, une centaine de passants dans les rues alentour tirèrent leur montre de leur gousset, vérifièrent l'exacte superposition des aiguilles et, si besoin, les rapprochèrent en tournant la couronne. Chez un tel qui se rendait au déjeuner d'une maîtresse, le canon détermina une sensible accélération du pas — déjà midi ! Cet autre, plus âgé, avait senti un tressaillement dans la région du cœur : que d'héroïques souvenirs éveillait la voix du bronze ! Un sourd se mit à humer l'air, intrigué par l'odeur de poudre.

La détonation n'avait laissé personne indifférent, sauf Gordon Hole. À l'instant où s'ébrouait le petit canon, une lame de rasoir bien affûtée passait sur le cou de l'Américain — et cependant elle ne dévia, ni n'entama la peau enduite de crème parfumée.

« *New York Herald* ! Édition parisienne ! Demandez le *New York Herald* ! »

Gordon lança une pièce par la fenêtre ; on lui renvoya un journal. Il rompit la bande et déploya la feuille sur son lit.

En première page s'étalait une gravure de la Tour de 300 mètres, telle que les gazettes françaises l'avaient déjà publiée à des millions d'exemplaires : on y découvrait l'édifice dans son premier dessin, encore maladroit, qui prenait son essor parmi les monuments célèbres de l'humanité.

Aux pieds de la Tour se dressaient ainsi la pyramide de Chéops, le dôme des Invalides, la basilique Saint-Pierre de Rome, tous vaincus par la spectaculaire élévation du pylône métallique. La plus hardie de ces constructions — il s'agissait de la cathédrale de Cologne, armée de sa haute flèche — n'atteignait guère que son deuxième étage. Au-dessus, le ciel appartenait à la Tour seule. Pas un édifice n'était de taille à le lui disputer.

Surtout, la Tour était rendue à pleine encre, d'un trait généreux qui détachait son moindre croisillon de métal ; au contraire, les autres bâtiments n'étaient qu'ébauchés, unis dans la grisaille de l'arrière-plan. Il semblait que ce fût eux, et non elle, qui attendissent d'exister. Ce fantôme était plus consistant que leur réalité.

Gordon Hole parcourut l'article. Le journaliste annonçait la poursuite des travaux de fondation, dont le programme semblait respecté malgré des complications techniques. « Le jour ne tardera pas, écrivait-il, où nous verrons surgir les premières flèches de métal. Ce sera le défi de la verticale au plan, de l'homme debout à l'animal qui rampe. »

L'article adoptait ensuite un ton critique, en présentant les obstacles qui s'opposaient encore à la réalisation du projet : un professeur de mécanique soutenait, calculs à l'appui, que la Tour ne dépasserait pas la hauteur de 221 mètres, qu'au-delà elle s'écroulerait ; des riverains du Champ-de-Mars intentaient un procès à la Ville de Paris pour en bloquer la construction...

On sentait néanmoins, derrière l'attaque convenue, une admiration sincère pour cette entreprise et le regret, presque l'étonnement, qu'elle ne fût pas américaine.

Gordon Hole rejeta le journal avec humeur. Il alluma une cigarette et fit les cent pas dans la chambre.

L'idée de saboter la Tour lui semblait toujours très évidente et, depuis sa rencontre avec Bourdais, il était déterminé à agir seul. Une nuit avait suffi à l'en persuader. Toutes ses pensées s'orientaient désormais vers ce nouveau projet, telle la limaille vers l'aimant.

Et cependant, quelque chose l'empêchait encore d'y souscrire entièrement : il se sentait troublé, presque indécis, quand il eût fallu plutôt se montrer résolu et actif. D'où venait ce malaise ?

Un coup d'œil au journal lui souffla la réponse : pour abattre la Tour, il fallait attendre qu'elle fût debout. Quoi de plus évident ? Or, l'Américain ne tolérait pas d'attendre. Ah ! s'il avait pu saper le pylône dès les fondations, comme on tue un serpent dans l'œuf ! Mais la prudence conseillait tout le contraire : plus la Tour monterait haut, meilleures seraient les chances de lui porter un coup fatal. L'efficacité du sabotage dépendait de sa patience.

L'architecte laissa consumer sa cigarette jusqu'au bout. Les ongles de son pouce et de son majeur étaient longs, pour ne rien laisser perdre du tabac allumé. Il avait pris cette trouvaille d'un enfant pauvre, cependant aux griffes malpropres du garçon, Gordon substituait des ongles roses et fraîchement manucurés.

Quand les derniers flocons de cendre neigèrent entre ses doigts, l'Américain attrapa sa veste et quitta la chambre.

Gaspard Louchon fit l'inventaire de son matériel. Il emportait dans les poches de son manteau, dont plusieurs avaient été cousues exprès, la panoplie parfaite de l'espion : d'abord une lorgnette de théâtre capable de grossir les objets éloignés, puis une trousse à postiches pour changer de visage ; et encore des gants contre les empreintes, des limes queues-de-rat, une clef universelle, un petit miroir...

Une poche très profonde, sous l'aisselle gauche, accueillait un sandwich au rôti de porc. Dans la doublure du manteau logeait un gousset, fermé d'un bouton, où Gaspard rangeait un flacon de Gardénal : « pour combattre l'angoisse », prétextait l'homme de main.

Son déguisement avait fait l'objet d'une longue étude. Il n'était pas question, bien sûr, d'afficher son apparence ordinaire ni ses traits naturels. Un monsieur en cravate ne pouvait rôder longtemps autour des ateliers d'Eiffel sans attirer l'attention. Et puis, qu'adviendrait-il si l'affaire tournait mal, si Gaspard devait prendre la fuite, poursuivi par des sergents de ville ? Il lui faudrait se travestir pour le restant de sa vie !

Après mûre réflexion, Gaspard avait choisi l'habit du chiffonnier. Un tel costume n'était pas cher à composer ni à entretenir. Surtout, c'était un déguisement au moral : il allait tant de chiffonniers par les rues qu'on n'y prenait plus garde, ou bien l'on s'en écartait comme d'une chose malpropre. La couverture idéale !

Ce fut ainsi que Gaspard, de bon matin, passa un pull mangé aux mites, coiffa un bonnet pelucheux, chaussa des brodequins sans lacets et descendit prudemment l'escalier de son immeuble.

Or, comme il passait devant la loge du concierge, ce dernier fit irruption avec un balai et un seau de ménage.

« Ah ! monsieur Louchon ! fit le portier sans s'étonner de son accoutrement. Vous songez à régler votre loyer ? Cela fera cinq jours tantôt que je vous l'ai réclamé...

— Bien sûr, bien sûr ! » bredouilla l'espion.

Comment l'avait-on reconnu ? « Bah, il t'ouvre tous les jours ! raisonna l'homme de main. Et puis, cette sorte de gens a la mémoire des visages... » Gaspard franchit la porte et fut dans la rue. Une montre était pendue au revers de son manteau. Il la consulta et pressa le pas.

Sur le boulevard de Clichy, l'espion tendit la main pour héler un fiacre. Un sapin s'approcha en effet mais, à la mine du client, repartit sans s'arrêter. Au passage, il paracheva l'habit de Gaspard d'une grande éclaboussure de boue. L'espion ne lui en tint pas rigueur, il était content : on le prenait enfin pour un chiffonnier !

Cette bonne nouvelle en couvait une mauvaise. Car l'homme de main eut beau appeler et appeler encore, tendre un billet à bout de bras, courir pour monter en marche, pas un cocher n'accepta de le prendre : « Tu vas salir mes sièges ! » criaient les uns, « Tu pues comme un égout ! » vociféraient les autres ; et tous avaient le fouet loquace, que l'espion sentit maintes fois cingler sur ses jambes. Les conducteurs d'omnibus et de tramways le repoussèrent tout pareillement. Bientôt la cruelle évidence se fit jour : il lui faudrait marcher avec ces souliers de torture... jusqu'à Levallois-Perret !

Quand Gaspard parvint à destination, il titubait de fatigue. Les brodequins de cuir bouilli le faisaient atrocement souffrir, d'ailleurs à gauche la semelle s'était détachée, formant comme une pelle qui amenait la boue à l'intérieur. Sans s'inquiéter des rencontres, il s'adossa au mur des établissements Eiffel et somnola.

Ce fut un sou tombé dans sa main qui lui rendit la conscience. L'espion ouvrit les yeux, juste à temps pour voir un groupe d'employés franchir le portail. « Pauvre bonhomme ! » dit l'un d'eux. Gaspard avisa la pièce dans le creux de sa paume. On lui faisait l'aumône comme à un indigent !

De rage, l'espion jeta le sou par terre, mais le ramassa presque aussitôt — pour ses frais. Il prit un poste moins en vue, derrière la palissade. Un coup d'œil à sa montre le tranquillisa : ces employés étaient très matinaux, le gros du personnel devait arriver plus tard. Gaspard se disposa à attendre.

L'heure suivante amena en effet de nombreux travailleurs. Selon leurs moyens, ils descendaient d'un fiacre ou d'une voiture privée, sinon venaient humblement à pied de la proche station d'omnibus. Les positions se marquaient aussi par le costume : les ingénieurs portaient le col droit et la cravate à nœud étroit, relevée parfois d'une épingle à joyau ; les ouvriers avaient un foulard roulé en corde autour du cou et une casquette en peau d'agneau.

Devant cette marée humaine qui s'engouffrait par vagues dans les ateliers, Gaspard fut pris d'un doute : comment reconnaître Armand Boissier parmi tant d'ingénieurs, dont beaucoup pouvaient avoir son âge ? En somme, il n'avait vu que l'oncle !

L'espion se réconforta en buvant une gorgée de Gardénal. Pourquoi s'en faire ? Échouerait-il aux bureaux, il n'aurait qu'à guetter rue de Bruxelles ! Ce serait bien la malchance s'il manquait ce garçon dont il savait le nom, et presque l'adresse !

Au même instant parut un grand jeune homme, vêtu à la mode des ingénieurs, dont le profil aquilin rappelait directement celui de Jules Boissier. Le garçon marchait au bras d'un autre, nanti d'une canne à poignée d'ivoire.

« Sacrebleu ! » jura l'espion en s'aplatissant contre la palissade. Mais les deux avaient déjà pénétré le bâtiment.

L'espion battit des mains avec excitation. Il tenait son homme ! Un nez pareil, on ne pouvait porter le même sans partager aussi le nom. Bien sûr, ce garçon à grand bec était Armand Boissier ! Ah ! ça n'avait pas traîné ! Mais fallait-il remercier le hasard ou féliciter son talent d'enquêteur qui l'avait conduit au bon endroit, au bon moment ?

« Gordon sera fier de moi ! » triompha l'homme de main. Et, comme un dompteur régale un tigre obéissant, il s'accorda une deuxième rasade de Gardénal.

Désormais, il n'était plus que d'attendre la sortie des bureaux. Quand Armand franchirait le portail, l'espion s'attacherait fidèlement à ses pas ; il recommencerait le lendemain, les jours suivants, jusqu'à cerner les moindres faits et gestes de l'ingénieur. Ainsi rabattue, la proie pourrait être servie au chasseur — le jeune Boissier livré à Gordon Hole...

Le tour aisé des événements mit l'espion en joie. Puisqu'il avait du temps, il songea à travailler un peu son personnage qui possédait l'habit mais non la manière, ni même l'accessoire. Les chiffonniers ne formaient pas une seule communauté mais plusieurs, étagées selon le gain qu'elles tiraient de l'ordure : on distinguait les *piqueurs* se déplaçant à pied, une hotte sur le dos ; les *placiers* qui faisaient marcher un attelage dans les quartiers bourgeois ; enfin les *chineurs* dont les boutiques, près des fortifications, soldaient les immondices d'un peu de valeur.

Gaspard trouva un bâton pointu dans le fossé. C'était assez pour devenir piqueur, même sans la hotte. Le pied léger, en sifflotant, il commença d'inspecter les pavés à la recherche de détritus. Chaque fois qu'il trouvait une épluchure ou un papier gras, son bâton l'emportait pour le jeter plus loin, sur un tas commencé au bord du chemin. Il mettait à ce travail une certaine fantaisie, en imitant par exemple, avec sa pointe fichée dans une pomme de terre, la frappe stylée du joueur de golf.

L'espion pratiquait depuis déjà deux heures et le tas s'élevait à hauteur de genou, quand un autre chiffonnier tourna le coin de la rue. C'était un placier authentique, celui-là, venu tout droit du faubourg Saint-Marceau et vivant dans l'aisance, à en juger par le tombereau d'immondices que traînait sa vieille mule — de là, peut-être, la grimace hostile qui répondit au sourire fraternel de Gaspard.

« Voilà des ennuis ! » prédit l'homme de main en détournant les yeux.

Il n'en continua pas moins de piquer comme le prescrivaient, croyait-il, sa vêture et son instrument. Le chiffonnier laissa son attelage au milieu de la rue pour marcher vers son confrère. Gaspard lorgnait avec terreur cet ours qui venait à sa rencontre, avec son manteau en fourrure de chat sur lequel des myriades de puces faisaient comme un pétillement. Les boucles poisseuses semblaient loger tout une peuple de vermine.

Par faveur, le boueux ne lui tendit pas la main mais resta à distance — hors de portée, espérait l'espion, des insectes sauteurs.

« Dégage ! tonna le chiffonnier.

— Tout doux, l'ami ! gémit Gaspard pitoyable. Le pavé est à tout le monde !

— Cette rue m'appartient ! Tu n'as pas le droit de piquer ici !

— Tiens ? Je l'ignorais. Laisse-moi finir aujourd'hui, demain j'irai ailleurs...

— Non, tu pars tout de suite ! » insista le placier en crachant à ses pieds.

Gaspard sentit son pouls s'accélérer. Quelle déveine ! Subir ce casse-pieds alors que l'enquête marchait si bien ! Et encore devant les bureaux d'Eiffel, au vu et au su de tous les employés !

L'espion soupesa son bâton à piquer. Quelle arme pouvait-il faire ? Aurait-il l'énergie d'en porter un grand coup à la tête du chiffonnier, puis de traîner l'homme assommé derrière la palissade ? Il jaugea le boueux qui n'avait pas changé de place. Pourquoi pas ?

« Oh ! la jolie comète ! » fit Gaspard en pointant son doigt vers le ciel.

Il profita de l'instant où le chiffonnier levait les yeux pour lui assener, de toute sa force, un grand coup sur la tête. Hélas ! Le bâton manqua son but et porta sur les épaules, à l'endroit d'un renfort de fourrure. Le mauvais bout de bois éclata sous le choc.

« À moi ! » hurla Gaspard que l'autre venait d'empoigner au collet.

Il se débattait comme un poisson à la ligne, moulinant des bras et pédalant des jambes pour échapper à l'ignoble étreinte. On ne savait d'ailleurs ce qui l'horrifiait le plus, de la rossée promise ou de l'invasion des insectes, dont Gaspard sentait déjà les piqûres infimes partout sur son visage.

« Au secours ! enchérit l'espion. Un homme qu'on tue ! »

Ses cris avaient alerté les employés. Gaspard vit des fenêtres s'ouvrir, le portail bâiller. Des têtes se montrèrent. La suite lui fut brutalement ravie par un coup de poing.

Quand l'espion reprit conscience, il gisait sur le pavé. Près de son visage donnait la pointe blonde d'un soulier à piqûres. Un groupe d'hommes l'entourait, des têtes sans chapeau se découpant sur le fond blanc du ciel. Au fond d'un entonnoir mouvant dansait le manteau sombre du chiffonnier, entre deux cabans boutonnés de sergents de ville. Une matraque claire planait sur la fourrure.

L'espion rallia toutes ses forces pour se dresser sur le coude. Cet effort déchargea dans son bras un éclair de douleur. Stimulée, la souffrance s'amplifia en d'autres parties de son corps, certaines si distantes qu'il doutait de les posséder. Il y gagna un peu de lucidité, et reconnut des visages autour de lui : le jeune Armand Boissier était du nombre.

« Gaspard ! » fit une voix autoritaire.

Qui donc l'appelait ? L'espion roula des yeux en boules de loto.

« Allons, debout ! » reprit la voix.

Des mains accrochèrent ses aisselles. Gaspard se sentit soulevé de terre.

« Eh bien ! Tu es arrangé ! fit Gordon Hole en essuyant les tempes de l'espion avec un mouchoir. Monte dans la voiture, nous allons te soigner ! »

Mais un gendarme s'interposa.

« Un instant, monsieur ! Nous devons parler à cet homme !

— Cet homme est mon frère, annonça l'Américain. J'en réponds absolument.

— Votre frère ? s'étonna l'uniforme bleu. Un chiffonnier ?

— Un soldat qui n'a plus toute sa tête, depuis qu'un boulet la lui a retournée sur le champ de bataille... Un dérangé dont les blessures se réveillent de temps à autre, l'entraînant à toutes sortes d'extravagances. Pour cette raison, ajouta l'architecte en fouillant le manteau

de Gaspard, mon frère ne se sépare jamais de son flacon de... Gardénal. »

Le brigadier vit la fiole dans la main de Gordon et fit
un salut militaire. Son collègue l'imita de la main
gauche, la droite serrant le bras du chiffonnier.

Gordon Hole monta dans la voiture, suivi de deux
hommes qui soutenaient Gaspard. Le cocher fouetta
vivement son attelage.

« Curieux visiteurs ! » observa Odilon. Les jumeaux
de la gomme, avec tous leurs collègues, rentrèrent dans
le bâtiment.

Au fond de la calèche, dos au cocher, Gaspard
Louchon se tenait assis entre deux hommes.

La banquette n'était pas suffisante pour trois, aussi la
partageaient-ils de mauvaise grâce, avec des bourrades
et des coups de coude dont celui du milieu faisait souvent les frais. En retour, les passagers près des glaces
devaient subir le voisinage de ce faux chiffonnier à la
saleté très véritable.

Les deux hommes parurent soulagés quand Gordon
Hole les congédia avec un billet. L'espion fut content
aussi, qui héritait seul de la banquette.

« Ne t'endors pas ! sourit l'architecte en le calottant
mollement avec ses gants de Toscane. Ton histoire m'intéresse ! »

Gaspard se hissa tant bien que mal d'un côté de la
voiture, un coussin ramené sous sa tête.

« On t'a fait une figure de carnaval !

— Sans vous, monsieur... », commença le Français en
prenant le mouchoir qu'on lui tendait.

Mais il s'arrêta de faiblesse.

« A-t-on idée de manier le bâton, à ton âge ? Tu as des cheveux blancs mais pas un fil de sagesse... »

L'espion déchaussa ses souliers qu'il jeta par la fenêtre.

« Je suivais le garçon... Ça pouvait réussir !

— Ton idée était bonne, mais le moyen mal choisi... Vraiment, qui croyais-tu prendre à cette comédie ? Tu lis trop de feuilletons ! »

Gaspard ébaucha un sourire, content d'être approuvé à demi. Ses mains rentrèrent douillettement dans un manchon d'eau bouillante.

« C'est une chance que vous m'ayez trouvé.

— Il suffisait de réfléchir... Où pouvait commencer ton enquête, sinon chez Eiffel ? Je pressentais que l'affaire tournerait mal, alors j'ai recruté ces deux vauriens et je suis accouru. Bien m'en a pris ! »

L'Américain alluma une cigarette et poursuivit :

« J'ai vu Armand Boissier, il a témoigné pour les sergents de ville. C'est un gentil garçon, mais prudence ! Les naïfs sont parfois difficiles à circonvenir : leur candeur les protège... Et puis il connaît désormais ton visage, et le mien !

— Ah, monsieur ! geignit Gaspard. Comme je regrette ! »

Il en tremblait d'émotion. Gordon Hole quitta sa pelisse qu'il tendit à son homme de main.

« Tu es mon aîné et pourtant comme mon fils ! s'attendrit l'architecte. À cinquante-quatre ans, je n'ai ni femme ni enfant ; pour me tenir compagnie : un vieillard lunatique, sur qui je dois veiller jour et nuit... Pauvre de moi ! »

Ce ton familier était si peu le style du patron que Gaspard en béa de surprise. Il répondit de travers.

« C'est pareil pour moi, monsieur ! Je suis célibataire. D'ailleurs, je m'en félicite : une épouse, ça n'amène que des embêtements ! »

La calèche venait d'entrer dans l'avenue Victoria. Avant de descendre, l'Américain donna des instructions à son homme de main.

« Continue d'espionner Armand Boissier. Relève ses horaires, ses habitudes, ses fréquentations... Le moment venu, nous en tirerons parti.

— Comptez sur moi ! »

Gordon Hole reprit sa pelisse et entra dans l'Hôtel Britannique.

Un majordome aborda l'Américain dans le hall.

« Monsieur, une dame vous attend dans le salon rouge. »

Gordon Hole rectifia le nœud de sa cravate et franchit d'un pas raide la porte du salon. Dans un fauteuil à l'écart, derrière un paravent, la Maréchale suçait une pipe à long tuyau qui lançait par intervalles des serpentins de fumée. Un nuage ondoyait au plafond de la pièce, dont les remous verdâtres blessaient le grenat des tentures.

Sans dire bonjour, Gordon frôla la robe de la prostituée qui se leva et lui emboîta le pas. L'ascenseur s'offrait mais Gordon préféra l'escalier. Il s'effaça devant son invitée pour qu'elle montât la première. La Maréchale n'était pas dupe : dès le premier palier, elle se cambra davantage, exagéra le roulement de ses hanches en jetant son postérieur presque à la face de l'Américain. Gordon Hole régalait ses yeux de l'émouvant tangage qui tendait à craquer la soie miroitante. Et quand la visiteuse, intentionnellement, se courba pour refaire un lacet, il la rattrapa d'un bond et mouilla d'un baiser l'appât rebondi.

« Pardon ! sursauta la femme amusée. C'est donc pour aujourd'hui ?

— J'ai le feu au corps ! » rugit Gordon en élargissant sa cravate.

Au deuxième étage, ils s'isolèrent dans la suite dont l'architecte tira aussitôt le verrou.

Ayant d'instinct trouvé la chambre et le lit, la Maréchale commençait de se déshabiller avec l'efficacité d'une professionnelle. Sa toilette avait assez de recherche et néanmoins peu de complication : en particulier elle ne comptait de boutons, d'agrafes, d'épingles que le nécessaire. Certaines pièces, comme le caraco, étaient étudiées pour s'enlever en un tournemain. Le vêtement frôlé par les doigts s'épluchait aisément, tombait presque tout seul.

Gordon assistait à la scène depuis le vestibule de l'appartement. Il avait quitté son manteau, retiré sa veste mais, au moment d'ôter son gilet, il hésitait. La fièvre qu'il sentait en lui commençait à tiédir. « Pourquoi s'est-elle déshabillée ? La sotte ! » pensa l'architecte qui attribuait son malaise à cet intermède.

De fait, les bas jetés sur la chaise, les bottines volant en désordre et autres apprêts de l'amour n'inspiraient guère l'Américain. Bien plutôt ils l'entravaient, tel un client de restaurant dont l'appétit retombe s'il surprend le chef à aiguiser ses couteaux.

Tout de même, Gordon s'avança vers la Maréchale et

l'aida à défaire son corset. Ses doigts tremblaient d'énervement, ce qu'elle prit pour du désir.

« Quel élan, mon ami ! fit la prostituée en s'allongeant sur le lit. Mes efforts sont enfin récompensés ! »

Elle tourna la tête de côté et attendit, les jambes en ciseaux, fredonnant une scie de café-concert.

« Tais-toi ! » lui ordonna l'Américain en tirant ses chaussettes.

Le regard habitué de la fille se posa sur la braguette de son client, alors tout à fait plate. Elle poussa un soupir et s'approcha à quatre pattes.

« Halte-là ! » fit Gordon en s'écartant vivement. Il protégeait son entrejambe comme d'un animal qui mord.

« Laisse-toi faire ! insista la Maréchale. À la fin, c'est assez ! Me payes-tu pour bavarder ? J'ignore quels sont les pires, des clients qui veulent trop ou de ceux qui ne veulent rien !

— Tu ne sais pas t'y prendre ! l'accusa Gordon.

— Alors, pourquoi m'appelles-tu ? Trois fois cette semaine !

— Parce que tu parles anglais ! »

La prostituée retomba sur le dos et croisa les bras. Le silence qui suivit permit à l'Américain de terminer son déshabillage, ce qu'il fit sans hâte et méthodiquement, installant sa chemise de percale sur un cintre et son pantalon sur un valet, comme un écolier soigneux range son uniforme.

Nu à son tour, l'architecte s'approcha du lit. Au lieu de couvrir la Maréchale, il ne fit que s'asseoir à côté. Son sexe traduisait cependant un certain émoi qui égaya la fille.

« À la bonne heure ! fit-elle en accrochant le cou de l'Américain. Viens tant que c'est chaud ! »

Or Gordon se dégagea et commanda d'une voix dure :

« Tourne-toi sur le ventre !

— À ta guise, mais c'est plus cher ! » avertit la Maréchale en s'exécutant.

L'architecte glissa une main sous la jambe gauche de la prostituée et la fit plier. Puis il attrapa son bras droit qu'il disposa d'abord obliquement par rapport au corps, avant de le mettre à l'équerre.

« Aïe ! Tu me fais mal ! » protesta la Maréchale.

Gordon Hole lui imposa le silence d'un claquement de langue. Il poursuivit ce jeu étrange, arrangeant les membres et la tête de la fille comme l'eût fait un sculpteur avec son modèle, un marionnettiste avec son pantin — vite et sans ménagements. Il s'arrêtait de temps à autre pour juger d'une nouvelle posture, puis se remettait à la tâche. « Ça va te coûter cher ! » sifflait la Maréchale qui prenait peur. Gordon n'écoutait pas.

L'Américain guettait son désir comme un goûteur quête le poison dans une gorgée de vin — avec espoir et épouvante. Or le désir ne venait pas, fuyait toujours. Parfois Gordon se mettait debout, les yeux sur la prostituée, et se caressait doucement le sexe : le pénis enflait, pour mollir sitôt qu'il le lâchait. D'autres fois, ses poils s'horripilaient à l'aspect d'une cuisse ouverte — ce repli humide, frangé d'ombre. L'instant d'après, il n'y voyait plus qu'un jeu de muscles et de tendons, une fade composition de chair.

Au demeurant, et de plus en plus, le corps de la fille lui semblait une abstraction, la solution complexe apportée à certains problèmes dynamiques : se tenir debout, marcher sur deux jambes, effectuer divers mouvements sans rompre l'équilibre...

Son œil exercé vérifiait partout les lois de l'architecture. De la fesse voluptueuse émergeait l'articulation de la hanche, assemblage banal d'un os avec un autre selon le procédé nommé dans sa spécialité : « queue-d'aronde ». La jambe lui rappelait un fût de colonne, l'omoplate une ferme de charpente. Il décidait les positions de la femme comme un dessinateur choisit ses angles pour l'étude d'un monument.

Une nausée le prit.

« Va-t'en ! » cria-t-il en giflant les fesses de la Maréchale.

De la poche de sa veste, Gordon Hole tira une liasse de billets qu'il jeta en désordre sur le lit. Il quitta la pièce. Une causeuse meublait le vestibule de l'appartement. Il s'assit pour attendre le départ de la fille.

« Dépêche-toi ! commanda l'architecte d'une voix dure. Je ne veux plus te voir ici ! »

Le *New York Herald* avec la Tour en couverture chevauchait le siège. Il déploya le journal sur ses genoux.

Jamais le pylône ne lui était apparu d'une virilité si radicale. Malgré les courbes qui efféminaient sa base, malgré les arcatures faites pour assouplir l'angle du premier étage, c'était bien un sexe d'homme qui se dressait là : un sexe dans son apothéose, raide et triomphal, prêt à féconder l'univers avec la semence du progrès.

Pendant des siècles, on avait construit au goût des dames : les châteaux à miroirs, les jardins intimes, les fontaines mamelonnées... Des places aux pavés lisses berçaient les villes dans leur giron de pierre tendre. À présent s'ouvrait une ère nouvelle, l'ère masculine du fer et des machines. On n'étalerait plus les bâtiments ;

on les étirerait vers le ciel, des étages superposés à d'autres étages — toujours plus haut, toujours plus grand !

Vraiment, à quoi comparer la Tour sinon à une érection monumentale ? Et comment croire que l'ingénieur qui la mettrait debout fût autre chose qu'un mâle exceptionnel ?

La Maréchale parut dans l'encadrement de la porte, rhabillée, recoiffée, la pipe en bouche. Elle vit cet homme nu en train de lire le journal, avec la gravure de la Tour qui, par un hasard malencontreux, s'ajustait pile à son bas-ventre. Un rire épais la secoua.

« Ah ! Tu peux rêver ! s'esclaffa-t-elle. Tu peux rêver ! Jamais tu n'en auras une pareille ! »

La Maréchale franchit la porte, toujours hilare. Gordon Hole réprimait un sanglot.

4

Une semaine après l'aventure de la morgue, Armand et Odilon n'en parlaient plus. Ce méchant souvenir semblait effacé, et dissipée l'équivoque qu'il avait créée entre eux.

Au demeurant, les sujets ne manquaient pas pour animer leurs conversations de table. La vie à Paris était l'un des plus familiers. Les jumeaux de la gomme avaient fait de nouvelles promenades, dont l'initiative devenait une habitude, et le départ un rendez-vous très attendu. On se retrouvait chaque dimanche au carrefour de la rue Royale et de la rue Saint-Honoré, et l'on partait vers la destination du jour.

À ces sorties dominicales s'ajoutaient parfois les relâches du jeudi. M. Pluot accordait un congé aux veilleurs du début de semaine, ceux qu'une surcharge de travail avait gardés au bureau toute la nuit. Voilà pourquoi les deux amis s'attardaient sur les plans certains soirs, avec l'espoir d'être libérés le prochain jeudi.

Il n'en coûtait guère à leur jeunesse qui soutenait ce rythme sans fatigue, et faisait un noceur de l'employé studieux, ou l'inverse, comme on change de chapeau. Parfois même ils en oubliaient de dormir : Armand et

Odilon quittaient le travail pour la fête, et revenaient de la fête au travail sans avoir fermé l'œil.

En avril, les jumeaux qui étaient sortis sans relâche au cours du mois précédent croyaient n'avoir encore rien fait. Ils dressèrent une liste de choses vues et s'étonnèrent de la voir si longue, quand tant d'endroits leur restaient à découvrir. Armand piochait des idées inédites à chaque page de son *Paris Guide*, une édition un peu défraîchie préfacée par Victor Hugo.

Un débat s'ouvrit alors entre eux : il s'agissait d'arbitrer si leurs prochaines sorties iraient à la nouveauté ou aux places familières. Comme de raison, Armand prêchait le changement, Odilon la fidélité.

« N'es-tu pas rassasié de bals ? s'étonnait ce dernier. Le bal masqué à l'Opéra, le bal des Aveugles, le bal Montesquieu, le bal des Nègres...

— Ce sont des bals d'hiver ! plaida le Sanflorin. Bruyants, tabagiques, pleins de filles enrhumées qui reniflent sur votre épaule ! Elles m'ont ruiné en punchs !

— La limonade à glace n'est pas moins chère ! Au surplus, les bals d'été n'ont pas encore ouvert. Je ne connais qu'un endroit intéressant, en ce moment.

— Lequel ?

— Le bal des folles à la Salpêtrière... Il se tient une fois l'an, à la mi-carême. »

Armand écrivait sous la dictée.

« Le bal des folles ? En voilà une réclame !

— Les frères Lionnet l'ont imaginé pour distraire leurs pensionnaires et peut-être aussi les visiteurs, à leurs dépens. Les folles portent des costumes qu'elles confectionnent elles-mêmes et où se reflète parfois l'étrangeté de leur maladie. À côté des banales sirènes ou odalisques, on en voit accoutrées en pain de savon, en cruchon ou en pot à fleurs ! Il faut s'attendre à toutes sortes d'extravagances de leur part : certaines distribuent des petits papiers qui portent leurs pensées rimées naïvement, d'autres agitent à se briser le poignet des éventails prêtés par la Belle Jardinière. Tu n'en croirais pas tes yeux !

— Voilà un divertissement bien mélancolique ! Non, ça ne me dit rien, ton bal des folles... »

Les causeries des ingénieurs se prolongeaient bien après l'heure du repas. Parfois c'était le patron de la cantine qui les mettait à la porte, sur le motif qu'on allait fermer ; plus souvent M. Pluot venait les chercher, le doigt sur son oignon : « La Tour attend ! » disait le chef de service, une formule désormais rituelle.

Alors les deux amis regagnaient leurs bureaux. Dans le silence studieux de l'atelier, la conversation s'étirait encore un moment, à mi-voix. Seule l'entrée d'Eiffel les faisait taire pour de bon.

On se demandait si les jumeaux de la gomme étaient pour quelque chose dans la visite accoutumée du constructeur, tous les jours vers 15 heures. Le personnel avait cette opinion. C'était bien dans les façons de M. Eiffel, dont le cerveau à tiroirs classait les petits faits comme les grands, sans hiérarchie sensible.

Chaque après-midi donc, Eiffel entrait en bourrasque, son manteau sur le bras, et traversait la pièce à l'oblique vers une autre porte. Il s'attardait parfois à lire un plan ou à feuilleter un registre ; plus souvent, il suspendait son pas à la hauteur du bureau d'Armand et lançait par-dessus ses bésicles, à travers la fumée bleue de sa pipe, un regard de blâme affectueux.

Cette apparition produisait sur les jeunes gens l'effet du courant électrique. Ils revenaient aussitôt à la tâche, dans un si bel élan qu'ils rattrapaient en une heure le retard de trois.

On aurait tort cependant de croire qu'Armand et Odilon se comportaient en fainéants.

S'ils prolongeaient les déjeuners, leurs soirées s'étiraient de même, jusque minuit ou plus tard, sans qu'il y eût toujours un congé à la clef. Leur vestiaire comportait une couverture et un oreiller pour coucher sur place. On les voyait faire d'affilée des vingt ou des vingt-cinq heures d'étude, et parfois s'endormir la règle sous les doigts, ou prendre une crampe d'avoir longuement manié la plume.

Même dans la fatigue, leur main restait ferme et leurs idées claires : jamais M. Pluot n'avait relevé un trait dévié ou un calcul faux. Ces employés modèles s'arrêtaient comme des machines, d'un seul coup. Un instant plus tôt, Armand — ou Odilon — se donnait ardemment à la tâche ; l'instant d'après, sa tête fuyait en arrière et il dormait. L'autre alors se précipitait pour lui enlever la gomme, croiser ses bras et glisser un oreiller sous sa nuque. C'était la chose la plus curieuse à voir.

Ce zèle partagé au service d'un travail irréprochable n'avait pas manqué d'attirer l'attention du chef d'atelier. Dès les premières semaines, il avait compris que les jumeaux de la gomme méritaient mieux que d'éclaircir les dessins des autres.

M. Pluot avait alors confié aux jeunes gens des croquis, des études, des calculs de difficulté croissante, sans dépasser pourtant la tâche d'exécution. Il s'agissait par exemple de vérifier des logarithmes dont dépendait l'emplacement d'un rivet, ou bien de redresser une pièce à la courbure exagérée.

C'était assez varié pour dissiper l'ennui, cependant

Armand marquait son impatience de travaux supérieurs. Son ambition était moins de jeunesse que de tempérament. Bien qu'entré dans la profession, il gardait la présomption de l'étudiant. « Des enfantillages ! Voilà toute notre occupation ! » se plaignait amèrement l'ingénieur.

Les conseils diplomates de son ami n'y faisaient pas grand-chose. Le travail qu'on leur confiait semblait toujours au Sanflorin pauvre et élémentaire, et négligeables les problèmes soulevés par la conception des pièces de la Tour. Qu'elles fussent en majorité obliques, dissemblables, d'inclinaisons variées ne l'intimidait guère : vétilles que tout cela !

L'ingénieur réclamait sans cesse un « vrai défi » auquel appliquer son talent. N'avait-il pas fait la preuve de ses capacités ? Ne s'était-il pas montré, dans le calcul comme dans le trait, d'une aisance remarquable ?

Armand eût admis, à la rigueur, de voir stationner son salaire puisqu'il suffisait à ses besoins ; mais que sa carrière fût freinée lui semblait une cruelle injustice. « Je ne me laisserai pas faire ! clamait le bouillant jeune homme. Je défendrai mon point de vue ! »

Cent fois, Armand avait projeté d'aller trouver Eiffel. Après tout, le patron l'avait déjà reçu, il pourrait bien l'écouter encore !

Cet entretien avait été préparé au moyen de papiers découpés où l'ingénieur écrivait ses revendications et les objections probables d'Eiffel, contre lesquelles il cherchait des paroles définitives. L'ensemble faisait un arbre de plusieurs dizaines de cartons, qu'il révisait chaque soir avant le coucher. Pour renforcer sa défense, Armand apprenait par cœur des phrases d'écrivains célèbres sur le droit et l'injustice. Zola lui en procurait quelques-unes, mais c'était surtout dans Hugo qu'il puisait — Hugo dont il aimait la formule incisive, brève et cinglante telle une réclame de savon.

Muni de son argumentaire, le Sanflorin se prépara à agir. Il choisit le moment — le lendemain après-midi —, le lieu — une petite cour à l'arrière des ateliers — et tendit son embuscade.

« Tu fais une folie ! l'avertit Odilon.

— Qu'il m'entende ou que je meure ! » répondit Armand, imprégné de lectures romantiques.

Tout fut d'abord selon ses plans : Eiffel traversa la cour à 15 heures, seul, et marqua même une pause pour bourrer sa pipe en porcelaine blanche. Caché derrière une pile de caisses, le Sanflorin attendait la fin de l'opération pour se montrer — car, estimait-il, il déplairait au patron d'être accosté dans ce moment.

Ce fut alors qu'un coup d'œil d'Eiffel, perçant telle une flèche les caisses à claire-voie, figea le jeune homme sur place. Leurs yeux ne s'étaient rencontrés qu'un instant, rien n'assurait qu'Eiffel l'eût vu, pourtant Armand sentit sa résolution s'évanouir. Il en est ainsi, paraît-il, des chasseurs qui croisent le regard de leur proie : ils perdent habituellement tous leurs moyens. Sa pipe allumée, Eiffel monta dans son cabriolet qui franchit le portail. L'occasion était perdue et, Armand le sentait confusément, ne se présenterait plus.

Tout de même, dans les semaines qui suivirent, l'ingénieur renouvela sa tentative d'aborder Gustave Eiffel. Ce furent encore des échecs.

Quelque chose dans l'allure du constructeur écartait les importuns, les entraînait loin de lui comme un courant repousse le nageur. Le défi était physique autant que moral, et bien peu le relevaient.

Pour parler à Gustave Eiffel, il fallait d'abord se régler sur son pas puisqu'il marchait sans cesse. Or ce sportif accompli, moniteur de ses petits-enfants à l'aviron et à l'escrime, développait dans tous ses mouvements une énergie ardente. On s'essoufflait à le suivre. Quel temps mettrait-il à gravir les escaliers de la Tour, lorsqu'elle serait debout ? C'était la question saugrenue qu'avait posée un employé, en prenant des paris.

Ensuite, on ne pouvait rencontrer Gustave Eiffel sans être sûr de son fait, et, l'accostant, on doutait d'en rien savoir. Le moment ne semblait jamais opportun : allait-on l'agacer avec des bagatelles, son salaire ou son avancement, quand l'occupait l'importante question des ascenseurs dans la Tour ? Lui parlerait-on des menus de la cantine pendant qu'il étudiait les plans du canal de Panama ? Bien sûr que non !

Voilà qui faisait du constructeur un homme intimidant, sinon inabordable — un remède vivant à l'inefficacité. Il n'avait pas besoin d'éconduire ses visiteurs : les visiteurs se décourageaient d'eux-mêmes. Derrière son monumental bureau en chêne truffé de tiroirs à secrets, Eiffel trônait tel un souverain, puissant et incontesté. La Tour semblait parfois un piédestal de 300 mètres à sa gloire personnelle.

Les jumeaux de la gomme furent trois mois sans recevoir la moindre promotion.

Puis un jour, sans prévenir, M. Pluot conduisit les ingénieurs dans le bureau d'Adolphe Salles. Ils trouvèrent le polytechnicien en train de dérouler un plan de la Tour. C'était la première fois qu'ils voyaient le pylône tracé dans ses moindres détails, à une échelle assez grande pour montrer les rivets, piqûres minuscules sur les jambes de fer. Jusqu'alors, ils n'avaient manipulé que les plans au cinquième des grandes pièces et ceux en demi-grandeur des petites ; ce jour-là, les os épars s'assemblaient dans un squelette entier. Leurs yeux se régalèrent de cette nouveauté.

« La Tour de 300 mètres ! » fit Adolphe Salles en suspendant le dessin, presque aussi grand que lui.

Les jumeaux opinèrent avec respect.

« Messieurs, je vous ai convoqués au sujet de votre avancement. Ce n'est pas l'usage de réunir deux employés pour un entretien de carrière, mais l'on prétend que vous êtes inséparables... et bavards comme les oiseaux du même nom. »

Ce bon mot étira la moustache brillantinée du polytechnicien. Odilon eut un sourire poli qu'il transmit à son voisin d'un discret coup de coude.

« Vous avez intégré nos établissements au mois de mars, poursuivit Salles. Votre compétence dans le dessin est reconnue, et l'on vante également vos dispositions pour le calcul. M. Pluot m'a signalé l'excellent travail que vous avez fourni dans son service. Ce talent mérite d'être encouragé. J'ai le plaisir de vous annoncer une double promotion ! »

Le Parisien donna une tape dans le dos de son ami. M. Pluot s'avança pour leur serrer la main. Seul Armand restait un peu en retrait. Il demanda d'une voix méfiante :

« Quelle sera notre affectation ?

— Vous occuperez le poste d'ingénieur adjoint. Comme prévu, M. Boissier collaborera avec M. Backmann à la conception des ascenseurs. Quant à M. Cheyne, il étudiera la sécurité de la Tour et particulièrement son isolation des phénomènes électriques de l'atmosphère. Ce sont deux chantiers importants, au sujet desquels la commission consultative de l'Exposition a demandé de nouvelles garanties. »

Cette annonce fit retomber la joie qu'avait amenée la précédente. Ainsi donc, les jumeaux allaient être séparés !

« C'est impossible ! » s'écria Odilon dans un premier élan.

Puis, d'une voix contenue :

« Nous avons travaillé coude à coude depuis le jour de notre engagement. Même sans parler d'amitié, le rendement est meilleur quand nous sommes réunis !

— La rumeur le dit, en effet. Elle rapporte aussi que vous manquez de discipline ! observa Salles impitoyable.

— Cela peut se corriger ! intervint Armand. Nous promettons d'être sérieux ! »

Le polytechnicien donna du poing sur la table.

« Assez de marchandages ! Nous ne sommes pas dans un conseil d'études ! Ce n'est pas un blâme que j'apporte, c'est une promotion ! Il vous appartient de l'accepter ou de la rejeter. Préférez-vous continuer à passer la gomme, messieurs les jumeaux ? »

Cette apostrophe plongea les ingénieurs dans un silence ému. Ils s'entre-regardèrent, chacun soupesant la résolution de l'autre à dire non, avec l'espoir d'équilibrer ses propres doutes. Mais l'ambition du Sanflorin faussait la balance... Il fut le premier à signer le contrat qu'Adolphe Salles leur présentait. Odilon suivit, avec la figure de qui émarge un registre d'enterrement.

« À la bonne heure ! » fit le polytechnicien en passant le tampon buvard sur les signatures.

L'entretien s'acheva de la sorte, sans compliment ni poignée de main. En quittant le bureau d'Adolphe

Salles, les deux amis se sentaient comme des garçons qu'un recruteur de la marine a fait boire, et qui ont pris sans réfléchir un engagement de dix ans.

« Quel malheur ! soupira Armand pour se montrer gentil.

— Nous avons fait une bêtise ! À quoi bon une meilleure paie, si on ne peut pas la dépenser de compagnie ? »

Le Sanflorin tempéra :

« Tout de même ! N'es-tu pas content de poser la gomme ? N'est-ce pas une satisfaction qu'un bureau élargi, où tu pourras loger tes coudes à l'aise sans craindre de renverser la lampe ?

— Tu as raison... Mais vois-tu, j'avais pris l'habitude de t'avoir à mes côtés. Qui va me parler dorénavant ? Qui m'adressera des clins d'œil parce que j'aurai bâillé ? Ah ! Le bon temps est fini ! »

Odilon était gagné d'émotion. Par contagion, Armand sentait aussi un vague roulis au creux de son estomac. Il prit la main du Parisien et la serra d'amitié.

« Ne crois pas que je te laisserai ! Nous sortirons comme avant, le jeudi et le dimanche. Et nous prendrons l'omnibus ensemble, sur la même banquette de l'impériale, à fumer dans le vent ! On s'amusera bien ! »

La volonté de réconfort qu'il sentait dans ces paroles, plus que les mots eux-mêmes, ranima un peu Odilon. Bravement, les jumeaux de la gomme retournèrent à leurs places et commencèrent d'empaqueter leurs affaires.

PREMIER ÉTAGE

5

À peine les fondations de la Tour furent-elles assises, au seuil de l'été, qu'on jeta la terre par-dessus pour les recouvrir.

Ces pelletées qui tombaient, funèbres, sur la maçonnerie encore fraîche rappelaient une inhumation, et beaucoup voulurent y voir les funérailles avancées du projet. On disait que l'effort silencieux des terrassiers rendrait bientôt au Champ-de-Mars son aspect de naguère — une plaine morne et sans usage, un autre cimetière digérant les restes des chimères humaines.

Du sol égalisé émergèrent quand même seize gros sabots de maçonnerie, hauts comme un homme et trois fois plus larges. Les badauds se firent expliquer leur fonction, qui était de supporter directement les piles de l'édifice. Cette annonce laissa perplexe. En effet, les sabots étaient inclinés : comment la Tour ainsi chaussée tiendrait-elle debout ? Est-ce qu'on élevait un mur sur un pied tordu ?

Comme finissait l'entreprise de fondation commença celle du montage. Les derniers convois de terre croisèrent les premiers convois de fer, et des poignées de main s'échangèrent entre les terrassiers qui partaient et les ouvriers qui arrivaient.

Ces mains-d'œuvre différaient autant que leurs tâches et leurs outils : d'un côté les hommes de l'ombre, anciens mineurs parfois, entraînés à piquer la pioche dans les ténèbres tièdes des souterrains ; de l'autre les hommes du plein air, gabiers de marine reconvertis, que leur dédain du vertige favorisait dans les travaux d'altitude.

Les seconds surtout excitaient la curiosité des journalistes : annonçaient-ils une nouvelle classe de travailleurs, les « ouvriers acrobates » ou « ouvriers volants », spécialisés dans les constructions élevées ? Un surnom ne tarda pas à leur échoir : c'étaient les « ramoneurs ». On créa dans la foulée celui des employés au sol, appelés « gars du plancher des vaches ».

Grâce à l'activité des ramoneurs, la Tour gagna rapidement ses premiers mètres. Tout le temps des fondations, les pièces avaient été usinées à Levallois-Perret pour être le moment venu au rendez-vous du montage. Dans les premiers jours de juillet 1887, elles commencèrent d'affluer sur le chantier à bord de gros camions. Une grue roulante en soulageait les chevaux, puis des wagonnets les prenaient en charge, pour les transporter vers les piles par quatre voies divergentes. Là, de nouvelles bigues de vingt-deux mètres les hissaient à leurs places respectives, où elles étaient fixées.

Le travail avançait à grande allure. Suivant la méthode Eiffel, chaque pièce était présentée avec les trous déjà percés et deux tiers des rivets posés, tel un élément de Meccano qu'il suffisait de mettre en place et d'assujettir, et qu'on pourrait pareillement démonter. Grâce à la relative légèreté des poutres — aucune ne

98

dépassait trois tonnes —, quelques heures et quelques hommes suffisaient à l'opération. Ce chantier titanesque, rival pour les dimensions de celui des pyramides, ne devait jamais réunir plus de deux cent cinquante ouvriers.

On pouvait constater de jour en jour les progrès de la construction : la Tour s'élevait presque à vue d'œil. Les employés partant au travail toisaient les piles avec leur crayon, et recommençaient le soir en rentrant du bureau ; l'écart était parfois d'un ongle. Un preneur de vues engagé par Eiffel, M. Durandelle, fixait la marche des travaux sur des épreuves photographiques, tel un greffier du miracle.

Les seize sabots portaient déjà d'assez longues tiges de métal, tenues entre elles par des entretoises. C'étaient de gros bouquets de fer qui semblaient, à certaine distance, jaillis du sein même de la terre comme un végétal monstrueux. « Le fer pousse ! » s'émerveillaient les passants. Et de fait, dans cette terre fouillée comme pour y semer la graine, dans la percée obstinée du métal, dans les flèches noueuses qui s'élançaient à présent vers le ciel, beaucoup voyaient la croissance régulière et organique d'un arbre.

« Mais l'arbre peut s'abattre ! » rétorquaient les sceptiques. Car des échafaudages de bois avaient monté partout en même temps que le fer, si nombreux, si touffus qu'ils aveuglaient les piles. Les mêmes qu'avaient inquiétés les sabots s'effrayèrent de ces béquilles. Comment ne pas sentir un danger, l'aveu d'un écroulement possible ?

À mesure que s'élevait la Tour, grandissait aussi la peur qu'elle inspirait.

Sa tangibilité donnait consistance aux peurs encore diffuses. C'était un cauchemar dont on ne s'éveillait pas. D'aucuns la voyaient bâtir comme un condamné voit dresser l'échafaud de son propre supplice. Elle semblait tout à la fois le bonjour du monde émergent et l'adieu du monde finissant. Un monument fin de siècle !

Apolline Sérafin agitait un éventail à feuille de cuir devant son visage. Le panache en laque noire contrastait avec ses ongles d'un rouge véhément.

La jeune femme occupait seule la banquette de l'omnibus. Sa robe en gaze sombre, rehaussée aux manches d'une broderie de perles, s'y déployait sans empêchement, débordant des deux côtés et coulant sur le sol. Un petit sac couleur de fumée, une ombrelle à tresse de soie surnageaient du flot d'étoffe. La main droite était posée sur le pommeau de l'ombrelle — une main très menue qu'on eût dit d'automate ou de poupée, d'ailleurs d'une fraîcheur de porcelaine.

Apolline Sérafin ressemblait à une fleur éclose, mais une fleur de jungle, longue et vénéneuse. Son éventail brassait un parfum trouble d'iris et de benjoin. Une voilette brouillait le haut de son visage.

En face d'Apolline étaient assis trois jeunes hommes. Ils avaient les cheveux aux épaules, une longue vague de mèches brunes dont jouait à distance le souffle de l'éventail. Des cravates ténébreuses, nouées lâchement comme si la main avait manqué de force, faisaient des pointes hors de leur gilet. Leurs costumes n'attiraient pas l'attention : on n'en voyait rien, pour ainsi dire, tant le velours profond épongeait la lumière.

D'autres banquettes accueillaient des hommes et des femmes — tous également vêtus de noir. La voiture était comble et l'on devinait, à des bruits venant du dessus, que l'impériale regorgeait encore. Tout l'omnibus semblait loué par un cortège funèbre.

« Où nous conduisez-vous, madame Apolline ? fit une voix dans les derniers rangs.

— Au Champ-de-Mars. »

Une rumeur étonnée courut parmi les voyageurs. Un homme près des glaces leva la main comme un écolier qui demande la parole. Son œil gauche portait un bandeau noir.

« Pourquoi le Champ-de-Mars ? »

Les battements de l'éventail ralentirent ; il semblait freiné par un souffle invisible.

« Un Esprit nous y convie...

— C'est au Champ-de-Mars qu'on élève la Tour de 300 mètres ! souffla un homme corpulent dont les joues portaient des favoris en côtelettes.

— La belle affaire ! grinça le borgne. Quel intérêt peut avoir ce pylône pour le spiritisme ? On s'interroge, vraiment ! »

L'obèse logea un monocle au pli de sa paupière.

« Allons, son intérêt saute aux yeux ! La Tour sera composée de fer. Quel meilleur véhicule à l'électricité ? Et dès lors, quel meilleur agent des phénomènes magnétiques, si chers à notre discipline ?

— Il y a plus ! intervint un vieillard à voix de poitrinaire. D'après les journaux, la Tour pourra supporter dix mille visiteurs à la fois. Songez à tant de paires de jambes, reliées entre elles par ce même métal dont seront faits les escaliers, les galeries et les plates-formes ! N'est-ce pas en posant nos mains sur une table que nous communiquons parfois avec les Esprits ? Des milliers d'êtres seront ainsi unis sans le savoir ! »

Une voix exaltée tomba de l'impériale :

« La Tour reliera la terre au ciel ! Elle nous rapprochera des Esprits !

— Balivernes ! s'écria le borgne. Les Esprits n'habitent pas les airs, pas plus qu'ils n'accourent aux rassemblements des hommes. Sinon, quelle affluence d'Esprits produiraient les banquets de préfecture ! »

L'éventail d'Apolline se ferma d'un coup sec.

« Un peu de discipline, messieurs ! N'oubliez pas que les Esprits sont parmi nous ! Quelle opinion vont-ils se faire d'une société spirite où l'on perd son temps en chamailleries, au lieu de l'employer utilement à l'étude ? »

La jeune femme possédait un vrai talent de tragédienne. Quelque chose dans son front convulsé, dans son nez frémissant, dans ses yeux furibonds de Méduse commandait le respect. À moins que — c'était la thèse d'une minorité —, elle n'eût recours à la « sève sourcilière » du professeur Ninon, censée donner un regard magnétique.

La leçon d'Apolline avait ramené le silence. Les sociétaires repentis hochaient la tête. Certains plissaient les yeux pour discerner, dans l'espace enfumé du wagon, la trace des Esprits en maraude.

Le reproche qu'il sentait sur lui poussa le borgne à la confidence :

« Madame Apolline, nous avons peur... Rien n'est plus comme avant. Vous annoncez de grands changements ; vous prédisez que la Tour exercera sur les spirites, et spécialement sur notre société, une influence pernicieuse. Laquelle ? Quels événements se préparent ? Nous voulons savoir ! »

Apolline fit non de la tête.

Un homme en face d'elle eut un sourire qui découvrit ses dents jaunes et cariées. Les incisives malades semblaient plus courtes, avec une pointe taillée en biseau comme la tranche d'un miroir.

« Apolline se tait, car sa prophétie est terrifiante. Ce que les Esprits lui murmurent, ce que l'avenir nous promet, c'est réellement... la fin du monde ! »

La spirite eut un regard compatissant pour son confrère.

« Mon pauvre Samson, tu es bien atteint ! Tes dents sont toutes pourries ! Quant à tes yeux, ils n'ont presque plus de couleur ; rien qu'une taie pâle...

— La syphilis, madame ! gémit Samson en battant des paupières. Cette maladie qu'on compare au mancenillier, arbre mortel pour ceux qui s'endorment dans son ombre ! Je me soigne, mais les piqûres de mercure et d'iodure n'y font rien...

— Prends-tu tes remèdes, au moins ? Certains cultivent la vérole par goût du macabre, ou pour se faire une tournure de vampires. Ce sont des têtes creuses ! »

Puis, d'une voix portée, s'adressant au groupe :

« Écoutez-moi tous ! Ceux qui se plaisent aux bizarreries et aux messes noires n'ont pas leur place dans notre cercle ! Seul un fou peut vénérer la mort. Nos destinées se jouent sur Terre !

— Et cependant, rétorqua Samson en léchant ses dents malsaines, ne sommes-nous pas liés aux morts plus qu'aux vivants ? La demeure des spirites n'est-elle pas dans l'autre monde ?

— Tu habites cette Terre, Samson... Ton Esprit fait couple avec ton corps !

— Pour guère de temps, madame... »

De sous la banquette, Samson tira une mallette d'osier dont il défit les boucles. Ses voisins s'écartèrent.

L'air du syphilitique était si sombre qu'on craignait de voir surgir un poignard ou un revolver. Or la valise n'emportait que deux fines coupes de cristal, logées dans des empreintes de velours rouge, avec un flacon bouché à la cire. Samson en libéra le col. Une véhémente odeur d'éther se propagea dans l'omnibus.

« Trinquons, s'il vous plaît, à ce monde dégénéré ! cria le jeune homme en remplissant les coupes. Portons une santé à la corruption générale, au pourrissement de tout ! »

Un trait d'éther se tendit en fumant vers le verre d'Apolline. Elle repoussa la bouteille avec l'éventail.

« À votre gré, madame ! » fit Samson en offrant la coupe à une autre. Dans ce geste sa main veineuse prit la lumière, avec son ruissellement de bagues : une alliance de Saint-Hubert contre la rage, un anneau magnétique contre les migraines, une bague électro-voltaïque contre les rhumatismes... Cette collection mariait étrangement science et coutume, disait l'espoir dans la machine et la foi dans les spectres.

Samson sortit une grappe de cerises de sa poche, dont il détacha la plus belle pour la tremper dans l'éther. Un pétillement glacé enveloppa le fruit, presque bleu au fond de son bain.

« Santé ! » fit Samson en gobant le noyau.

Le rictus du buveur, avec ses dents gâtées et le sang qui perlait sur ses lèvres, était horrible à voir. Néanmoins il excitait plus de pitié que d'effroi.

« Vous nous faites honte, Samson ! intervint Apolline. De grâce, rangez cette bouteille !

— Je regrette de vous déplaire, madame... Cependant, qu'il vous suffise de regarder le monde ! Les symptômes nous sont donnés partout de la décadence inéluctable :

on brûle les défunts comme des carcasses d'animaux, on ouvre des lupanars pour hommes ! Les écrivains se plaignent qu'on ne parle plus français mais volapük, cette langue artificielle et barbare. Même un docteur, à demi-mot, m'a confié la dangereuse progression de l'onanisme dont les méfaits sont bien connus. Peut-on s'en réjouir, vraiment ? La vie est-elle décente, dans l'état d'abjection où nous sommes ? Sûrement non ! Piégé dans cette vilaine époque, le devoir de tout homme est d'accueillir la mort et même de la convier...

— Oui, nous connaissons ce refrain ! siffla le borgne. C'est le discours fin de siècle, turlutaine des jeunes gens ! Peuh ! Les enfants de l'après-guerre n'ont plus de ressort ! »

Cette fois, l'obèse fut dans son camp.

« Il dit vrai ! Vos pères ont combattu sur les barricades, mais vous, qu'avez-vous à défendre ? La vie des jeunes gens d'aujourd'hui n'est que paresse et débauche. On les plaindrait, s'ils n'aggravaient leurs torts par ce péché suprême, le plus coupable entre tous : profaner la religion... Votre génération se prétend mystique. C'est-à-dire qu'elle est entichée de prière et d'offices — aussi bien, hélas ! que de messes noires et de sorcellerie ! Les demoiselles portent des robes "à la fantôme", "à la néophyte", "à la martyre" pour imiter les vedettes des pièces sataniques qui se donnent au théâtre ; leurs galants fredonnent les chansons chrétiennes du *Chat Noir*, ou bien fréquentent les expositions de peinture rosicrucienne. Quelle boue ! Quelle fange universelle ! »

Samson défia ses aînés de son regard vairon. De temps à autre, l'opacité laiteuse de ses yeux s'allumait d'éclats, tel un métal dépoli qui conserve des feux.

« Triste jeunesse, en effet... Mais l'âge mûr n'est

pas mieux ! Quel exemple donnez-vous ? La passion du lucre, l'adulation du pouvoir ! Il n'y a rien chez vous pour nous édifier !

— Si, par exemple ! éclata le borgne.

— Et quoi donc ?

— Eh bien, la vie saine que nous avons connue, loin des villes et de leur corruption : ces campagnes baignées d'air pur où l'on cause patois... »

Samson compléta en prenant l'accent rural.

« ... où l'on s'amuse, dans des foires de village, à lapider une chèvre au piquet, un poulet pendu par les pattes ; où l'on applaudit le ratier tuant à coups de dents ses plus grosses captures ! Je hais les paysans, roués et cupides ! La faute leur revient de ce que le lait, aujourd'hui, n'a plus le goût de lait... Pour le rendre onctueux on le mêle de plâtre, de chaux, de plomb et de cervelle séchée ! N'est-ce pas aussi que la crème tourne bien plus tôt que naguère ? Comme si la nature affaiblie n'avait plus de forces à confier à cet aliment de la croissance ?

— Mon caillé ! Qui veut mon caillé ? La santé du corps ! fit l'obèse en imitant le cri de la crémière.

— Vous avez tort de plaisanter... C'est le poison que tètent chaque jour les nourrissons de France ! On pourrait craindre autant de l'huile d'olive, coupée de miel et de graisse de volaille, du café avec ses faux grains d'argile, des escargots qui sont du mou de veau fourré dans de vieilles coquilles, du vin au sang de bœuf, des radis taillés dans des betteraves... Une assiette monstrueuse ! »

L'éventail d'Apolline avait repris son balancement songeur.

« À vous écouter, Samson, tout espoir est perdu ! Il ne

106

reste qu'à se pendre. Vous ne l'avez jamais fait, pourtant... Quelle lâcheté vous retient ? »

Le malade répondit d'un soupir à la provocation. Son œil aveugle contemplait une deuxième cerise qu'il venait de noyer dans l'éther : rongée par le bain, elle se décomposait en lambeaux de pulpe. Le rose intérieur semblait celui d'une chair à vif.

« Quelle lâcheté, dites-vous ? Mais celle du corps, madame ! Il est crampon à vivre, lui ! Je ne sais quel instinct dans les sillons du cerveau, dans les replis des organes freine le geste fatal. Alors, on se distrait comme on peut du mal-être... Puisque la vie ne veut pas nous quitter, c'est la conscience qui s'échappe. Les gens modestes sont bien excusables de demander un peu de réconfort à la cordite, cette drogue de la guerre, au véronal ou au chloral. Nous autres, aisés, préférons cultiver nos névroses avec la seringue de Pravaz, dosée d'une goutte de morphine. Qui parmi nous n'a jamais cédé aux charmes de l'opium ? On l'achète couramment en pharmacie. »

Ce constat de bon sens fut suivi à demi par l'obèse.

« C'est une chose de fuir le matérialisme grossier de notre temps, et une autre de s'abrutir à coups d'absinthe et de mauvais vin. Vous donnez raison aux opiomanes, pourquoi pas ? Mais recommandez-vous ces estaminets sinistres où l'on peut boire son soûl pour un sou de l'heure ? Approuvez-vous qu'on trempe d'eau-de-vie la soupe des enfants, dès l'âge de trois ou quatre ans ? De tels abus me révoltent, monsieur... Dans mon métier de juriste, on rencontre chaque jour les crimes de l'alcool. Ils sont même si communs que le tribunal vient à les minorer. Souvent, hélas ! l'ivresse fait des circonstances atténuantes aux meurtriers et leur vaut des peines légères. »

La deuxième cerise, à point, fut gobée lestement par Samson.

« Mieux vaut tous les rogommes que le café au lait, cette boisson débilitante, cet abject tue-femmes !

— Il en terrasse moins que l'absinthe Terminus, allez ! Et l'on sait bien qu'elles boivent plus que les hommes !

— Voilà une preuve de leur supériorité sur notre sexe ! » rebondit le malade avec un clin d'œil pour Apolline.

Puis, remplissant une nouvelle fois les coupes :

« Buvons, mes amis, buvons ! Soyons fin de siècle, soûlons-nous ! »

Et Samson de mettre la bouche au goulot, pour avaler l'éther à grandes lampées terrifiantes. Le liquide ruisselait de ses lèvres, mêlé de sang et peut-être de larmes.

« Champ-de-Mars ! »

Ce cri détourna les spirites de l'affreux spectacle. Tous les regards convergèrent vers le garçon d'omnibus, brillamment désigné par ses galons et son pantalon rouge. Il tira deux fois le cordon à portée de sa main. Un grelot tinta près du cocher qui freina l'attelage.

« Champ-de-Mars ! » bissa le garçon en décrochant la chaînette du marchepied.

Deux groupes de voyageurs se formèrent : le premier issu de la voiture, le second venu de l'impériale par l'escalier à vis. Ils confluèrent aux portes de l'omnibus et sortirent en ordre, chacun à son tour saluant le garçon.

Le sombre rassemblement faisait un drôle d'effet, **si** loin de tout cimetière. Un départ d'averse fit éclore les parapluies — parterre de fleurs grises.

« Suivez-moi ! » commanda Apolline en retroussant sa robe.

Sous la conduite de la jeune femme, le cercle spirite s'anima vers le Champ-de-Mars et le chantier de la Tour. Au loin se profilaient, argentés par la pluie, des faisceaux de fer nu.

« Alors, tu rêvasses ? » aboya le cocher penché hors de son banc.

La cloche tinta lugubrement au fond de l'omnibus.

Les jumeaux de la gomme continuaient de se retrouver chaque dimanche pour leur sortie hebdomadaire. Un jour, Odilon se présenta très tôt au rendez-vous, avec une mine qu'Armand ne lui connaissait guère.

« Quel air de cauchemar ! ironisa le Sanflorin. Dois-tu une visite à l'arracheur de dents ? »

Odilon accrocha le bras de son ami et l'entraîna sur le boulevard. Plusieurs lignes d'omnibus convergeaient là, dans un grondement continu de cataracte dont tremblait le sol et vibraient les fenêtres. À tout instant de gros wagons roulants, peints en vert, en jaune ou en marron, se présentaient au débouché des rues derrière leurs attelages. La plupart étaient tirés par deux chevaux, qui recevaient le renfort d'un troisième si la voie était pentue. C'étaient de pauvres bêtes, desséchées par l'effort d'entraîner leurs vingt-six passagers, et dont plusieurs allaient crever dans le bel âge.

À la surprise d'Armand, ils boudèrent l'omnibus, leur transport accoutumé vers le centre-ville, et louèrent un fiacre à l'heure.

« Où allons-nous ? s'enquit le Sanflorin qui répétait la question du cocher.

— À la foire aux pains d'épice, près de la place du Trône ! »

Armand attendit d'être assis pour s'étonner.

« La course vaut-elle un sapin ? Et tes leçons d'épargne ?

— Nous avons rendez-vous, justifia le Parisien. L'omnibus nous mettrait en retard... »

Le fiacre déposa les ingénieurs devant les guichets de la foire. Ils s'acquittèrent du prix d'entrée et reçurent chacun une figurine de pain d'épice, avec leurs noms formés dessus en pâte sucrée.

« C'est amusant, ça ! » fit Armand en croquant une oreille du petit personnage.

Il pendit la statuette à son cou et franchit le portillon, suivi d'Odilon qui brandissait la sienne comme un laissez-passer.

Une foule entrait avec eux, qui se tassa encore au-delà des grilles. L'affluence était telle qu'on ne pouvait diriger ses pas. Voulait-on aller par ici ? Le mouvement entraînait par là. Cherchait-on à ralentir ? Il pressait d'allure. On n'avait pas l'impression d'avancer pour soi mais de participer à la locomotion d'un grand animal, tels les membres solidaires d'un mille-pattes. Bien des visiteurs devaient entrer et ressortir sans avoir connu de la foire mieux qu'un décor qui défilait.

Les jumeaux passèrent le salon de cire, la grande roue à nacelles, le panorama des Alpes et le cabinet d'anatomies avant de s'aviser du problème. Ils accrochèrent alors, de toutes leurs forces, les poteaux d'un carrousel à chevaux de bois. Cet acte de bravoure leur rendit la liberté.

« Ton rendez-vous n'était pas amont, j'espère ? fit Armand qui balayait sur son gilet les miettes du bonhomme en pain d'épice.

— Dieu m'en garde ! répondit Odilon en sueur. Pareil torrent ne se remonte pas ! »

Curieusement, il devenait très simple d'aller et de venir une fois sortis de la cohue. L'accès des pavillons était dégagé, et les bonimenteurs agitant leur crécelle semblaient s'adresser à eux seuls, issus du nombre.

« Deux employés à la fête ! barrissait l'un dans son porte-voix. Qu'ils prennent du bon temps ! Ici, les grandes eaux de Versailles au naturel, terminées par la chute du Rhin à Schaffhouse ! »

« Ils ont leur après-midi et vingt sous pour une gaufre ! coassait un autre. Régalez-vous les yeux ! Chez nous, danses et élévations sur la corde roide, par Mlle Freluche, unique élève de Mme Saqui — laquelle, surpassée, a pris sa retraite ! »

De baraque en maisonnette, de chapiteau en scène peinte, la foire servait aux badauds les divertissements les plus variés — autant d'occasions d'alléger ses poches. Tous les goûts étaient satisfaits, tous les vices flattés, sous la commune loi du mensonge dont se rencontraient ici les dupes et les virtuoses.

À ceux qui vénéraient la force (soldats et paysans), répondaient les montreurs de bêtes féroces, les dompteurs de tigres et de crocodiles, sinon « l'homme-pavé », capable de briser des cailloux d'un seul coup de poing.

Les amateurs d'exotisme admiraient des Peaux-Rouges sous leur tipi, des jumeaux de Siam laquant des assiettes, des Massaï ou des Iroquois en tenue de parade, qu'on payait à mordre le public pour marquer la bassesse de leurs instincts.

Mieux lotis encore étaient les voyeurs, curieux d'infirmités spectaculaires : la foire leur réservait le cheval à cinq queues, l'enfant hydrocéphale, le cerf nain passeur de cerceaux, et, à foison, des albinos, des hermaphrodites, des anatomies déviantes flottant dans des bocaux d'alcool.

Enfin le menu peuple pouvait rencontrer aux pains d'épice des demi-célébrités, curieuses quoique déchues : le dentiste de l'empereur du Brésil, la pédicure de la reine d'Angleterre, le fabricant des cuirs à rasoir du tsar, sans oublier la tireuse de cartes de l'archiduchesse d'Autriche.

Cette dernière habitait une roulotte un peu à l'écart, au fond d'un pré où les dresseurs d'hippopotames menaient paître leurs animaux.

Rares étaient les visiteurs qui faisaient le détour. On n'était guère curieux de son avenir, dans une époque où il semblait souvent tracé d'avance : l'hôpital pour le buveur d'absinthe, l'asile Bicêtre pour le riche névrosé, la maison de santé Dubois pour l'homme de lettres.

La roulotte de la tireuse de cartes était de style composite, dans la pure tradition foraine. On y voyait des volets peints à la mode tyrolienne, avec parure de fausse neige et géraniums en pots, à côté d'un hibou empaillé d'inspiration plutôt tzigane. Un bandonéon au soufflet crevé décorait le toit, dont les chéneaux s'habillaient aussi d'un feston de houx.

Pendu à la porte, un écriteau renseignait le badaud sur les talents de la devineresse : « Mme Sérafin, cartomancienne ». Le mot difficile était expliqué par un petit dessin — Mme Sérafin tirant un as de cœur d'un paquet de cartes. Au lieu de toquer, on secouait une clarine dont l'allègre tintement rendait un écho de pâturage. C'est ce que fit Odilon.

« Nous avons rendez-vous avec une diseuse de bonne aventure ? » s'étonna Armand.

La porte s'ouvrit. Une robe grise balaya le seuil : c'était Apolline Sérafin.

« Tu l'as amené avec toi ? » s'informa tout de suite la jeune femme.

Odilon désigna Armand qui, après une courte hésitation, mit la main à son chapeau.

« Parfait, parfait... Il ne sait rien ? » demanda-t-elle encore.

Le Parisien fit non de la tête. À l'invitation d'Apolline, les jumeaux passèrent la porte basse.

L'intérieur de la roulotte était l'envers du dehors. Dans cette boîte de planches laissées à leur état naturel, sans peinture ni vernis, logeait une chambre des plus rudimentaires. Le rare mobilier consistait en une chaise, une table et un lit. Le bureau portait quelques livres à la reliure effilochée, mais rien pour écrire ni même pour éclairer : seule l'enseigne au gaz d'un chapiteau voisin devait donner un peu de lumière.

Ce n'était pas ainsi qu'Armand se représentait un cabinet de voyance. Le spécimen qu'il avait sous les yeux n'avait ni paravent chinois ni pouf à l'orientale. Aucune idole dorée ne nichait dans le mur, pas plus que ne fumait la poudre d'encens au fond de cassolettes.

Le plus déconcertant était l'absence de jeu de cartes. Comment la devineresse pratiquait-elle son art ? Une gêne méfiante s'empara du Sanflorin.

« Qui êtes-vous ? Quel est ce lieu ?

— Prenez une chaise, je vous prie ! » fit Apolline sans répondre.

Armand hésita. C'était inconvenant d'occuper le seul siège en présence d'une femme. Il obéit néanmoins.

Apolline et Odilon trouvèrent à s'asseoir sur le lit. Leurs mains se donnèrent. Armand remarqua l'alliance qui brillait au doigt de la cartomancienne. De son gousset, le Parisien en sortit une toute pareille qu'il glissa à son annulaire. Son ami n'en croyait pas ses yeux : lui, uni à cette bohémienne ?

Comme lisant dans ses pensées, Apolline eut un large sourire qui découvrit de fausses dents.

« C'est notre secret, le garderez-vous ? Nous sommes mari et femme ! »

Armand était mal à son aise. Ses yeux cherchèrent ceux d'Odilon, espérant lire dans les prunelles bleues un démenti moqueur. Ah ! Comme il eût voulu l'entendre dire, de cette voix feutrée si familière : « Tu fais un mauvais rêve, rien de ceci n'est vrai ! » Et les jumeaux seraient partis d'un grand rire, ils auraient laissé la bohémienne dans sa roulotte et la roulotte dans le pré aux hippopotames, pour regagner la fête et sa chaude réalité ! Ce n'était peut-être qu'une pantalonnade, après tout ? Un mauvais tour comme en essuient les béjaunes, dans les écoles d'ingénieurs ? Bien sûr, Odilon jouait la comédie ! Cette perruque de voyante dissimulait la caissière des établissements Eiffel, ne leur trouvait-il pas une ressemblance ?

Mais le Parisien aussi était transfiguré : il souriait, comme allégé d'un mensonge. Voilà-t-il pas qu'il déboutonnait son gilet à présent ? Qu'il enlaçait la fille ? Et cette affreuse pipe en plâtre ramassée sous le lit, dont il suçait le tuyau recourbé !

114

La mesure était comble. Armand bredouilla des excuses et se leva pour partir. Sa main tournait déjà la poignée de la porte. Or la porte résista... Il essaya encore, d'un geste plus ferme. Ce fut un échec.

Dans quel piège l'avait-on attiré ? La panique s'empara de l'ingénieur.

« Ouvrez cette porte ! cria-t-il. Ouvrez ou je l'enfonce !

— Du calme ! réagit Odilon. As-tu perdu la tête ? »

Le Sanflorin tirait ou poussait de toutes ses forces.

« Je veux la clef !

— Quelle clef ? Il n'y a pas de serrure ! »

Cette parole fit impression sur Armand. Il ouvrit le poing et constata qu'en effet la porte était nue, sans targette, sans barre ni verrou — rien pour s'opposer à l'action de son bras. Un rideau de perles eût offert plus de résistance. Pourquoi cette damnée porte refusait-elle de jouer ?

« Ce garçon est très doué ! » admira la bohémienne.

Armand sursauta en voyant approcher Odilon. Mais le Parisien ne fit qu'appuyer son index sur la porte, et d'une légère poussée... l'ouvrit toute grande.

« Je me sens mal ! fit Armand qui pâlissait. Je crois que j'ai besoin d'un remontant ! »

6

Armand, Apolline et Odilon avaient repris leur place autour de la table. La voyante servait de la limonade dans de petits verres et même des biscuits sur une assiette, preuves des ressources cachées de son ménage.

Comme l'après-midi avançait, la nudité de cet intérieur devenait moins austère. Réchauffée d'une bougie trouvée sous l'oreiller, la vieille roulotte prenait même un air sentimental. On se sentait dans ses vieilles planches comme entre les pages d'un roman.

Le calme revenu, Odilon prit la parole.

« Que d'énigmes, mon pauvre Armand ! La tête doit te tourner de tant de nouveautés ! »

Le Sanflorin avala une gorgée de boisson pour s'éclaircir la gorge.

« À la vérité, je n'y entends rien. Je te croyais garçon : te voici marié ! J'escomptais une bourgeoise : voilà une demoiselle qui tire les cartes à la foire aux pains d'épice ! Et maintenant cette porte impossible à ouvrir ! On coucherait cela sur papier, qu'on passerait pour un fou...

— Votre trouble est bien naturel ! fit Apolline en versant un autre verre de limonade. Sans doute, les travaux solides de l'ingénieur, ces calculs dont vous tissez fil à fil la grande tour de métal, vous ont-ils mal préparé à ces choses... Mais songez qu'il y a vingt ans seulement, on aurait jugé impossibles le téléphone, le phonographe et l'électricité ! La réalité a bien d'autres visages que celui éclairé par la science du jour ! »

Armand faisait rouler un biscuit dans une rainure de la table.

« Je n'en doute plus depuis que, sous ma main, une simple porte a humilié la physique ! »

Un sourire se communiqua sur cette dernière parole. Odilon trouva l'occasion d'allumer sa pipe au feu de la chandelle.

« Mon ami, crois-tu en Dieu ? »

Un moment plus tôt, cette question eût brusqué le jeune homme. Il l'accueillait maintenant sans surprise, prêt à tout entendre de quelqu'un qu'il avait vu muer si vite d'ingénieur en poète.

« J'y crois par éducation, témoigna Armand de bonne foi. Ma mère avait une grande dévotion à la Vierge. Mais, en vérité, je ne fréquente guère les églises. À manier les chiffres mon cerveau a pris un certain pli, qui ne converge guère au pli de religion !

— Et pensez-vous encore qu'il y a une vie après la mort ? » demanda Apolline avec une petite toux, car elle avait respiré l'abondante fumée de la pipe.

Le Sanflorin prit à tâche de bien répondre, quoiqu'il n'eût jamais réfléchi à ces choses.

« Quiconque a vu un oiseau tomber de la branche et ce même animal, après deux jours, danser sur un lit de vermine... ne peut espérer beaucoup de l'au-delà ! »

Le Parisien plongea son pouce dans le fourneau de sa pipe pour y tasser les brins de tabac.

« Nous n'avons pas le même point de vue... Selon moi, le corps de chair n'est qu'une enveloppe, un vêtement qu'on quitte quand il est usé. Il protège l'Esprit éternel.

— Pour être exact, rectifia Apolline, il existe une enveloppe intermédiaire entre le corps et l'Esprit. Elle est d'une nature plus subtile que la chair et cependant, matérielle encore, elle revêt la forme humaine. C'est ce contour vaporeux que décrivent ceux qui ont vu des fantômes. On l'appelle le corps fluidique, ou *périsprit*.

— Après la mort, l'Esprit se libère du corps de chair. Il gagne alors un autre monde où l'accueillent ceux, parents ou amis défunts, qui l'y ont précédé. La religion imagine un paradis et un enfer, pour y connaître éternellement la récompense ou le châtiment de cette courte vie. Notre doctrine, elle, ne conçoit qu'un passage : dès que possible l'Esprit se réincarnera, c'est-à-dire qu'il habitera un nouveau corps.

— Chacun de nous a partagé le sort de nombreux êtres à travers les âges ! enchaîna la voyante. Qui sait ? Peut-être avez-vous pris l'uniforme d'un soldat dans l'Antiquité, pour devenir potier au Moyen Âge et confiseur à la cour du Roi-Soleil ! C'est dans l'épaisseur de milliers d'existences, au travers des épreuves qu'elles comportent et des leçons qu'elles délivrent, c'est lentement et patiemment que l'Esprit s'élève. Cette échelle presque infinie conduit à la félicité suprême. Admis enfin parmi les Justes, l'Esprit désincarné contemple Dieu... »

Une lueur d'extase brillait dans les yeux de la cartomancienne, qui s'éveillait aussi sous les paupières d'Odilon. Tous deux semblaient très échauffés. Il revint au garçon de conclure, ce qu'il fit en vidant sa pipe à l'aide d'une cuillère :

« Ce sont de telles choses, et bien d'autres, qu'enseigne notre doctrine. Quel est son principe ? L'existence d'une âme et sa survivance après la mort. Quelle est sa fin ? La connaissance des lois qui régissent le monde créé. Quels sont ses moyens ? L'échange avec les Esprits et l'étude de leur enseignement. Cette doctrine s'appelle le spiritisme... Elle n'est pas neuve : Pythagore déjà, six siècles avant notre ère, défendait la thèse de transmigration des âmes. »

Un rire colossal enflait dans la gorge d'Armand, qu'il refoulait à grand-peine. Que d'élucubrations ! Voilà de quoi s'occupait l'honorable Odilon Cheyne, ingénieur des constructions métalliques ! De spectres et d'apparitions ! C'était à se tordre, vraiment !

Néanmoins, par courtoisie, le Sanflorin chercha une petite question :

« Tout cela est bel et bon, mais ne m'instruit guère... Les Esprits ont-ils à voir avec une porte qui ne s'ouvre pas ou des vitrines qui volent en éclats ? »

Apolline rapprocha la bougie de son visage pour mieux en éclairer l'expression, à ce moment très passionnée.

« Il serait trop long de développer la doctrine spirite. C'est un monde en soi ! Sachez seulement que l'échange avec les Esprits n'est possible qu'en présence d'individus dotés d'une faculté spéciale, les médiums. Certains ont connaissance de leur don et le cultivent : ce sont les *médiums facultatifs*. D'autres, ignorant tout de ces phénomènes, méconnaissent aussi le rôle qu'ils peuvent y jouer : on les appelle *médiums naturels*. Nous pensons que vous êtes un médium naturel... »

Armand reçut péniblement la déclaration d'Apolline. Tant que ces inepties demeuraient extérieures — l'af-

119

faire d'un collègue et d'une bohémienne —, il pouvait s'en divertir. Mais comment tolérer qu'on y mêlât son nom ? Ses traits soudain se durcirent.

« Moi, un médium ? La belle histoire ! »

La tireuse de cartes répondit du tac au tac :

« Armand, vous a-t-on rapporté parfois d'étranges phénomènes qui faisaient croire une maison hantée ? Des bûches qui roulent sur le plancher, des portes qui battent, des objets soulevés dans les airs, de la vaisselle qui tombe et se brise avec fracas... ces faits survenant, bien sûr, dans des pièces vides, à l'abri de tout courant d'air, sans rien qui pût les expliquer ? »

La conviction d'Apolline était intimidante. Armand tira sa salive avant de répondre :

« Sans doute, j'ai su de telles choses. Les journaux y trempent leurs faits divers !

— Eh bien, le spiritisme en donne l'explication. Ces dérangements sont l'œuvre d'Esprits légers qui s'amusent à faire des malices. Ils ne pourraient opérer sans la présence d'un homme ou d'une femme leur servant d'intermédiaire. Un médium naturel se trouve donc parmi les habitants du lieu !

— Mais encore ? » fit l'ingénieur qui perdait le fil.

Odilon frappait sa pipe en cadence sur le bord de la table.

« Tu ne comprends pas ? Tu es le médium dont les Esprits se sont servis pour briser les vitrines à la morgue ! Et c'est aussi en puisant dans ton fluide qu'ils ont bloqué la porte !

— De quel fluide parles-tu ? À la fin c'est assez ! J'ai les oreilles rebattues de vos sornettes ! Passe encore qu'une voyante fraie avec les morts et leur fasse la conversation, mais un ingénieur !

120

— Le spiritisme n'est pas affaire de métier ni de classe ! Notre doctrine se répand dans toute la société, et d'abord dans ses couches inférieures. Nous publions des revues, *L'aurore* et *Le Lotus*, à Paris, d'autres plus nombreuses en Angleterre. Des milliers d'adeptes font chaque jour des évocations, en ville ou à la campagne. On a récemment exposé à Anvers un tableau intitulé *Intérieur de paysans spirites*.

— C'est bien cela ! s'esclaffa Armand. Vous abrutissez les pauvres gens avec des thèses qu'ils ne peuvent entendre, comme naguère on les soûlait de religion ! Leur fera-t-on jamais un sort, à ces vieilles superstitions, à ces croyances d'un autre âge ? À quand, le triomphe espéré de la raison ? »

Un éclat de plâtre jaillit de la pipe broyée dans le poing d'Odilon.

« Par tous les saints, vas-tu... !

— Je ne crois pas aux saints ! rebondit l'ingénieur. Sauf à un seul, qui rachète tous les autres : Saint-Simon ! »

Le Parisien se préparait à répliquer vertement, quand un cri fut poussé au-dehors.

« À moi ! Au secours ! »

Les trois se précipitèrent. Derrière la porte, tirée vivement, apparut une scène insolite : au premier plan une femme, la main en l'air comme pour toquer ; derrière et s'éloignant d'un trot pataud, un gros hippopotame ayant rompu sa corde ; plus loin, courant à toutes jambes, un homme tête nue. Le second poursuivait le troisième — on ignorait le rôle de la première.

Quand l'animal peu endurant ralentit l'allure, le fugitif eut un regard en arrière, vers la roulotte. « Tiens, le chiffonnier de l'autre jour ! » nota Armand. Gaspard Louchon enjamba gauchement la clôture du pré.

« Alors, Roseline ? Ton galant t'épie ? plaisanta Odilon en s'effaçant devant la visiteuse.

— Lui ? gloussa la jeune femme. Je ne l'ai jamais vu ! Il peut m'arriver de mêler des amants, ces gens-là vous poussent sous les pieds comme des mauvaises herbes. Mais un magot pareil, avec sa tête grise et sa croupe à ballons, sûrement non ! »

Le Parisien déboucha la bouteille pour servir un quatrième verre.

« Que faisait-il après toi, alors ? »

Roseline donna du talon sur le plancher.

« Je n'en sais fichtre rien ! Personne ne me filait quand je suis sortie du théâtre. Ça, je le sais, j'ai toujours un œil à la traîne dans ce moment-là... Pardi ! Les bourgeois aiment les actrices, il s'en trouve toujours deux ou trois pour me flairer le croupion ! »

Jusque-là Armand était resté près de la porte, les bras croisés, doutant d'entrer ou de sortir. Il jeta dans la conversation :

« Vous n'y êtes pas ! J'ai reconnu cet homme... C'est lui qui rôdait, l'autre jour, devant les bureaux d'Eiffel. Le chiffonnier ! Il nous espionne !

— Tu dois te tromper ! fit Odilon. Sa tête ne me dit rien. »

Ce fut l'actrice qui accorda les deux hommes par un trait d'amour-propre.

« Monsieur a raison. Je n'ai pas d'admirateurs aussi laids ! »

Le suffrage de cette inconnue répandit une chaleur agréable dans les reins du Sanflorin.

Il faut dire que la silhouette de la comédienne, à la lumière complice de la bougie, répondait fièrement à son intérêt de jeune homme. Ce physique était de ceux

122

qu'opprime le vêtement, si relâché soit-il : la poitrine débordait le col avec une louable générosité, la taille provoquait le corset qui rendait des craquements de bois sec, même les jambes paraissaient à l'étroit sous leur rideau d'étoffe — réclamant l'espace, l'air et la lumière.

Sur les reins, nul « pouf » ou « strapontin » pour gonfler la jupe, pas davantage de coussinet de crin ni de drapé compensateur, mais une courbe naturelle donnée par les parties charnues... L'habit était simple et commode, dans la gamme « mi-riche » des grands magasins, avec une pointe d'originalité où tenait son élégance. L'œil s'attachait volontiers à cette robe d'inspiration Nouvel Empire, recouverte de tulle pailleté, aux pentes de soie bleue brodée de fleurs.

« La belle femme ! » songea Armand en risquant un sourire. Il fut troublé d'y voir répondre.

« L'heure avance », remarqua Apolline comme s'allumait l'enseigne du chapiteau voisin. « En route ! lança Odilon. Depuis cinq ans, la séance n'a jamais commencé en retard ! »

Le Parisien franchit la porte au bras de sa femme. À cet instant, tournant la tête comme s'il oubliait une chose de peu d'importance — souffler la bougie ou tirer le rideau :

« Armand, notre groupe va se réunir pour une évocation des Esprits. Es-tu des nôtres ? »

L'ingénieur consulta Roseline et sentit un encouragement dans son regard. Le cœur du Sanflorin prit le galop.

« J'en suis, bien sûr ! Ce sera curieux à voir... »

Apolline eut l'expression d'une mère qui a soumis l'enfant turbulent. Elle pria Armand de fermer la porte, mais c'était sans besoin : ladite porte, rebelle tout à l'heure, avait claqué dans son dos.

À quelques pas de la roulotte, ils ramassèrent un chapeau tout bosselé. Détail curieux, le bord du couvre-chef avait été mordu : restait l'empreinte de deux dents énormes sur le tissu trempé de bave.

« Mon chéri, débarrassez-vous de ça ! C'est dégoûtant ! » s'exclama la tireuse de cartes.

Le Parisien jeta le melon en pâture à un hippopotame.

« Vous avez raison ! Il appartient sans doute à notre visiteur, mais je n'ai pas le goût des enquêtes policières ! »

Les jeunes gens se dirigèrent vers une poterne, au bout du pré, qu'empruntaient les forains pour sortir en ville. Ils furent bientôt dans la rue.

Mêlé à la foule extérieure, Armand trouva tout naturel de proposer son bras à Roseline. Elle l'avait d'ailleurs accroché sans manières, suivant l'exemple d'Apolline serrée câlinement contre Odilon.

Ce couple qui marchait devant eux leur servait de modèle et, par ses gestes, par son maintien, les sollicitait d'attitudes pareilles. Il n'était pas question bien sûr de reproduire les enlacements des époux enhardis par l'ombre mais l'on pouvait quand même, dans cette invitante symétrie, se rapprocher, se prendre la main ou le bras — complicités bénignes qu'on n'eût pas osées seuls. La comédienne s'y abandonnait plus volontiers qu'Armand, encore un peu raide dans sa tournure de jeune homme recevant son initiation à la volupté.

« Il fait bien sombre ! » déclara l'ingénieur pour donner le change.

Et cependant, le cœur lui battait à rompre de sentir

124

cette main de femme au pli de son coude — cette petite main gantée de chevreau qui lui semblait si délicate, tel un oiseau blessé qu'on a recueilli dans sa poche avec un peu d'ouate et qu'on craint de meurtrir par un geste brusque.

Armand n'osait plus bouger le bras ni remuer l'épaule ; tout le haut de son corps était comme paralysé.

« Vous portez-vous bien ? s'inquiéta l'actrice qui avait senti un frisson par le relais du coude.

— Moi ? Fort bien ! Je n'ai jamais été mieux ! »

Il lui jeta un regard en coulisse, dont il revint très ému. Le corps animal de la jeune femme trouvait dans son visage un reflet éloquent. On ne pouvait concevoir lèvre plus fraîche, joue plus voluptueuse — mais des prunelles à bouillons où l'eau gronde, s'agite et fume.

À cet instant Roseline, avec le génie féminin du moment favorable, simula un faux pas qui la jeta presque dans les bras du jeune homme. Elle se redressa bien vite, aidée mollement par l'ingénieur, sans revenir toutefois à sa première position. Alléguant une cheville douloureuse, elle resta à demi appuyée sur Armand. Sa tête pesait tendrement sur l'épaule du garçon.

« Ah, madame ! » gémit le Sanflorin chaviré d'émotion.

L'actrice corrigea, mutine :

« Pas madame... mademoiselle ! Personne ne m'a encore passé l'alliance.

— L'homme bien élevé vit chez sa maîtresse et meurt chez sa femme ! cita Armand pour se donner un genre.

— C'est ce que disent les hommes, une excuse à leurs liaisons ! Peuh ! Vous êtes bien tous les mêmes ! »

D'un geste emporté, Roseline tira les épingles qui

fixaient son chapeau et se découvrit. Armand en eut le souffle coupé. Quelle inconvenance d'aller ainsi en cheveux, devant le monde ! Cette hardiesse lui plut.

« Détrompez-vous ! bredouilla l'ingénieur. La nouvelle génération a du respect pour les femmes !

— Et comment l'exprime-t-elle ? En leur accordant le droit d'ouvrir un livret d'épargne, d'adhérer à un syndicat ou de demander le divorce ? Naïves conquêtes ! Je me sentirai votre égale, monsieur, quand je pourrai aller sans corset ! »

Elle ajouta à mi-voix, ses paupières voilant ses prunelles fauves :

« Car il est dommage d'opprimer la nature, n'est-ce pas ? Je suis sûre qu'il vous tarde de me voir quitter cette machine... »

Était-ce une invitation ? Armand le crut et fut pris d'un vertige. Voilà donc l'amour ! Ce gosier sec, ces poils hérissés, ce tambour battant dans la poitrine ! Surtout, des paroles prononcées comme par jeu et qui vous engagent pour l'existence ! On pouvait donc, instantanément, basculer d'une vie dans une vie tout autre. Il suffisait d'une œillade pour retourner un homme comme un gant, et faire d'un garçon solitaire, lancé dans la placide carrière d'ingénieur, l'amant passionné d'une comédienne ! Et Odilon qui n'avait rien dit ! Que ne lui avait-il présenté Roseline plus tôt ? Pourquoi ces flâneries inutiles, ces sorties d'étudiants dans des bals ennuyeux — quand l'essentiel était là, qui l'attendait à la foire aux pains d'épice ? À propos, cette rencontre était-elle concertée ? Le Parisien avait-il prémédité leur coup de foudre ?

Ces questions roulant en tous sens, renversant telles

126

des quilles ses anciennes conceptions, jetèrent un grand désordre dans l'esprit du jeune homme.

À son tour il appuya sa tête sur l'épaule de l'actrice. Elle le reçut avec la tendresse d'une mère plutôt que d'une amante, chuchotant des douceurs à l'oreille du garçon dont les furieux battements de cœur lui parvenaient à travers le vêtement.

Mais, aussitôt, Armand eut honte de son relâchement. Dans un élan viril, il approcha ses lèvres du cou de Roseline et piqua où il pouvait — il ne savait pas bien si c'était contre sa peau, sur le tissu de sa robe ou dans les rouleaux de sa chevelure.

L'actrice rendit le baiser à pleine bouche. L'émotion dans le cas d'Armand, le souci de bien faire dans celui de Roseline les conduisit derrière un réverbère. Ils s'embrassèrent à perdre le souffle.

La comédienne se régalait de la peau fraîche du garçon, lisse et onctueuse comme une crème jamais battue, vierge de rides et qui n'avait jamais reçu, elle le croyait bien, d'autres lèvres que maternelles. D'un creusement de reins, elle encourageait une main descendue sur cette pente mais qui n'osait pas encore.

Armand de son côté faisait des découvertes : l'ébat des langues à l'intérieur de la bouche, le goût savonneux des lèvres peintes, la friction du collier de perles, l'odeur de linge humide entre les seins qui montait à lui par bouffées. Gonflées à contretemps, leurs poitrines s'opprimaient voluptueusement. Il y avait tant à sentir, tant à apprendre que l'émotion fuyait un peu.

Ne sachant comment finir, le Sanflorin fut soulagé d'entendre la voix d'Odilon.

« Armand ? Roseline ? Où êtes-vous ? Vous allez nous mettre en retard ! »

Puceau aussi dans les manières, l'ingénieur quitta franchement Roseline pour boutonner son veston. Elle fut indulgente envers cette muflerie et même offrit son aide. Le couple parut peu après devant Odilon.

« Vous voilà enfin ! râla le Parisien. Toujours à la traîne, collègue ! Pressons l'allure ! J'ai peur de laisser nos amis à la porte... »

Battu comme une cloche, le Sanflorin ne trouva rien à dire.

Gaspard choisit un haut-de-forme sur le présentoir. C'était un huit-reflets tendu de soie brillante, lisse et noire comme une peau d'otarie. L'intérieur était doublé d'un satin cramoisi où reluisait la griffe du chapelier : quatre lettres anglaises, brodées au fil d'or et soulignées d'un élégant parafe. On remarquait au fond du chapeau les ressorts argentés conçus pour lui redonner forme s'il était aplati.

« Le beau tuyau de poêle ! » admira Gaspard en fermant un œil.

Il coiffa le gibus. Le miroir à la disposition des clients lui renvoya l'image d'un visage épais, débordant en pâte molle du col de Celluloïd. On eût dit une brioche mal levée échappant de son moule. Le chapeau là-dessus faisait un ajustement saugrenu et presque burlesque, tel un gros fruit confit planté sur une pâtisserie.

Un rire retentit dans le dos de Gaspard, qui quitta prestement le couvre-chef.

« Quelle élégance ! Es-tu prié à dîner chez monsieur l'ambassadeur ? »

Pivotant sur ses talons, Gaspard se trouva nez à nez avec Gordon Hole.

« Monsieur ! s'étrangla le Français. Vous, ici ?

— C'est ma promenade des jours de pluie, dévoila l'Américain en confisquant le tube des mains de Gaspard. Les Grands Magasins du Louvre ont l'avantage sur le musée que l'entrée n'en coûte rien : on peut s'abriter gratis. D'ailleurs, l'Hôtel Britannique est à deux pas... Mais toi donc ? N'as-tu pas une mission à remplir ? »

Gaspard mit la main à son cœur comme pour prêter serment.

« J'y étais, monsieur. Oh ! vous ne croirez pas tout ce que j'ai vu ! C'est à se dévisser le cou ! Et d'abord mon melon, resté dans la gueule d'un hippopotame ! »

Plus grand d'une tête, l'Américain se pencha sur le Français pour renifler son haleine.

« C'est la vérité nue ! se rebiffa Gaspard. Mais l'histoire est trop longue, je la dirai plus tard... Apprenez seulement que cet Odilon, l'ami d'Armand Boissier, est uni à une bohémienne tireuse de cartes. J'ai vu la roulotte où ils se rencontrent. »

Gordon écoutait les yeux baissés, fixant la bordure recourbée du haut-de-forme. La fantaisie le prit d'essayer le chapeau à son tour. Il le coiffa d'un geste théâtral qui fit couler de sa manche des pans d'étoffe grise. Le huit-reflets lui allait comme de cire.

Gaspard cherchait un compliment mais l'Américain le gagna de vitesse, en prononçant d'une voix dure :

« Je ne te paye pas à filer Odilon Cheyne, mais Armand Boissier. As-tu quelque chose à m'apprendre sur lui, ou faut-il que je règle tes gages ?

— Patience ! glapit le Français. J'y venais ! Armand

était de la partie, bien sûr. Ils sont allés à quatre dans une drôle de maison où l'on met les morts en vitrine.

— La morgue ?

— La morgue, oui-da ! Savez-vous qu'il existe là-bas un escalier dérobé ? Un colimaçon caché sous l'une des vitrines, derrière un panneau de marbre ! On descend entre les jambes du cadavre. Parole ! Ce soir, c'était un assassiné tout frais dont le sang gouttait sur les marches. J'ai cru tourner de l'œil... »

Gaspard eut une nausée à ce méchant souvenir. Sa main se porta par réflexe vers certaine poche intérieure de son manteau. Or le flacon qu'il escomptait n'y était plus... Le regard du Français remonta, soupçonneux, sur son maître.

« Voilà un bon début ! concéda Gordon en se mirant dans la glace pour juger l'effet du chapeau. Mais comment t'y es-tu pris ? On ne t'a pas laissé la clef, je suppose ?

— J'ai soudoyé le gardien ! Ce Père la Pudeur est un honnête homme qui entend la langue du billet froissé... Au demeurant, il y avait foule pour recevoir Armand et ses amis : une vingtaine au moins ! Des hommes et des femmes, tous vêtus comme à l'enterrement, qui ont pris l'escalier derrière eux. J'aurais pu me mêler au groupe sans différence. Ma barbe postiche rend bien des services ! »

L'Américain s'était détourné du présentoir à chapeaux, le tube sur la tête, et déambulait dans les rayons du magasin. Gaspard lui emboîtait le pas.

« Or donc, reprit le Français, j'ai suivi tout ce monde dans les souterrains de la morgue. L'escalier débouchait sur une grande salle, avec à l'entrée un vestiaire, derrière un paravent de tapisserie : j'ai pu m'y réfugier.

130

La pièce était meublée d'une table ronde, suffisante pour asseoir tous ces gens, et du nombre convenable de chaises. Mais, notez-le bien, pas une de moins, pas une de plus ! C'est donc un rendez-vous d'habitués...

— Quelle chaise aurais-tu prise ? » fit Gordon sournois.

Gaspard ignora l'allusion.

« Il se trouvait pour éclairer cette table, et pauvrement les assistants, un chandelier d'un modèle étrange : les bougies en étaient rouges, monsieur, et répandaient une clarté sanguine d'un aspect très effrayant. J'ai songé aussitôt à quelque sabbat de sorciers... »

Gordon s'était arrêté devant un étalage de produits de toilette. Il jeta un regard de côté et vit deux vendeurs qui les suivaient ; sans doute à cause du chapeau qu'il avait toujours sur la tête.

La main du gentleman piocha promptement un rasoir suédois, un chapelet d'éponges de Venise, un flacon d'eau dentifrice et divers articles parmi les plus coûteux. Il en chargeait à mesure les bras du Français ahuri.

« Pour quoi faire ? demanda Gaspard.

— Tu sauras tout à l'heure... Suis-moi ! »

Gordon se dirigea d'un pas vif vers le tramway miniature stationné à quelques pas de là, en pleine boutique. Ce petit train — une idée de la direction — transportait les clients d'une entrée à l'autre du vaste magasin, les soulageant ainsi d'une marche fatigante.

Les deux hommes prirent place dans le wagonnet de tête, en compagnie d'enfants turbulents qui jouaient à sauter sur les sièges. Les vendeurs montèrent avec eux.

« Eh bien ? La suite de l'histoire ? » fit l'architecte comme s'ébranlait la petite locomotive.

Le crissement des roues obligea Gaspard à hausser la voix :

« Les assistants ont entouré la table que j'ai dit. La place d'honneur, un siège, est revenue à la tireuse de cartes. À n'en pas douter, c'est la prêtresse de cette confrérie : tous les regards étaient sur elle, d'ailleurs première à parler. Odilon tenait sa droite en prenant des notes, tel un greffier dans un tribunal. J'ai fait comme lui, regardez ! »

Le Français étira la manche de sa chemise. Sur le tissu tendu apparurent des brouillons de mots, griffonnés hâtivement avec une pointe noire.

« Félicitations ! applaudit Gordon Hole. Belle invention ! »

Gaspard eut un sourire flatté.

« À votre service, monsieur ! Voici donc la dictée de la bohémienne : "Séance ouverte à 18 heures, le mercredi 31 août 1887. Temps à l'orage ; ciel sombre ; vent fort du nord-est ; hauteur barométrique 510 ; chaleur intérieure 18 °. Sont présents : Odilon Cheyne, Armand Boissier, Roseline Page, Samson..." »

À cet instant le tramway s'engagea dans un tunnel mal éclairé. Gaspard dut interrompre sa lecture. Une grande clameur monta de la banquette des enfants qui avaient peur du noir.

« Venons au **fait** ! fit l'Américain en changeant de siège.

— Hélas, monsieur ! Ce qui est arrivé ensuite, je n'y ai rien compris... Figurez-vous les assistants se joignant par les mains, comme des enfants qui font la farandole. La bohémienne a dit une prière où revenaient les mots d'"esprit" et d'"ange gardien". Alors Odilon est allé chercher près de moi — bien près, j'en ai sué ! — une sorte de table miniature, un jouet à trois pieds dont deux sont munis de petites boules d'ivoire pour rouler, et le dernier porte un crayon. Pendant ce temps, un autre faisait devant le visage de la bohémienne, en écarquillant les yeux, une espèce de pantomime. Ses mains se balançaient de droite et de gauche, d'avant en arrière, tels des serpents près de mordre. À vous donner la chair de poule, monsieur !

— Ce sont des passes magnétiques, expliqua Gordon Hole. Cet homme l'hypnotisait. »

Gaspard haussa les épaules.

« Je vous crois bien ! Bref, la tireuse de cartes s'est bientôt assoupie. Je pensais qu'elle allait dormir mais, après un moment, elle a commencé de remuer faiblement les mains... un frisson qui a remonté ses bras, s'est transmis à ses épaules pour donner à sa tête un branle soudain, et très violent. Quelque chose comme un râle est sorti de sa poitrine, s'est amplifié vers un cri déchirant. Vraiment, monsieur ! On aurait dit une folle, une hystérique de la Salpêtrière ! J'en grelottais derrière mon paravent.

— Et les autres ? s'intéressa l'Américain.

— Les autres ne faisaient rien. Ils continuaient de se tenir par les mains avec l'air de beaucoup réfléchir. Ça ne les troublait pas le moins du monde, d'être assis à côté de cette possédée ! Même l'un d'eux, quand elle s'est calmée, lui a pris les poignets pour les poser sur la table miniature. Le jouet s'est mis à rouler dans tous les sens, selon les impulsions que lui donnait la bohémienne — et la mine au bout du troisième pied aussi ! Elle gribouillait frénétiquement le bois, traçait des boucles, des lignes, des dessins à sa fantaisie... Je vous le demande, monsieur : est-ce un passe-temps pour des gens raisonnables ?

— Poursuis ! Qu'est-il arrivé ensuite ?

— Odilon a glissé une feuille sous la pointe de crayon. J'étais trop loin pour voir, cependant je crois bien qu'à ce moment l'instrument s'est, comment dire... discipliné ! Il ne barbouillait plus, il écrivait. Oui, monsieur, la mine traçait des lettres ! Pendant une heure, elle n'a pas cessé de noircir le papier : des feuilles et des feuilles qu'Odilon remplaçait à mesure. À un certain moment, les mains de la bohémienne se sont détendues et n'ont plus animé la table. Sa tête a coulé sur le dossier du fauteuil. Quelqu'un a demandé de la lumière. J'ai pris peur et je suis parti... »

Le tramway venait d'atteindre son terminus. Un machiniste aux couleurs du magasin battit une cloche en annonçant le rayon de mode féminine. Gordon descendit le premier, son parapluie tendu pour écarter les enfants.

« Ton récit ne manque pas de piquant, reconnut l'Américain debout sur le quai, mais que nous apprend-il en somme ? Deux ingénieurs de M. Eiffel s'adonnent au spiritisme... L'entreprise la plus rationnelle du siècle est servie par des hommes qui croient aux fantômes. La belle affaire ! Il n'y a pas de quoi planter un fait divers. Même votre *Petit Parisien*, pourtant gourmand de sottises, bouderait cet entrefilet. Alors quoi ? »

Le désarroi du Français flambait sur son visage. Il ne trouvait rien pour parer la cinglante objection. Heureusement, Gordon enchaîna de suite :

« Tu as parlé tantôt d'une quatrième personne. Ils allaient à quatre, as-tu dit... Odilon, Armand, la bohémienne, qui d'autre ?

134

— Une demoiselle, monsieur ! Et jolie, encore ! C'est une actrice qui tient les seconds rôles dans un théâtre du boulevard. Je l'ai vue sur une affiche.

— Une fidèle du cercle spirite ?

— Peut-être ! En tout cas la bonne amie d'Armand... Ils se faisaient des gentillesses quand les autres avaient le dos tourné. Il m'a semblé aussi qu'au moment de se donner les mains, pendant la séance, les leurs se sont trouvées avec plus d'élan qu'aucunes autres. »

Le regard de l'Américain brilla d'une attention nouvelle. La pointe de son parapluie rayait légèrement le plancher, paraissant ébaucher une forme — peut-être le galbe d'un corset de femme. « Prometteur ! Très prometteur ! » répétait Gordon dont le front se ridait sous l'effort de la réflexion.

En même temps, le regard de l'architecte divaguait vers les lointains du magasin et de petits chapiteaux brisant l'alignement monotone des rayons. Dans cette aile ouverte à la mode féminine, la direction inaugurait de nouveaux services pour le confort des clientes : le « salon de lumière » où ces dames pouvaient juger d'une robe à la clarté soit des bougies soit du gaz ; les balances à bascule avec leurs fauteuils en vieux gobelins ; le buffet aux rafraîchissements ; le cabinet de lecture et de correspondance... Gordon Hole semblait chercher l'inspiration dans ce décor.

Ce fut alors que deux vendeurs se présentèrent à eux, les mêmes qui les suivaient depuis le présentoir à chapeaux.

« Messieurs, il est temps de régler vos achats. Le magasin va fermer ! »

Gordon Hole toisa les nouveaux venus.

« Quelle grossièreté ! Ne voyez-vous pas que nous sommes en conversation ?

— Je regrette, fit l'un des employés, il est 21 heures. Les caisses...

— Si c'est ainsi, interrompit l'architecte, nous partons... et sur-le-champ ! »

Le vendeur mit la main à sa casquette, un salut qui ne fut pas rendu. Gordon avait pris le bras de Gaspard et l'entraînait vers les portes tournantes.

« Pardon, messieurs ! Les caisses sont de l'autre côté ! » signala un commis du rayon des tissus.

« Il a raison, c'est par là ! confirma le Français en regardant par-dessus son épaule.

— Ne t'occupe de rien... Marche avec moi ! »

Le pas de l'Américain s'était accéléré. Mal taillé pour l'exercice, d'ailleurs les bras chargés, Gaspard peinait à suivre.

« Faut-il garder toutes ces choses ? haleta le Français. Ça m'embarrasse !

— C'est indispensable ! Perds-en une seule et tu perds aussi ta place ! »

Ils étaient à trente mètres des portes quand soudain, sans crier gare, Gordon Hole prit sa course. « Halte-là ! » hurla un vendeur. Un sifflement retentit aux oreilles de Gaspard. Le Français voulut appeler mais l'effroi lui pompait tout l'air de la poitrine. Quelle mouche avait piqué son maître ? Paniqué, il s'élança vers la sortie.

L'Américain était déjà au tourniquet. Or, le jeune gardien avait bloqué les portes. Sans perdre son sang-froid, Gordon sortit son revolver et fit feu dans la vitrine. Le panneau de verre vola en éclats. « Attention ! Il est armé ! » cria quelqu'un dans le dos de Gaspard. Mais déjà l'Américain avait agrippé le Français, le tirait au-

136

dehors, l'entraînait dans la rue. Ils prirent la fuite, revolver au poing.

Au coin de l'avenue Victoria, Gordon rengaina son arme et changea d'allure. Les deux hommes regagnèrent l'hôtel en marchant.

Sitôt qu'ils furent dans la chambre, Gaspard s'écroula sur le canapé avec les emplettes du magasin. D'émotion, il avait broyé le flacon d'eau dentifrice contre sa poitrine : sa chemise était lacérée par les éclats de verre. Après deux ou trois hoquets, le Français rendit gorge.

« Le dégoûtant ! » siffla Gordon en époussetant le haut-de-forme.

Les yeux larmoyants de Gaspard se hissèrent entre ses paupières.

« Vous... vous avez perdu la raison ! »

L'Américain pivota sur ses talons, gracieux comme un danseur.

« Nullement, mon cher, nullement ! Tout cela est réfléchi !

— Mais pourquoi ? » demanda Gaspard qui reprenait un peu haleine.

Gordon Hole s'assit près du Français dont il saisit le bras, comme tantôt pour l'entraîner à courir.

« Pourquoi ? Mais pour t'attacher à moi ! J'ai un plan au sujet d'Armand Boissier, l'idée m'en est venue dans les magasins du Louvre. Sa mise en œuvre est délicate, elle exige des hommes parfaitement dévoués. Je ne peux courir le risque d'une trahison !

— Ne suis-je pas déjà à vos ordres ? » plaida le Français en s'essuyant la bouche avec un pan de sa chemise.

L'Américain eut un soupir désabusé.

« Tu obéis à l'argent, Gaspard. Je ne t'en blâme pas, quiconque ferait de même ! Mais désormais, on te croit complice d'un vol... Des gens t'ont vu prendre la fuite avec moi — pis encore : faire feu sur une vitrine, tenir un vendeur en joue ! Quelle meilleure façon d'unir nos destins ? C'est comme en architecture, vois-tu : pour coupler deux pièces, on les relie avec une entretoise ! Irais-tu me dénoncer, quand il me suffirait d'un télégramme pour t'envoyer en prison ?

— Je pourrais faire de même ! protesta crânement le Français.

— Ce serait une bêtise, car tu te livrerais toi-même ! En outre, ne l'oublie pas, je suis citoyen américain... donc justiciable des seuls tribunaux de mon pays ! Avant qu'on fasse mon procès, tu seras un vieux prisonnier, Gaspard ! »

La cruauté du stratagème et la conscience de sa propre faiblesse jetèrent le Français dans un silence maussade.

« Si tu m'es infidèle, conclut l'Américain en coiffant son acolyte du haut-de-forme, c'est toi qui porteras le chapeau ! »

7

L'amour, dit-on, endort les vieux amants... Il arrive aussi qu'il tienne les jeunes éveillés : alors cette dépense libérale des forces, cette prodigalité des corps dans le plaisir n'engendrent aucune fatigue, bien au contraire, elles délassent comme une nuit de repos.

Ainsi en était-il d'Armand.

Le jeune ingénieur n'avait pu fermer l'œil depuis que Roseline, amollie de bonheur, s'était endormie dans ses bras. C'était au milieu de la nuit. La pendule, il s'en souvenait, avait sonné trois heures — le marteau heurtant trois fois une clochette dont le timbre lui avait paru criard dans la chambre apaisée. Mon Dieu ! Et si Roseline allait s'éveiller ? Et si elle lui en faisait reproche ? Jugez alors la belle attention du jeune homme : il s'était levé pour suspendre le mécanisme du carillon, prévenant ainsi un nouveau dérangement.

En revanche, l'ingénieur n'avait tenu que peu de temps le rôle du damoiseau couvant d'un regard tendre sa bien-aimée. Non pas qu'il s'en lassât ; mais l'effort de tenir Roseline étreinte, à la longue, lui donnait une crampe dans l'omoplate. Et puis, faut-il l'écrire ? il goûtait moins les baisers sans retour qu'on fait à une endormie. Ce garçon qui la veille se soûlait d'une caresse, d'une œillade même, à présent n'avait pas son compte sans une grande intimité. Tels sont les jeunes gens, si tôt blasés !

Armand insomniaque passa le temps comme le peut un amant chez une inconnue du matin : il visita des pièces, il remua des objets puis, s'enhardissant, il feuilleta des lettres. C'était fait sans malice, une autre façon de rencontrer cette femme dont, somme toute, il savait peu de choses.

Au demeurant ces indiscrétions ne lui apprirent rien. L'appartement était un joli écrin à cocotte, avec force dorures et falbalas. Les objets consistaient en bibelots ou en produits de toilette, des vaporisateurs à parfums surtout, dont Roseline possédait une grande collection. Quant aux correspondances, elles provenaient d'admirateurs qui faisaient à la comédienne, sous un voile plus ou moins épais, les mêmes avances galantes.

Ce logement n'avait hors du commun que le nombre de miroirs. Des glaces de toutes tailles et de tous contours, neuves ou déjà piquées, se trouvaient à foison dans chaque pièce. Même les lieux d'aisances en avaient une : un joli modèle de Venise, sans doute la terreur des invités. Armand sourit à l'idée des bourgeois qui avaient affronté leur image dans cet humiliant face-à-face.

On avait beau savoir qu'une actrice habitait là, femme à se mirer par goût et par métier, on s'étonnait quand même : pourquoi tant de glaces dont les reflets composaient, se mêlaient, interféraient les uns avec les autres ? À quoi bon un logement dont les cloisons semblaient dissoutes, et les perspectives creusées jusqu'au vertige par l'effet des réflexions ?

La profusion des miroirs pouvait déplaire au jeune

140

homme. Cette nuit-là, par exception, il s'en accommoda. Lui d'ordinaire rebelle à son image se sentit pour elle un attachement nouveau, presque de l'affection. Il la guettait, la poursuivait de cadre en cadre ou bien s'asseyait devant la grande psyché de la chambre en l'interrogeant longuement du regard. On eût dit un enfant devant son double réfléchi.

Et certes, Armand se croyait transformé d'avoir perdu son pucelage. Cette conversion ne laissait pas de l'étonner. Son visage lui semblait autre dans la profondeur lisse du miroir : moins charnu, plus concret, sans la mobilité timide des jeunes figures. Son regard aussi s'était approfondi, le bleu volatile changé presque en vert — vert de plante poussée dont les racines s'enfoncent loin dans la terre.

La transfiguration de l'amour marquait sa peau. Roseline, amante fougueuse, l'avait tatouée d'éraflures : sillages blancs ou rosés laissés partout sur son corps. Ces cicatrices prises en une seule nuit, comme dans un duel à l'arme blanche, inspiraient au jeune homme un respect ému. Il les comptait, mesurait chacune du doigt, parfois risquait un ongle dans la fraîche coupure — afin peut-être de la conserver.

En somme, de ces deux primeurs qu'étaient la femme et la volupté, c'était la dernière qui l'intriguait le plus. Il avait moins d'intérêt pour la cuisse blanche sortie du bouillon des draps, pour le sein palpitant dans les remous de l'édredon ; vraiment, moins d'attention à tout cela qu'à son propre sourire dans le miroir. Le trouble inconnu qui s'y peignait était la vraie curiosité de cette nuit étrangère.

Quelle nuit, en effet ! Se pouvait-il qu'une vie chavirât de la sorte ? Est-ce qu'un homme pouvait muer si vite, si complètement ? Cet Armand qu'il était la veille, innocent visiteur de la foire aux pains d'épice, lui semblait un étranger à présent. À tel inconnu, il eût parlé comme un père à son fils, en l'appelant « mon garçon » et en lui prodiguant des conseils. La continuité des différents âges de la vie, ce prolongement de l'enfant dans le jeune homme et du jeune homme dans l'adulte n'apparaissait pas alors au Sanflorin : il se croyait radicalement détaché de lui-même, comme le navire l'est du rivage lorsqu'il largue les amarres.

« Me voici un homme fait ! » songeait Armand dans un vertige d'amour-propre. Il imaginait sa promenade du lendemain — ce moment où, tiède encore des bras de Roseline, il irait par les rues en tirant son chapeau : « Bonjour, monsieur le préfet ! », « Bonjour, monsieur le directeur ! ». Rien ne l'écartait plus de ces aînés importants, lecteurs de journaux et fumeurs de cigares, qui naguère lui en imposaient tellement. Au contraire, il se croyait admis parmi eux d'avoir rempli son devoir de virilité : le *grand secret* était percé.

Avec une bouffonnerie gamine, Armand se composa une grimace de monsieur, la lippe sortie et le monocle à l'œil, qu'il soumit au grand miroir du vestibule. Ce n'était pas mal imité ! Sauf les joues un peu roses, il eût passé inaperçu dans un salon de bridge. Le jeu lui fit penser aux cartes, qui lui évoquèrent Apolline de la foire aux pains d'épice.

Auprès du grand bouleversement qu'était l'amour, la rencontre de l'épouse clandestine d'Odilon et la révélation des pratiques ésotériques de son ami comptaient presque pour rien. Certes, l'ingénieur conservait un fort souvenir de la séance de spiritisme : la fantaisie macabre du décor, l'oppressante bizarrerie du rituel... Il avait frémi, sans doute, pendant qu'Odilon donnait lecture des écrits de la table miniature. Dame ! On n'entendait pas tous les jours la parole des invisibles, rapportée aussi librement que les propos d'un sous-préfet dans *Le Gaulois* ! Et qu'importe s'il y avait mise en scène ! La simple éventualité qu'une voix d'outre-tombe pût ainsi résonner à l'oreille des vivants lui hérissait le poil.

Armand avait eu bien des émotions, il en convenait. Mais, somme toute, les plus vives s'attachaient encore à Roseline : Roseline qui lui pressait la main pendant qu'ils faisaient la chaîne, Roseline dont le pied déchaussé remuait amoureusement contre les siens... ah ! Roseline ! Tout le mérite lui revenait. Armand n'avait fait que suivre la volonté de cette femme entreprenante.

Quelle fin aurait eu leur rencontre, sans ses initiatives ? Une fin tout autre, assurément.

Pour commencer, Armand n'eût pas osé le premier baiser qui avait permis les suivants. Il n'eût rien tenté non plus au sortir de la séance de spiritisme, comptant sur la chance ou sur la bienveillance d'Odilon pour lui ramener la comédienne. L'approche aurait duré des mois, avec des lettres parfumées au musc ou à la verveine, de petits cadeaux laissés au concierge — toute cette cour désuète que les jeunes nigauds font par convention, dans leur fausse idée de ce qui plaît aux femmes. La déclaration ? Elle aurait tardé plus encore, ou bien serait venue d'une façon si contournée, avec tant de réserve et de poésie, qu'elle n'aurait pas été comprise... En vérité ! Quelle chance pour lui de rencontrer Roseline, femme à tout prendre en main ! Une conversation en fin d'après-midi, une promenade vers la mi-soirée, l'étreinte à nuit tombante... Voilà qui s'appelait aller vite en besogne !

Armand s'étonnait encore que la chose fût venue si bien. De la poignée de main aux ébats les plus intimes, cinq heures ne s'étaient pas écoulées. Cette distance incommensurable qui sépare le baiser au gant du baiser aux lèvres, le couple l'avait courue plus vite encore — quelques minutes à peine... Un record !

Tant de hâte n'inquiétait pas l'ingénieur. Il n'en déduisait rien sur les mœurs de l'actrice, mais sur la puissance et la vérité de leur amour, attestées ici avec éclat. Seul le destin, croyait-il, autorisait des rapprochements si diligents. Les âmes étaient d'autant mieux accordées que les corps se liaient plus vite. Dans leur cas, l'assortiment semblait sans défaut...

Ayant marché longtemps dans l'appartement vide, Armand retourna s'étendre à l'approche du jour.

En familier déjà, il baisa l'épaule de la comédienne et l'écarta gentiment pour se faire une place. Le lit profond l'accueillit comme un nid, plein d'une chaleur miellée qu'il respira avec bien-être. Ah ! La volupté de s'enfouir sous cette couverture d'ouate épaisse, la tête calée dans un bon oreiller garni de dentelles ! Se trouvait-il au monde de lieu plus hospitalier ?

Le premier rayon du soleil venait de passer les rideaux de mousseline et s'avançait dans la chambre. C'était une mèche de lumière blonde, mignonne et frisée ; une penne d'ange. Son sillage éveillait les couleurs des bibelots, des meubles, chassait par pans entiers l'ombre des miroirs.

Armand suivait la révélation de ce décor dont il n'avait saisi que des fragments à la lueur des bougies, et qui se donnait à présent dans toute son ampleur — plus compliqué, plus riche qu'il n'avait cru d'abord : la tenture de soie fumée à gros bouquets de roses ; la coiffeuse en bois des îles marquetée d'essences claires ; la jardinière grouillant de palmes extravagantes ; le tapis à rinceaux du salon et cet autre, jumeau, dans le cabinet de toilette. Rencontrant le soleil, une baignoire de marbre s'alluma violemment : ce fut un progrès décisif dans l'avènement du jour.

En flânant sous les draps de cretonne, les doigts d'Armand touchèrent une cuisse nue qu'il prit d'abord pour le traversin. Elle était douce et neigeuse comme un taffetas ; il semblait qu'on l'eût froissée rien qu'en laissant la main dessus.

« Le monde est bien fait ! raisonna Armand. On enlace les jolies filles dans des toiles fines et les paysannes dans des toiles rugueuses ! »

Cette pensée le mit de bonne humeur. Sans plus d'égards pour le repos de la demoiselle, il repoussa les draps : elle apparut toute nue. La lumière fondit sur cette proie nouvelle, réchauffant les chairs comme le pinceau carmin d'un artiste : le dos, les fesses, les jambes perdirent leur froid vernis à la manière d'Ingres, pour s'épaissir voluptueusement à la façon de Boucher. Un sourire d'orgueil monta sur les lèvres d'Armand. Quel morceau de roi !

Cependant Roseline était réveillée. Elle s'étira des quatre membres comme une étoile de mer.

« Monsieur le galant homme, quelle heure est-il ? demanda l'actrice d'une voix mal accordée.

— Je l'ignore. La pendule est arrêtée. »

Ils se donnèrent le baiser froissé des réveils.

« Viens dans ma loge, ce soir, après la représentation ! Nous souperons de compagnie.

— À vos ordres ! » fit Armand avec un salut militaire.

Ce fut tout. Elle passa une chemise de batiste et le

mit câlinement à la porte : sa toilette, alléguait-elle, n'était pas un spectacle pour les jeunes gens. « Pourtant j'aimerais voir, moi ! » protesta l'ingénieur souriant. Elle glissa comme une chatte hors de ses bras. Il partit heureux.

Les parties fines ne font pas des excuses recevables auprès des chefs de bureau.

Armand l'apprit à ses dépens lorsqu'il se présenta aux établissements Eiffel, vers le milieu de matinée. M. Pluot avait sa mine étirée des mauvais jours et Odilon, qui devinait la cause secrète de ce manquement, celle arrondie des meilleurs.

« Deux francs sur votre salaire ! » annonça le chef, impitoyable.

L'ingénieur bredouilla une excuse et gagna sa place d'un pas sinueux, cherchant l'appui des meubles pour tenir debout. Peine perdue ! Devant son bureau, la chaise pivotante qu'on venait de huiler se déroba perfidement sous sa main : Armand roula à terre.

« Et vous avez bu, en plus ! » tonna M. Pluot en brandissant son équerre.

Les nerfs d'Odilon, fouettés déjà par l'entrée pittoresque de son ami, n'en purent soutenir davantage : il se libéra dans un grand rire, comme un spasme de poitrine, si sec et si subit qu'une de ses bretelles claqua sur ses reins. M. Pluot pointa un crayon furibond vers le Parisien, puis vers son voisin chatouillé à son tour de bonne humeur. Un troisième, un quatrième s'égayèrent aux tables circonvoisines. Cela tournait à l'hilarité générale.

146

« Tous à l'amende ! » hurla le chef en griffonnant des noms sur son registre.

D'un bout à l'autre de l'atelier, les dessinateurs, les calculateurs et les commis aux courses subissaient la contagion du rire. Les mois d'effort et de fatigue, les veilles somnolentes sur le papier chiffré se soulageaient dans cette liesse fabuleuse, impossible à dompter ni à contenir. Même Gustave Eiffel, surgi en diable de son bureau, échoua à faire la discipline. Il fallut attendre qu'on fût bien défoulé : alors la trombe s'épuisât toute seule, laissant sur chaque figure une chaleur bienheureuse et des larmes réjouies dans tous les yeux.

Le seul à ne pas rire, avec MM. Pluot et Eiffel, était Armand lui-même. Cette joie qu'il avait causée lui restait étrangère — si même elle ne l'accablait pas, en fouettant la migraine dont battaient ses tempes.

La tête dans les mains, les doigts étirant les paupières, l'ingénieur fixait d'un air absent un plan déroulé sur sa table. Il resta ainsi toute la matinée. Vers midi enfin, une main amie le secoua.

« Viens déjeuner ! proposa Odilon. Cela te remettra ! »

Attablé près du poêle de la cantine, le jeune Boissier commanda du potage et des œufs brouillés — mets fluides, bien assortis à ses pensées confuses. Mais Odilon n'était pas d'accord : rappelant le garçon, il fit servir à la place un bifteck trop cuit, propre à fatiguer les mâchoires.

De fait, après trois bouchées athlétiques, Armand était tout à fait réveillé.

« Odilon, quelle histoire ! commença l'ingénieur en découpant un coin de viande.

— Épargne ta salive, je connais Roseline !

— C'est-à-dire ? »

Odilon cligna de l'œil.

« Allons, nous savons son empire sur les hommes ! C'est un trait commun aux actrices, mais poussé chez elle à un rare degré. Toutes ont le talent de séduire, elle en a le génie. Ses amants rempliraient à eux seuls la moitié du bottin mondain ! Peut-être n'est-il pas une épouse, dans tout Paris, qui ne puisse à bon droit la jalouser... »

Armand ouvrit la main pour prévenir une crampe. Il tenait le couteau de ses deux doigts courbés, posture qui donnait au banal ustensile à trancher la viande l'allure d'une arme prête à frapper. Il repartit crânement :

« Roseline n'est pas ce que tu dis ! Ou bien elle a changé... Crois-tu que je m'éprendrais d'une cocotte ?

— T'éprendre ? releva le Parisien en tordant un sourire. Malheureux ! C'est une course à l'abîme ! Il ne faut pas aimer Rose...

— Qu'en sais-tu à la fin ? éclata Armand. As-tu été son amant ? »

Odilon prit une gorgée de limonade qu'il avala de travers. Ensuite il s'essuya longuement la bouche, le temps de réfléchir.

« Oui, j'ai été son amant... Ton voisin à table, hier, l'a été avant moi. Et encore deux autres du même groupe. Même M. Pluot pourrait le devenir, s'il avait la moindre disposition pour la bagatelle ! »

Cette annonce ne produisit pas l'effet redouté. Il est certains coups portés au ventre qu'amortissent les muscles, tendus par réflexe. De même la confidence du Parisien : Armand s'en arrangea sourdement, sans trahir davantage qu'un petit frémissement de lèvre tandis qu'il mâchait son morceau de viande.

« Soit, tu as partagé son lit..., fit l'ingénieur d'une

voix maîtrisée. Mais elle et moi, ça n'a rien à voir. Nous nous aimons ! Tu peux me croire ! »

Odilon baissa les yeux, craignant d'afficher un doute ironique. Il prit un parti conciliant et écouta sans broncher les épanchements de son ami en plein roman d'amour. Armand s'en trouva rasséréné. Pour rendre la politesse, il feignit de s'intéresser aux séances de spiritisme et déclara vouloir revenir.

« Pourvu que Roseline en soit, n'est-ce pas ? lança le Parisien. D'accord ! Je te présenterai au groupe. Tu n'étais hier que visiteur, mercredi tu seras sociétaire.

— Mercredi, si tôt ?

— Les séances se tiennent une fois la semaine, le mercredi à 18 heures. C'est toujours à la morgue, dans la cave que tu sais. Nous faisons aussi des sorties les dimanches...

— Des sorties ? Quel genre ?

— Des musées, des monuments... tous lieux qui intéressent notre discipline. Oh ! ils ne manquent pas à Paris. Tu n'imagines pas combien d'églises, par exemple, ont abrité dans leurs cryptes des séances pareilles aux nôtres ! On a pratiqué de tout temps l'évocation des Esprits.

— Quelles visites faites-vous en ce moment ?

— Nous allons régulièrement au Champ-de-Mars. Apolline croit aux vertus magnétiques de la Tour. Sa forme et sa constitution sont propres, selon elle, à amplifier les signaux des Esprits. Une antenne spirituelle, si tu préfères... Quand la Tour sera debout, nous aurons nos séances sous le pilier nord. »

Armand sauçait pensivement son assiette.

« La Tour, une antenne... Et Adolphe Salles qui te charge d'étudier les phénomènes électriques ! Ce poste est idéal !

— Il ne m'a pas été attribué par hasard, confia son ami un ton plus bas. En vérité, M. Salles porte un grand intérêt à nos activités. »

Le croûton du Sanflorin s'écrasa entre ses doigts.

« Salles, occultiste ? Prodigieux ! Eiffel est de la bande ? »

Pour toute réponse, Odilon heurta sa canne contre le marbre de la table. Le patron apporta le dessert, une charlotte russe avec un demi-suisse. Armand demanda le sucrier.

« Tu es trop gourmand ! observa le Parisien. C'est à petites rations qu'on nourrit l'épervier... pour qu'il vole haut ! »

Cette parole absconse déguisait-elle une leçon ? Armand renonça à questionner. Il savait le goût de son ami pour les formules à clefs et, tout aussi bien, la vanité d'insister auprès de ce garçon têtu.

Le dessert fut savouré en silence.

Jusqu'au tournant de l'année, Jules Boissier fut le témoin bienveillant des amours de son neveu avec Roseline Page.

Dès le premier rendez-vous, Armand l'avait fait complice par un petit bleu posté du Café Napolitain : « Ne m'attends pas ce soir, ni pour dîner ni pour dormir — J'ai à faire — Ton neveu qui t'aime. »

Ce télégramme laissa l'oncle perplexe. Ce n'était pas de voir Armand découcher qui l'intriguait ; c'était plutôt d'en être prévenu... Le garçon n'avait-il pas, plusieurs fois, veillé au bureau sans avertir son logeur ? sans avoir même un mot d'explication le lendemain ?

La vérité fut bientôt devinée. À n'en pas douter, un jupon était entré dans la vie de son neveu... Ah ! Pétulante jeunesse ! Comment s'appelait-elle ? Était-elle gentille au moins ? Le poing sur une pile de livres, Jules considéra profondément la chose.

Et derechef, comme lors du recrutement d'Armand chez Eiffel, une pincée d'envie se mêla à l'approbation de son bon caractère. L'avait-il rencontrée, lui, cette beauté à taille de sablier qu'on est fier de promener à son bras ? S'était-il jamais senti ce jeune ingénieur plein de sève à qui tout réussit, et les femmes et les équations ? Le Paris valsant des rires et des fêtes, Jules n'en connaissait rien... La ville qu'il avait trouvée en quittant son village auvergnat, peu après la Commune, était laide, incendiée, garrottée de barricades.

Amer tout à coup, Jules tomba dans son fauteuil qui se plaignit, vieux chat brusqué par une tape. Des tasses de café froid traînaient sur la table : il les vida l'une suivant l'autre, d'un trait chacune, comme on avale un alcool fort.

Ce caprice fut vite passé. Le retraité se trouva bête, à la fin, de jalouser son neveu qui n'avait pas moitié son âge et qui devait attendre de lui confiance et protection. Bien des vieux garçons dans son genre soupiraient après une famille, eux que leurs parents délaissaient. Quelle chance, à soixante ans franchis, d'avoir un jeune visage vous souriant tous les jours !

Autre chose, ce soir-là, contribua à éclairer l'humeur du vieil homme : c'était sa table de travail. Jules était assis devant, les coudes sur ces plans de machines qui s'entassaient toujours plus haut, en de tels monceaux qu'il en oubliait la couleur du bois dessous.

Or, il suffisait d'un coup d'œil sur un tracé quelconque,

et que son cerveau se branchât aux problèmes qu'il avait soulevés — questions de forces et de rouages — pour que l'ingénieur fût repris d'un zèle laborieux. Comment donc ? Il n'avait pas mis au net son modèle de navire propulsé par explosions, sa méthode de pêche à l'électricité, son schéma de compteur automatique à l'usage des fiacres ? Et telle revue qui attendait de le publier ! Vite, au travail ! Jules chaussait ses bésicles, mouillait sa plume et se jetait à corps perdu dans les calculs.

Ainsi, tandis qu'Armand contait fleurette à Roseline, le retraité courtisait les hyperboles, tracées amoureusement sur le papier gradué. Elles n'étaient pas moins voluptueuses qu'une cuisse, ces courbes d'algèbre, et Jules s'en échauffait bien. Parfois sa plume frissonnait sur une asymptote, et marquait de travers : l'oncle passait le buvard, rouge comme un amant qui s'est permis des privautés.

Ce soir-là, ayant l'esprit tourné aux femmes, c'est un modèle de corset dont Jules se proposa l'étude. Qui sait ? Si d'aventure il inventait quelque chose, peut-être pourrait-il faire des essayages sur sa future belle-fille ? Il trouvait galant de mettre son génie au service d'une prochaine parente.

Résolu, Jules traça d'une main adroite ce qu'il connaissait du corset — moins, hélas, par expérience que d'après des réclames ou des indiscrétions de ses anciens collègues.

Ce fut, porté en noir sur une feuille blanche, l'armature cambrée où les lames d'acier avaient remplacé les fanons de baleine, les croisillons de lacets derrière et le chemin d'agrafes devant, le « busc » en poire qui profilait l'ensemble... Un crayon bleu servit à donner du volume : hachurant l'intérieur du corset, Jules imita la soie brochée qui tapissait les plus riches.

Voilà donc, raisonna l'oncle, la machine infernale qu'endurent les femmes, si peu conforme à leur anatomie qu'en passant commande d'un nouveau modèle, les clientes doivent satisfaire ce genre de curiosité : « La gorge est-elle placée haute ou basse ? A-t-elle besoin d'être avantagée ? », « Le ventre est-il fort ? », « Y a-t-il quelques parties délicates sensibles à une pression ? ». On rapportait quantité d'histoires de femmes évanouies, sinon blessées, par la faute d'un corset trop serré.

À ce moment, l'œil de l'artiste devint l'œil de l'ingénieur. Jules considéra son épure et chercha ce qu'on pouvait améliorer. Il n'eut pas à réfléchir longtemps : la taille bien sûr était à élargir ! En somme, les hommes estimaient plutôt les poitrines, souvent moins réussies que les croupes — à quoi bon torturer la femme plus bas ?

Libéral, l'ingénieur biffa donc cette partie du corset qui va des hanches à la gorge. Restaient les goussets enfermant les seins... Une bonne idée, tout de même, que ces poches rigides qui donnaient leur ampleur aux bustes les moins favorisés ! Mais comment les faire tenir sans l'appareil tout entier ? L'oncle trouva la solution en un éclair : il traça des bretelles autour du torse, d'autres passant sur les épaules et réduisit les goussets à d'élégantes demi-lunes empaumant les seins.

Ce fut ainsi, une nuit de septembre 1887, que l'ingénieur à la retraite Jules Boissier inventa le soutien-gorge...

Que fit l'oncle de sa découverte ? Hélas ! À peu près rien. Il soumit ses dessins aux *Annales politiques et litté-*

raires, une revue disposant d'une rubrique scientifique qui les bouda au nom des convenances. Le bureau des brevets n'en voulut pas davantage. Quant aux corsetières, elles jugèrent cette trouvaille non seulement bornée et privée d'intérêt pratique, mais aussi insultante à l'égard de leur profession. Dans un des ateliers qu'il visita, la Maison des Vertus Sœurs, Jules Boissier manqua perdre un œil : une piqueuse de lacets lui avait dardé son aiguille au visage !

Cet incident coupa court aux démarches du retraité. Il roula l'esquisse du soutien-gorge et n'y revint plus. On ne sait comment ce dessin parvint entre les mains d'Herminie Cadolle, la jeune femme qui devait associer son nom à l'invention, deux ans plus tard.

Sorti de ce projet, il fallut tout de même que Jules occupât les veillées pluvieuses de l'automne et de l'hiver. Ses travaux s'engagèrent alors sur d'autres voies, sans quitter le domaine des accessoires féminins. L'oncle semblait vivre à sa façon, par le truchement des inventions, la passion de son neveu pour Roseline : il dessina pour la jeune femme les premiers sacs à main, lui dédia un prototype de fermeture à glissière, créa à son attention la jarretière chauffante, le jupon réversible et le mantelet imperméable...

L'actrice était dans son esprit comme une poupée qu'on coiffe et qu'on habille.

Bien sûr, Armand n'avait aucune notion de l'intérêt porté par son oncle à Roseline. Comment l'eût-il appris ?

Depuis leur rencontre, le jeune homme passait le plus clair de son temps en compagnie de l'actrice, chez qui avaient aussi migré toutes ses affaires. La valise apportée de Saint-Flour faisait des voyages quotidiens, depuis la rue de Bruxelles jusqu'à l'allée de l'Observatoire, et vice versa. Armand n'avait pas osé tout transporter en une fois, de peur d'affliger son oncle. Il déménageait donc à petits lots — chemise après chemise, bas après tricot —, si possible à l'insu du retraité. C'était une précaution bien vaine : qui n'eût deviné ces factages secrets, en voyant le bahut du jeune homme se vider à mesure ?

Le plus difficile devenait les visites d'Armand — il fallait bien les appeler ainsi, puisqu'il logeait ailleurs. L'ingénieur se faisait un devoir de souper rue de Bruxelles au moins une fois la semaine, et de « venir saluer » (c'était sa formule) deux autres soirs, quand Roseline donnait des représentations. Or le remède était pire que le mal : l'oncle et le neveu face à face, penchés sur leur soupe tiède, devisant au travers de bâillements, avec entre eux la table nue et sa chandelle...

Armand se lassait le premier de ces mornes retrouvailles. Méchant sans le vouloir, il consultait sa montre. Que faisait Roseline à cet instant ? Était-ce le temps du maquillage ? Celui des entrevues mondaines dans la loge envahie de bouquets ? Ah ! Comme il eût voulu en être !

Le Sanflorin fermait les yeux et s'imaginait dans son fauteuil, au théâtre. Sa place valait cher : au premier rang du parterre, si près de la scène qu'il entendait le souffleur. Les voisins d'Armand, tous importants, tous décorés, lorgnaient intrigués ce tout jeune homme. Sans doute un billet de faveur, persiflaient les rentières en jouant de l'éventail. Quoi ? Déjà les trois coups ? Les yeux d'Armand revenaient sur le rideau-annonce bardé

de réclames — « Poudre à punaise parfumée Viruega »,
« Condiments Labouille pour le poisson ». Un frisson
balayait la grande pièce de velours, levée prestement
sur la scène. « Ah ! » s'exclamait le public. Des sifflets
partaient des galeries supérieures : c'étaient les ouvriers
mal élevés, et tout aussi mal placés, qui semaient le
désordre en jetant des pelures d'orange sur les crânes
chauves de l'orchestre. Mais l'attention des bourgeois
était ailleurs, au décor somptueux et un peu touffu
qu'on découvrait dans l'éclat cru de la lumière oxhy-
drique. « La vedette ! La vedette ! » criaient à l'unisson
les spectateurs. Justement elle faisait son entrée. Des
applaudissements à s'en assourdir, à s'en crever les
mains, jaillissaient des galeries du théâtre. Les dames
des loges sortaient leurs lorgnettes d'un étui de velours
frisé. Au paradis, c'était l'émeute : des flèches de papier
volaient en tous sens, s'enflammaient aux lustres et aux
girandoles. Armand était chaviré d'émotion, prenant sa
part des ovations qui étaient un peu pour lui, puisqu'elles étaient pour elle... Roseline, la belle Roseline
était sur scène ! Deux heures enchantées s'écoulaient
avant la fin — avant qu'Armand fendît la cohue des
admirateurs, se ruât dans les coulisses, forçât la porte de
la loge, étreignît enfin sa bien-aimée toute palpitante
encore d'avoir joué. Ah ! les soirées du théâtre ! C'était
autre chose, bien sûr, que les dîners chez l'oncle Jules !
Et Armand, trépignant sur sa chaise, finissait hâtivement sa purée de pois chiches.

Quelles étaient de son côté les pensées du retraité ? Il
n'en avait guère. Le poêle refroidi était une aubaine :
Jules pouvait se donner un peu d'exercice en l'allant
rallumer ; idem, la pluie s'infiltrant par la fenêtre : les
trois pas jusqu'à la croisée faisaient une promenade.

Sans doute, avec l'âge et la solitude, l'oncle devenait-il endurant aux repas silencieux. Il n'éprouvait pas d'ennui durant leurs tête-à-tête, mais un peu de chagrin de l'impatience de son neveu. Aurait-il jamais l'audace de questionner Armand sur sa conquête, d'inviter le couple à souper ? Ce serait l'occasion, peut-être, de présenter ses inventions à la jeune femme ! Jules n'osait pas encore...

Sitôt le dessert avalé — en deux coups de cuillère —, le jeune homme s'échappait en trombe de la maison de l'oncle. Un huit-ressorts était là, loué pour la soirée. Une grosse dépense, mais quoi ? S'il fallait chercher un fiacre, encore ! Assez perdu de temps ! Le Sanflorin bondissait sur le siège et partait au grand trot vers le théâtre. Selon l'encombrement des rues, il arrivait à la fin de la représentation, ou guère après. Son impatience de revoir la jeune femme le faisait trébucher en montant l'escalier.

Armand entrait dans la loge avec une livre de marrons glacés, un bouquet de giroflées ou tel petit cadeau noué de faveurs roses et bleues. Roseline était en train de se démaquiller. Ses joues poudrées de riz, avec l'adorable petite fossette en demi-lune, esquissaient un sourire. Il l'embrassait, puis se blottissait dans ses bras comme un enfant qui veut être consolé.

« Ma belle ! Mon adorée ! » criait l'ingénieur éperdu.

Pendant que l'actrice achevait sa toilette, Armand jouait avec les ustensiles posés sur la coiffeuse : les chignons postiches, les bandeaux, les rouleaux, les fausses nattes en vrais cheveux de Bretonnes, les boîtes à blanc de perle, le tube de rouge à lèvres, le coffret de savon à la laitue, le flacon d'eau de Cologne extra-vieille... Sa niche préférée ? Souffler dans tel petit bocal rempli d'une poudre volatile : toute la pièce disparaissait alors dans un nuage odorant d'héliotrope. Que de cris ! Que de fous rires !

Armand sentait bien son privilège d'être admis dans la loge et d'assister au moment, intime entre tous, du changement de costume. L'amant d'une vedette peut chérir deux fois sa maîtresse : soit comme femme ordinaire ; soit comme fée, bergère, odalisque qu'elle interprète au théâtre. Armand se serait-il lassé de la vraie Roseline, il n'aurait eu qu'à poser les yeux sur un de ces personnages pour reprendre flamme.

Les toilettes de l'actrice avaient l'éclat convenable à la scène, sans renoncer au raffinement qui fait la femme de goût : en fonction des rôles, on lui voyait tantôt une robe drapée à la grecque, tantôt une robe russe ouverte sur un tablier de dentelle, tantôt encore des costumes de coupe ancienne (époques Directoire, Louis XVI, Médicis...) qui revenaient pêle-mêle à la mode. Les tissus, de tons indécis — bleu lotus, mandragore, caroubier — étaient choisis pour s'assortir à l'éclat de ses prunelles comme au grain changeant de sa peau émotive : c'étaient des soies grèges ou façonnées, du velours, de la crêpe, de la mousseline, du pékin... Le tout alourdi d'une quantité fabuleuse de parures et d'ornements, depuis les étoiles de pierreries jusqu'aux roses artificielles et aux jabots de dentelle mécanique.

Pareil harnachement n'ôtait rien à la grâce de son jeu mais le douait plutôt d'une nouvelle ampleur. Agenouillée devant l'autel ou gisant après un coup de poignard, l'actrice se parait d'une auréole quasi divine, d'un nimbe à la fois spirituel et voluptueux qui lui gagnait le cœur d'une centaine d'hommes assis dans la

158

salle. « Elle est à moi ! » songeait alors Armand avec une vanité bien excusable.

Cependant, la robe préférée du Sanflorin n'était pas une toilette de scène. Il s'agissait d'un costume sombre que Roseline passait après les représentations, comme un remède à l'excès de lumière : simple redingote en sergé tourterelle, à garniture d'astrakan, renforcée les jours froids d'un mantelet de velours. Le jeune homme en était fou. « Ce soir, s'il te plaît, mets ta visite grise ! » implorait-il en lui tendant la toque de fourrure assortie. Et l'actrice, ravie de satisfaire son amant à si peu de frais, vêtait l'habit désiré.

Les jeunes gens empruntaient ensemble la sortie des artistes, leurs mains unies dans un manchon de fourrure, leurs visages à touche-touche sous les bourrasques de pluie — et rien dans cet instant n'aurait pu égaler leur bonheur.

À l'heure où les bourgeois vont se coucher, Armand et Roseline commençaient une soirée d'amusements. Le souper chez l'oncle comptait pour rien : Armand voulait dîner une seconde fois avec sa bien-aimée. Ils choisissaient une table dans un café des boulevards et laissaient le potage refroidir, hypnotisés l'un par l'autre.

« Dis, veux-tu que nous fassions comme les étudiants dans les brasseries à bière ? Écrire nos noms sur les miroirs ? »

Comme toujours, l'actrice sourit aux idées gamines de l'ingénieur.

« Pourquoi pas ? Mais je n'ai pas de diamant pour inscrire le mien... Tu ne m'en as pas offert ! »

Ce demi-reproche lui coupa le souffle. Armand résolut de faire sa visite au joaillier dès le lendemain.

« Le diamant, c'est suranné... Si je t'offre une bague,

ce sera une bague électrique ! Je connais un artisan qui en fabrique. Sa réclame a d'ailleurs circulé dans Paris.

— Oui, j'ai vu cela : un fiacre constellé de lampes à incandescence, tiré par un cheval muni d'une têtière électrique... La pauvre bête ! »

Ils étaient sur le sujet, pourquoi pas maintenant ? Armand prit une inspiration et se lança :

« Tu voudrais qu'on se fiance ? »

Elle parut choquée. Craignant d'entendre un « non », le jeune homme quitta vivement sa chaise et sortit du restaurant. Un distributeur automatique se trouvait là, adossé à un réverbère : pour faire quelque chose, Armand acheta un sachet de bonbons qu'il offrit à des mendiants. Une minute plus tard, les serveurs du Café Napolitain voyaient reparaître le client de la table neuf, ce malappris qui avait laissé sa jolie dame toute seule.

« Oui ! » répondit Roseline.

De joie, Armand trempa ses coudes dans la bisque d'écrevisses.

Ce fut un automne ensoleillé. Les fiançailles ne devaient rien être de solennel ni de guindé. Pas de présentations en gants blancs, pas de faire-part ni de corbeille de fleurs. Il ne fut pas question non plus de convier les familles : les parents d'Armand vivaient loin de Paris, tout comme la mère de Roseline qui désavouait le métier de sa fille et l'avait pour ainsi dire rayée de son testament. Quant au père de l'actrice, elle n'en parlait pas, préférant cacher qu'elle l'avait perdu étant enfant.

La messe, très intime, se déroula en présence seulement d'Odilon, d'Apolline et de l'oncle Jules. Elle fut suivie d'un repas simple où il y eut plus de gaieté que de manières. C'était la première rencontre du retraité avec Roseline et, d'emblée, ces deux-là se prirent en grande estime.

« Ton oncle m'est très sympathique ! » confia l'actrice à son fiancé, qui reçut bientôt de Jules cet aveu convergent : « Ta promise m'a fait bon effet... elle est tout à fait ravissante ! »

Les mois qui suivirent devaient prolonger l'écho de ce jour heureux. Armand et Roseline donnaient l'impression d'êtres conçus l'un pour l'autre. Une intimité sans faille marquait chacun de leurs gestes, chacune de leurs paroles, et prenait aux yeux de leurs amis un caractère d'évidence absolue. Odilon révisait humblement son opinion de Roseline, jeune femme frivole et croqueuse de moustaches :

« J'avais tort ! reconnut-il devant son ami. Il semble que toute femme soit destinée à devenir celle d'un seul homme. Tu es le sien, félicitations ! »

On louait souvent la Providence qui avait réuni les fiancés, tout en blâmant le sort qui les avait tenus jusque-là dans une ignorance mutuelle. Comment ne pas songer, en effet, à toutes ces années perdues, au suc de leur jeunesse qu'ils avaient déjà bu ? Roseline surtout s'accusait d'avoir pris tant d'amants, « en pure perte », estimait-elle. Il fallait rattraper le temps perdu : ils s'y employèrent avec ardeur.

La saison fraîche où chacun s'abrite et rallume le poêle fut pour eux comme un nouvel été. Ils firent des excursions dans la campagne, déserte en cette période de l'année. À Argenteuil, à Bougival, à Poissy, leur bon plaisir était de marcher seuls sur des chemins boueux, de ramasser des poires ou du raisin puisqu'on ne cueillait plus de fleurs. Armand dut promettre un gros pourboire, et Roseline des billets de faveur avant qu'un restaurant consentît à ouvrir spécialement pour eux.

« Voulez-vous cette table près de la cheminée ? demanda le patron.

— Non, la tonnelle dehors ! pria l'ingénieur.

— J'ai sur le feu une gibelotte au sancerre...

— Laissez-la refroidir ! Nous voulons une friture, comme au mois de juin ! Et de l'accordéon aussi ! Balayez la piste de danse ! »

Ces caprices leur coûtaient cher. Ils se résignèrent à des sorties plus raisonnables, un dimanche sur deux : des séances de Guignol sur l'avenue des Champs-Élysées, des promenades au parc des Buttes-Chaumont ou au bois de Boulogne.

Personne n'allait plus au bois, en attendant l'hiver qui ramènerait les patineuses. Leur huit-ressorts à grosse lanterne circulait seul le long des fortifications, croisant par intervalles le tombereau d'un boueux au travail. À Boulogne, leur retraite favorite était un kiosque à musique au bord du lac des Acacias. Blottis ensemble dans la chaleur précieuse d'une grande pièce de fourrure, ils regardaient les rares passants, de pauvres gens bravant la pluie et le garde champêtre pour trouver leur subsistance. Deviner ces discrètes occupations était le jeu préféré des fiancés. Que faisait cet homme ? Il ramassait des pommes de pin pour les charbonniers. Cette femme ? Elle raclait la mousse à l'attention des oiseleurs, ou bien elle maraudait des œufs de canard. Quant à ces deux-là, courant furtivement sous les branches, sans doute levaient-ils des pièges à écureuils. Sollicités par toutes ces choses que les amants croient inventées pour les distraire, Armand et Roseline passaient l'après-midi à converser mollement ; à s'embrasser les yeux mi-clos, comme ensuqués de bonheur.

Quand la neige menaça, ils délaissèrent le bois pour les avenues de la capitale. Leur distraction devint alors d'arpenter les boulevards à pied, depuis la place de la Bastille jusqu'à l'église de la Madeleine, en narguant les Parisiens abrités frileusement derrière les vitres des cafés. C'était un exercice un peu vif en plein hiver, dont leurs visages prenaient souvent un éclat de poêle en activité. La comédienne n'en était que plus charmante, et son fiancé plus épris.

Par ces températures, on ne croisait guère le marchand d'eau avec son tricorne et sa fontaine portative ; en revanche les crieurs de journaux, les facteurs en tunique verte, les joueurs d'orgue et autres chanteuses de rues continuaient d'arpenter le trottoir, leur fief inexpugnable. Roseline guettait surtout la vendeuse de mouron, qui ajoutait à son commerce anodin celui, plus rare, de noix dorées portant un message divinatoire.

« Tu veux savoir ton avenir ? s'amusait l'ingénieur. Les noix n'y feront rien ! Il faut consulter la *liseuse de pensées extralucide* ! J'en connais une près du pont de Solferino.

— Oh, non ! Ces dames-là me font peur. Elles ont un vrai pouvoir, sais-tu ? L'une d'elles a retrouvé une brosse à cheveux que je cherchais vainement depuis deux mois. Elle a dit : "La brosse a roulé sous votre armoire" ; et la brosse y était !

— Tant mieux, alors !

— Pas question d'aller voir la liseuse ! Et si elle annonçait de mauvaises nouvelles, que tu allais mourir ou t'éprendre d'une autre ? Ah ! Je n'y survivrais pas !

163

— Comme tu voudras... »

S'étant ainsi promenés tout le jour, les fiancés regagnaient enfin l'appartement de l'allée de l'Observatoire. Armand faisait un grand feu dans la cheminée, Roseline changeait sa visite humide pour une robe d'intérieur, enfin les deux se glissaient sous les draps. Le roman qu'ils lisaient ensemble était rouvert. À la fin de chaque page, la jeune femme demandait si elle pouvait tourner :

« Tu as fini ?

— De te plaire ? Certainement pas ! »

Un assez piètre zeugme, qu'on pardonnera à des jeunes gens si fort assotés l'un de l'autre. L'amour, comme l'enfance, fait tout excuser. « Idiot ! » riait la comédienne, qui n'en embrassait pas moins son fiancé, et même davantage, jusqu'à l'extinction des dernières braises dans le foyer.

Gordon Hole jeta un sou dans la main du kiosquier, puis un deuxième en guise de pourboire.

Après tout, c'était un brave homme qui n'avait pas rechigné à déplier tous les journaux de son présentoir — des dizaines de feuilles — pour satisfaire le caprice de l'Américain : une revue de grand format et de papier épais, avec beaucoup de pages. « Pour quoi faire ? » s'était enquis le marchand, jugeant drôle qu'un même client demandât *L'Univers*, revue des ecclésiastiques et *L'Ordre*, journal des militaires. Mais Gordon n'avait pas voulu répondre, sauf d'un geste : le majeur barrant les lèvres en consigne de silence.

Le kiosque jouissait d'un bel emplacement, à l'angle

du jardin du Luxembourg et de l'allée de l'Observatoire, à quelques pas du bal Bullier dont la façade mauresque épiçait le jour gris. Choisissant l'allée, on retrouvait progressivement la pierre et la ville — un choc atténué par l'enfilade de squares qui semblaient, si près des grilles fleuries, une contagion de verdure. Gordon se dirigea de ce côté.

L'architecte remontait les allées d'un pas régle de métronome, sans un regard pour les couples enlacés derrière les massifs. C'était l'heure où les élégants promènent les élégantes, leurs empreintes jumelées sur le sable humide. Des nurses poussant des landaus décochaient des œillades aux beaux cyclistes, pilotes d'Hirondelles — premier modèle, à pneus ballon et freins sur jante —, dont le guidon alors se cabrait d'émotion. On voyait des enfants pousser des cerceaux ou lancer des toupies, au grand dam des mères qui craignaient pour l'éclat des bottines vernies. « Pleurez, pleurez, petits enfants ! Vous aurez des moulins à vent ! » criait non loin de là un marchand de jouets ambulant.

Une trouée de soleil suffisait à répandre tout ce monde dehors, en attendant l'averse qui remplirait les cafés.

À mi-longueur de l'allée trônait une fontaine Wallace, dont personne ne s'approchait en cette fraîche matinée d'automne. Les gobelets de fer-blanc pendaient, négligés, au bout de leurs chaînettes. Le robinet public faisait face au numéro 15 de l'allée de l'Observatoire, donc dans un angle commode pour épier le numéro 21. Content de sa trouvaille, Gordon s'adossa à la fontaine en ouvrant *L'Écho de Paris*.

Trois heures s'écoulèrent. Sauf les allées et venues du concierge, le bel immeuble aux balcons de fonte dorée ne montrait aucune activité. Personne n'était entré ni sorti, pas un rideau n'avait bougé aux fenêtres. Même les pigeons, ces oiseaux chahuteurs dont s'animent couramment les façades, semblaient bouder celle-ci. Quand Gordon levait les yeux de son journal, c'était toujours un décor pareil où rien ne changeait.

« Une maison bien tenue ! songea l'Américain. L'escalier est ciré, les paillassons abondent, les gouttières ne s'engorgent jamais et les cheminées ramonées ont un bon tirage... Quelle chance, ces actrices ! »

À la longue, l'architecte négligea un peu son rôle. Il ne se donnait plus la peine de feuilleter le journal, d'ailleurs très insipide — potins mondains et rumeurs boulevardières. Il se dispensait aussi des attitudes, fumer une cigarette ou remonter sa montre, qui font la crédibilité d'une longue attente. Comme certains animaux pour tromper le prédateur, il préférait l'immobilité à la pantomime.

D'un coup tout fut en mouvement. La porte de l'immeuble s'ouvrit ; y parut une femme, seule... Roseline ! Saisi, l'Américain laissa échapper *L'Écho de Paris* qui s'aplatit dans la boue. « *Bloody hell !* » rugit Gordon en chassant le journal d'un coup de botte. Par bonheur, la comédienne en train d'ajuster son chapeau n'entendit pas.

Le trottoir était désert : Gordon attendit que Roseline prît de l'avance, un bon jet de pierre, avant de traverser la contre-allée pour la suivre. La foulée de l'architecte se régla aussitôt sur celle de l'actrice, afin de confondre le bruit de leurs pas. Il avait aussi remonté le col de sa redingote et déroulé son cache-nez, comme beaucoup de passants dans la bise automnale.

Ils marchèrent ainsi accouplés, l'un derrière l'autre à distance régulière, sur plusieurs kilomètres.

Gordon ne quittait pas des yeux la comédienne dont la tournure, de profil ou de dos, valait bien le portrait avantageux qu'en avait fait Gaspard. C'était réellement une fort jolie femme... et tout à fait désirable dans sa toilette du jour, une robe de visite en lainage écossais. Bien des hommes, songea l'Américain, devaient sentir leur nez chatouillé par son boa de fourrure ! Lui-même s'échauffait un peu à suivre pareille beauté, en jeune galant lancé sur une piste. Ah ! si la Maréchale était sortie du même moule ! Que d'assauts il lui ferait ! On verrait, alors, s'il était en panne d'entrejambe !

À un certain moment, Roseline s'engagea dans une rue en pente. L'architecte se retrancha prudemment derrière une charrette. Bien lui en prit car, à hauteur d'une grille festonnée de lierre, la comédienne s'arrêta, vérifia le nom et mania le heurtoir. Quelqu'un vint lui ouvrir. L'hôte et son invitée entrèrent dans la maison.

Un quart d'heure plus tard, Gordon Hole prenait le même chemin. « Maître Lavastre, artiste peintre », indiquait la plaque de marbre vert. L'Américain dénoua son nœud de cravate qu'il refit dans le style bohème, avec deux pointes sortant du col de chemise. Sa main fit jouer le heurtoir. La grille s'ouvrit sur un garçon d'une quinzaine d'années, aux joues plates et mouchetées telles des palettes à couleurs. Gordon Hole fut introduit auprès du peintre.

L'atelier, au deuxième étage, prenait jour par une grande verrière inclinée. Le plancher, l'estrade, les nombreux chevalets supportaient plusieurs épaisseurs de tableaux, dont les tranches encore fraîches laissaient des traînées de peinture sur le bois. On en trouvait aussi posés sur des chaises, autour du poêle qui ronflait. De toutes ces toiles, une seule faisait face : celle, de grandes dimensions, qu'exécutait l'artiste.

En entrant, le regard de l'Américain tomba aussitôt sur le modèle, debout dans le jour de la verrière. C'était une reine égyptienne, drapée dans une longue pièce d'étoffe qui couvrait son buste, faisait le tour de sa taille et finissait par terre en bouillons argentés. Son front s'ornait d'un diadème à cobra serti de fausses pierres. Elle tenait un lotus dans la main droite.

À cause de la perruque, Gordon tarda à la reconnaître... Si pourtant, c'était Roseline ! Un élancement lui perça la poitrine. La surprendre ainsi, à demi nue, dans une maison étrangère !

Mais l'artiste prenait soin de son modèle : il lui tendit un linge dont elle s'enveloppa.

« Monsieur, qu'y a-t-il pour votre service ? » fit Lavastre en s'avançant, la main tendue.

C'était un homme grand et bien mis, vêtu plutôt pour la ville que pour l'atelier. En vain on eût cherché la plus petite tache sur la jaquette d'alpaga qui moulait ses épaules. Ses manches aussi étaient garanties des éclaboussures par des brassards de cuir. Habitué aux visites, il affectait de n'être pas dérangé par l'intrusion de Gordon Hole.

« Ah ! maître, quel honneur d'être reçu chez vous ! » fit l'architecte en forçant son accent américain.

Il se mit à arpenter l'atelier à grandes foulées de cow-boy, soulevant les cadres, dérangeant les trépieds, visitant chaque recoin avec un impossible sans-gêne — celui dont les Français blâmaient ses compatriotes.

Peut-être par crainte de compromettre une vente,

l'artiste ne disait rien. Il attendait, les mâchoires serrées, que l'Américain eût fini son tour.

« Prodigieux, cher maître ! Ces couleurs, ces sujets ! Quel talent ! D'où tenez-vous cela ? »

Le peintre fit une réponse que Gordon coupa honteusement.

« Au fait, je me présente : Stephen Swimson, citoyen américain ! Notre ambassade m'a chargé d'inventorier la peinture parisienne — la bonne, cela s'entend... Le musée de New York manque cruellement de signatures françaises. Nous achetons, cher maître, nous achetons ! Et votre œuvre nous intéresse ! »

Lavastre s'inclina d'un air modeste.

« Ce qu'il faudrait, reprit l'architecte, c'est une dizaine de toiles... non, plutôt douze ! Les sujets à votre goût : des bouquets, des mariages, des premières communions... Mais que cela soit bien français, n'est-ce pas ? Avec du champagne et de jolies femmes ! »

Sur ces mots, le regard de l'Américain fusa vers Roseline assise au bord de l'estrade.

« Cette demoiselle, par exemple, qu'en faites-vous ? » demanda Gordon en pointant l'index vers la comédienne.

Le peintre rejoignit son modèle pour le faire lever. Il obtint aussi, d'un hochement de tête, qu'elle laissât tomber le drap qui la couvrait.

« C'est un sujet pour un médaillon. Vous savez que nous préparons l'Exposition universelle à Paris. Il y aura au palais des Expositions diverses, dans la coupole centrale, une grande frise représentant les nations invitées par la France. Mlle Page sera l'emblème des pays du nord de l'Afrique : l'Abyssinie, le Maroc, l'Égypte... »

L'Américain envisageait l'actrice d'un air compétent.

Cependant ses yeux ne pouvaient se détacher de certain pli du drapé, à l'entrejambe, dont la présence ne devait rien au froissement du tissu.

« Voilà qui ferait une belle *Liberté*! s'exclama Gordon en frappant dans ses mains.

— Je vous demande pardon ?

— Oui, nous cherchons un modèle pour tenir le flambeau de la liberté, lors d'une réception franco-américaine à l'ambassade... Mademoiselle a la silhouette qu'il faut : des hanches larges, une forte encolure, tout comme la statue de M. Bartholdi ! La louez-vous ?

— C'est-à-dire..., hésita le peintre. Il lui appartient... »

Gordon Hole s'avança vers Roseline en sortant son portefeuille.

« Mademoiselle, pratiquez-vous le chant ? Nous souhaitons faire entendre *La Marseillaise* à nos hôtes français.

— C'est mon métier, monsieur. Je suis comédienne !

— Hourra ! Il nous la faut. Cher maître, je vous en prive quelques heures... Il se trouve qu'à l'hôtel où loge ma délégation, M. Edison nous a confié son tout nouveau modèle de phonographe à cylindre, qui permet l'enregistrement de la voix. J'aimerais graver celle de mademoiselle pour la faire entendre à notre ambassadeur.

— Hélas ! Ma séance... », protesta timidement Lavastre.

Gordon Hole tendit un billet à l'artiste.

« Voilà cinq cents francs en dédommagement ! Et le double pour mademoiselle, si elle consent à me suivre. Elle vous reviendra dès demain, cher maître, j'en fais serment ! Quant aux douze toiles dont j'ai parlé, j'en prendrai livraison dans deux mois...

— Ah ! monsieur ! Vous m'honorez ! jubila le peintre en empochant le billet.

— C'est le prix de votre talent ! Mais ne tardons plus : jeune fille, auriez-vous l'obligeance de vous rhabiller ? Nous partons sur-le-champ. »

Après force politesses et des adieux où Lavastre mit beaucoup de chaleur, Gordon et Roseline se retrouvèrent dans la rue.

La comédienne s'était rhabillée en hâte, comme lui avaient appris, dans son métier, les rapides changements de costumes entre les scènes. Il en résultait un certain négligé — tel bouton oublié, tel lacet pendant — dont profitait encore son charme. Et certes, cet exquis minois dut se contorsionner beaucoup pour réussir la moue qu'il voulait présenter.

« J'exige une avance !

— Bien sûr ! lança l'Américain, prêt dans cet instant à passer tous les caprices. La moitié de la somme, c'est d'accord ? »

Roseline acquiesça sans élan, en fille blasée que rien n'étonne. Elle plia le billet bleu et rose comme une lettre d'amour et, tournant le dos, le roula sous sa ceinture.

Ils montèrent dans un fiacre. À cause du froid prétendit-il, Gordon fit faire deux tours à son cache-nez et ferma les stores. La chance lui demeura fidèle avec le cocher, indifférent à cette jolie passagère, et encore avec le personnel de l'hôtel : ni les chasseurs ni le réceptionniste ne parurent prêter attention à Roseline.

« Voici la chambre que je partage avec M. Casper, un

autre membre de notre délégation. Donnez-vous la peine d'entrer... »

La comédienne s'introduisit mais refusa le siège proposé par Gordon. Elle ne voulut pas davantage quitter sa pèlerine. Ses yeux fixaient pleins d'effroi le bizarre appareil posé sur la table : un pavillon doré poussé d'une caisse de bois verni, grande comme un accordéon, que plusieurs fils reliaient à une bonbonne remplie de liquide.

« Il faut pourtant vous asseoir, pour que nous puissions procéder à l'enregistrement...

— Est-ce douloureux ? s'informa la comédienne avec un grelot dans la voix.

— Pas plus que d'animer vos cordes vocales... Allons, prenez place ! »

Roseline s'installa devant le phonographe. Elle tressaillit quand l'Américain poussa vers sa bouche le conduit de la machine, puis se détendit en constatant qu'elle ne sentait rien.

« C'est le prototype d'un tout nouveau modèle à rouleau de cire... Il est bien meilleur que l'ancien à feuille d'étain ! Désormais, la voix enregistrée n'a plus ce timbre de polichinelle qui dépréciait les premières gravures. Les sons sont rendus avec une fidélité surprenante. Vous plairait-il d'être *phonographiée* ?

— Que faut-il faire ?

— Il suffit de parler, expliqua l'Américain en plaçant un manchon de cire vierge sur le cylindre. Dites ce qui vous vient à l'esprit ! Récitez un extrait d'une pièce que vous avez donnée, ou bien un poème.

— Je connais *Diamant enfumé*, de Charles Cros.

— Cela fera l'affaire, nous vous écoutons ! »

Roseline prit une longue inspiration qui pinça ses

narines poudrées. La jaquette cintrée la gênait. Elle pria l'architecte de desserrer un peu le lacet dans son dos. Gordon s'exécuta et fut très malhabile : refait par ses soins, le nœud l'opprimait plus encore.

« C'est égal, commençons ! » fit la comédienne irritée.

Gordon appuya sur le stylet d'écriture pour le mettre en contact avec la cire. Le rouleau se mit à tourner, entraîné par un petit moteur électrique.

« Je suis prête ! » déclara Roseline.

La vibration de ces trois mots, agissant sur une plaque invisible, fit bouger l'aiguille : elle traça son sillon sur le tendre revêtement, juste derrière un rabot miniature qui en unifiait la surface. L'Américain fit signe à Roseline.

Il est des diamants aux si rares lueurs
Que, pris par les voleurs ou perdus dans la rue,
Ils retournent toujours aux rois leurs possesseurs.
Ainsi j'ai retrouvé ma chère disparue.

Mais quelquefois, brisée, à des marchands divers
La pierre est revendue, à moins qu'un aspect rare
Ne la défende. En leurs couleurs, en leurs éclairs,
Ses débris trahiraient le destructeur barbare.

Aussi, je n'ai plus peur, diamant vaguement
Enfumé, mais unique en ta splendeur voilée,
De te perdre. Toujours vers moi, ton seul amant,
Chère, tu reviendras des mains qui t'ont volé.

« Superbe ! » : l'architecte ne put contenir cette exclamation.

Mais, l'instant d'après, sa main tomba brutalement sur le stylet qu'elle déporta.

Ce geste surprit la comédienne. La physionomie de l'Américain avait changé : elle n'était plus affable comme tantôt chez le peintre mais reflétait à présent, mêlées à la fascination voluptueuse que Roseline savait inspirer aux hommes, une volonté méchante, une intention nuisible qui faisaient peur...

D'un coup, la jeune femme mesura le péril de sa situation : seule avec un inconnu dans une chambre d'hôtel, sans personne au courant qu'un peintre qui ne savait rien d'elle. Elle sentit l'angoisse vriller ses veines.

« Monsieur, j'exige d'être payée ! » lança l'actrice en se reculant.

L'architecte répondit d'une voix douce, dont l'accent américain s'effaçait à mesure :

« Payée ? Naturellement, mademoiselle. Vous recevrez votre dû ! Mais vous pouvez nous rendre encore un service, un service très simple : celui d'inspirer fort ! »

Roseline poussa un cri qu'étouffa aussitôt un grand carré d'étoffe appliqué sur sa bouche. Les vapeurs de chloroforme se mêlèrent à l'air de ses poumons, l'entraînant rapidement dans l'inconscience.

Une fois Roseline étendue sur le lit, Gordon et Gaspard se trouvèrent provisoirement dans l'embarras.

Réalisé avec succès jusqu'ici, le plan de l'Américain rencontrait une difficulté : fallait-il tuer la comédienne ou la laisser en vie ? L'option criminelle était amorale, néanmoins leur simplifiait beaucoup la tâche : on n'a rien à risquer d'un cadavre. C'était l'inverse s'ils renonçaient au meurtre : ils auraient moins de scrupules et plus d'embêtements.

Le choix étant tout à fait libre, et son plan s'arrangeant d'une vivante comme d'une morte, Gordon décida d'épargner Roseline. Assassiner n'est pas dans les moyens du premier venu... Il subsiste chez les plus endurcis un frein à l'homicide dont ne soulage qu'une longue pratique ou bien, depuis l'invention des armes à feu, la simplicité de presser une détente qui dispense du travail sanglant d'autrefois. Or, si Gordon possédait un revolver, c'était un de ces modèles coquets, à crosse de nacre et à balles rondes, qui avait dans son pays la faveur des *ladies*. L'arme resta sagement dans son fourreau.

« Alors, je la prépare ? » s'informa Gaspard en ouvrant une sacoche.

Gordon Hole opina de la tête.

Le fond du bagage dissimulait une collection de flacons maintenus par des rubans de soie. Trois d'entre eux servirent à composer une mixture à l'odeur irritante. C'était si méchant que l'émail de la cuvette semblait attaqué, en jaunissant par endroits. Le préparateur devait se garder des vapeurs acides avec un mouchoir noué sur la bouche.

« Brrr ! Crois-tu qu'elle avalera ? » demanda Gordon en se raclant la gorge.

Le Français roula ses manches d'un air crâne.

« J'en ai bien bu, moi, trempé dans la soupe ! Il n'y a pas mieux pour faire le mort sur un champ de bataille. C'est si fort qu'on ne sent pas le coup de baïonnette. Un petit verre... et hop ! »

Le moment venu d'administrer le breuvage, Gaspard jugea superflu d'employer une cuillère. Il préféra loger son pouce entre les mâchoires de Roseline et, forçant ainsi l'ouverture, versa d'un trait le demi-litre.

Un râle fut la réponse du corps à ce mauvais traitement. De violents soubresauts s'emparèrent un moment des jambes et des bras, qui s'épuisèrent en longs frissons nerveux. Cependant l'actrice était restée sans conscience.

« Voilà, c'est fini ! commenta Gaspard en s'essuyant le front. Maintenant, il faut attendre que la potion agisse... »

L'Américain traîna un fauteuil près du lit. L'effet du poison ne tarda pas à s'afficher : d'abord une pâleur généralisée, le relâchement du souffle qui parut même s'éteindre ; ensuite, plus insolite encore, la contraction des muscles sous la peau comme chez un cadavre. L'illusion était parfaite.

« Elle paraît tout à fait morte ! s'alarma Gordon en tâtant le pouls affaibli.

— Les animaux hibernants n'ont pas l'air bien plus vifs. Regardez le hérisson ou le blaireau, au plus fort de l'hiver ! Faites-moi confiance, on en revient toujours... À présent, occupons-nous de la malle ! »

L'Américain se fit appeler deux fois avant de quitter son fauteuil. Une torpeur étrange lui était venue : était-ce le remords d'avoir mal agi, ou plutôt le désir honteux qu'il continuait d'éprouver pour cette femme, à présent livrée et sans défense ?

Debout, Gordon fut pris d'une pulsion soudaine. Sa main entra sous la robe de la comédienne et la troussa jusqu'aux hanches. Les cuisses apparurent, blanches sur le fond écru du linge. Elles restaient désirables malgré le raidissement provoqué par le poison ; des stries bleues étaient visibles le long du fémur. Les artères de Gordon se mirent à marteler furieusement. Perdant un peu la tête, il monta sur le lit et dégrafa son pantalon.

« Monsieur ! » fit Gaspard terrorisé.

L'Américain tourna la tête. Ses dents claquaient d'excitation. Au prix d'un violent effort, il descendit du matelas et rejoignit son homme de main. Le tissu de son pantalon trahissait une puissante érection.

« Pas un mot de cela à Roseline, bien sûr, fit Gordon en reprenant le contrôle de lui-même. Ni de cela ni de rien ! »

La malle fournie par Gaspard était un modèle spacieux, taillé pour recevoir toute une penderie. On ne pouvait pas y loger une personne debout, mais sûrement une personne assise. Des trous percés pour aérer les fourrures assuraient le renouvellement de l'air.

Roseline était grande et plutôt bien en chair, ce qui d'emblée compliqua la tâche. Le problème suivant fut la raideur du corps : il fallut agir sur les bras comme sur une pompe un peu grippée, à coups puissants et répétés, jusqu'à les forcer dans l'attitude convenable.

« Attention ! Tu vas lui casser les os ! » avertit l'Américain comme son acolyte rentrait un genou récalcitrant à coups de botte.

Après bien des contorsions, les deux hommes parvinrent à leurs fins : l'actrice occupait la caisse en posture de fakir, le menton entre les jambes repliées.

« C'est dans la boîte ! » haleta Gaspard.

Rien ne justifiait que les clients d'un bon hôtel portassent eux-mêmes une malle aussi volumineuse. L'Américain convia deux chasseurs pour faire le déménagement.

« Où faut-il la déposer, monsieur ? s'informa l'un d'eux.

— Dans la voiture que nous avons louée. Elle attend à la porte.

« — Vous quittez donc l'hôtel ?

— Non, c'est une malle échangée par erreur avec la mienne. Elles sont venues toutes les deux avec le paquebot *Champagne* de la Compagnie transatlantique, puis avec le train du Havre. Je vais la restituer à son propriétaire et recouvrer mon bien.

— Nous pouvons nous en charger, monsieur.

— Merci, mais je tiens à dire son fait à l'enregistreur des bagages. Pareil mélange est inadmissible ! »

La malle fut montée à bord du cabriolet. Après quelques tours de roue dans la direction de la gare Montparnasse, la voiture menée par Gaspard bifurqua vers la Seine. Elle longea les quais de la Mégisserie, du Louvre, des Tuileries, le cours la Reine avant d'enjamber le fleuve au pont de l'Alma. Sur la rive gauche, une large trouée dans le front des façades laissait voir les quatre piliers de la Tour, unis déjà par un cadre horizontal.

« Tiens ! Ils ont commencé le montage de la première plate-forme ! observa Gordon Hole. Bah ! Elle ne s'élèvera pas beaucoup plus haut ! »

Sans attendre, les deux hommes descendirent la malle au bord de l'eau. Un banc de sable couvrait l'épave émiettée d'une vieille barque.

« L'emplacement est idéal ! chuchota l'architecte. Au travail ! »

On vida la caisse de son contenu. Gordon s'attarda ensuite à composer la scène qu'il avait imaginée. Pendant ce temps, Gaspard surveillait avec anxiété le pont d'Iéna tout proche.

« Hâtons-nous, monsieur ! Les sergents font des patrouilles ! »

L'Américain suivit son homme de main qui remontait

les marches du parapet, la malle vide sur la tête. On fut bientôt à l'Hôtel Britannique.

Aux abords du chantier, contre la palissade foncée de pluie, les voitures faisaient un attroupement sombre.

Les averses qui se succédaient sans répit depuis le matin avaient chassé les cochers de leurs bancs : ils attendaient sous la capote, bien à l'abri derrière les glaces remontées. De temps à autre, leur regard traversait la lunette arrière pour voir si quelqu'un arrivait. Certains même s'étaient assoupis, comptant bien qu'on les secouerait au moment de partir.

Pas un n'avait voulu voir la grande construction de fer, à quelques pas de là. Ça leur était bien égal, par exemple, qu'elle eût grandi depuis la veille et que l'addition déjà nombreuse des rivets et des poutres eût bondi au chiffre supérieur ! Eux qui promenaient des ingénieurs à longueur de temps connaissaient tous les aspects de l'étrange machine : la vue de face et la vue de côté, la perspective depuis le quai de Grenelle ou l'avenue de Suffren. Ils savaient tout cela par cœur et ne s'en étonnaient plus. Pour eux, la Tour de monsieur Eiffel faisait déjà partie du décor parisien, longtemps avant que peintres et photographes n'entreprissent de l'y souder.

Leurs passagers au contraire, ce petit groupe d'hommes qui marchait à la rencontre du monument sous leurs pèlerines caoutchoutées, n'avaient d'yeux que pour elle. Ils s'extasiaient devant la Tour, plus fort à mesure qu'ils en approchaient et sentaient mieux son gigantisme avec leur insignifiance. Quoi ! c'était la chose qu'ils avaient dessinée ? C'était la forme donnée à leurs calculs, le produit solide de leur géométrie ?

Si vertigineux semblait l'écart du plan à l'objet, qu'ils doutaient d'en pouvoir rien revendiquer. Les jeunes surtout, dont certains voyaient la Tour pour la première fois, éprouvaient une émotion violente : il s'agissait chez les uns d'un délire d'orgueil, en reconnaissant telle pièce qui devait sa courbe à leur crayon ; mais chez les autres d'une crise d'humilité, comme s'ils avaient senti d'un coup la répercussion affolante des chiffres sortis de leurs cervelles. Ces derniers tremblaient de l'audace quotidienne qui les faisait percher des poutrelles de plusieurs tonnes à une si grande hauteur. Ils regardaient Eiffel, le plus hardi de tous, à la fois comme un fou et comme un dieu.

De ces sentiments opposés, Armand et Odilon ne marquaient ni l'un ni l'autre. Au premier rang du groupe d'ingénieurs, accrochés par le bras comme de bons camarades, ils considéraient la Tour avec l'intérêt serein d'artisans devant une pièce inachevée, confrontant son état d'aujourd'hui avec celui d'hier, discutant les nouveautés.

De fait, l'ouvrage qu'ils avaient sous les yeux tranchait spectaculairement avec l'ébauche des premiers temps. L'appellation de « tour » donnée par le public pouvait enfin s'appliquer. Après cinq mois d'élévation solitaire, les piles, dont chacune, montée à l'oblique, semblait en danger d'effondrement, venaient d'être réunies par un plateau : les quatre pieds dressés vers le ciel soutenaient désormais une table qui joignaient leurs extrémités.

« On n'a jamais rien vu de tel ! admira Odilon. Une table pour Grandgousier ! »

180

Le Parisien quitta son haut-de-forme, imité bientôt par de jeunes collègues.

« Chapeau bas, messieurs ! La science vient d'infliger un redoutable camouflet à l'ignorance. Ceux qui prophétisaient l'écroulement de la Tour pouvaient convaincre, tant qu'on n'avait dressé qu'un carré de piliers s'appuyant sur des étais de bois. Mais à présent, ils auront beau dire ! Personne ne les écoutera ! Le bon sens est contre eux : une table, ça ne se renverse pas...

— Pour Eiffel ! cria un camarade en lançant son melon. Hip, hip, hip...

— Hourra ! »

M. Pluot, qui n'aimait pas les effusions, s'avança vers le groupe d'ingénieurs.

« Du calme, je vous prie ! Vos clameurs dérangent M. Eiffel. Approchez si vous voulez voir... »

Formant leurs rangs comme des écoliers à la rentrée des classes, les ingénieurs suivirent M. Pluot au pied d'une des piles. Gustave Eiffel et ses contremaîtres s'y trouvaient en compagnie d'ouvriers. Deux manœuvres actionnaient une pompe pour envoyer de l'eau sous les arbalétriers tandis qu'un troisième, le plus robuste, enfonçait à coups de masse des cales de fixation. Le regard du constructeur allait en alternance à l'équipe au sol et à une autre, sur les hauts échafaudages. Cette dernière surveillait d'énormes boîtes à sable dont les soupapes laissaient échapper, par intervalles, une coulée fluide.

« C'est un moment décisif ! déclara M. Pluot en pointant la Tour avec son parapluie. Il s'agit d'ajuster les poutres du premier étage avec les montants verticaux. On opère au moyen de vérins hydrauliques qui servent à soulever les piles et de boîtes à sable pour en régler l'inclinaison. Un travail d'une grande précision ! Quelques centimètres de jeu, et les trous ne coïncideront pas : impossible de poser les rivets ! Et songez qu'un tel effort est mené à la hauteur des tours de Notre-Dame ! »

L'enthousiasme du chef d'atelier se communiquait facilement aux jeunes gens qui suivaient avec des « ah ! » et des « oh ! » les péripéties du montage. Seul Eiffel, le front barré d'une ride soucieuse — la même qu'on lui voyait les jours de paie —, restait imperméable à la bonne humeur. Tant l'absorbait la manœuvre en cours qu'il ne sentit pas l'averse passant à ce moment sur le Champ-de-Mars : son parapluie resta fermé.

Des heures s'écoulèrent avant qu'Eiffel, en accord avec les contremaîtres, jugeât poutres et montants dans un bon alignement. Cent fois déjà, on avait rectifié la position des grosses pièces de fer, redressant l'une, inclinant l'autre jusqu'à réussir une coïncidence parfaite.

Le rivetage au contraire fut l'affaire d'un moment : après avoir tiré du feu les clous chauffés au rouge, les ouvriers les engagèrent dans les œillets à la place de chevilles provisoires. Quelques coups de masse suffirent à accoupler poutres et arbalétriers deux à deux. L'ajustement était si réussi qu'il fut inutile de donner un coup de burin pour retoucher les pointes ni un coup d'alésoir pour élargir les trous.

Quand tout fut terminé, des applaudissements crépitèrent au pied de la Tour. Une cloche tinta bruyamment, les ramoneurs descendirent à toute vitesse en glissant sur les montants des échelles. Tout le chantier afflua vers de grandes tables à tréteaux qu'on venait d'apporter, chargées de bouteilles et de verres.

Premiers servis, les ingénieurs trinquaient à la Tour et à la science triomphante. Certains qui s'étaient toujours appelés « monsieur » osaient le prénom, se tutoyaient comme de vieilles connaissances. Il y avait de franches poignées de main, des toasts et des accolades. On semblait fêter là non un succès, mais déjà le couronnement de l'entreprise.

Comment ne pas y croire, en effet, à l'aspect de ce carré solide liant les piles entre elles ? Parce qu'elle ramenait l'horizontalité dans un essor perpendiculaire, en tant surtout que défi majeur de la construction, la pose du premier étage agissait sur tous comme une potion d'optimisme. Le reste, tout le reste — les 250 mètres à développer jusqu'au sommet — semblait presque une amusette derrière cette difficulté suprême.

Même Gustave Eiffel, pourtant un homme circonspect, se laissa aller ce jour-là à quelques effusions. Des employés méritants y gagnèrent une prime, ce qui décida les autres à présenter timidement leurs requêtes.

« Mes enfants ! Mes enfants ! » répétait le constructeur en passant d'un groupe à l'autre avec une mine réjouie de Père Noël. Il s'attardait surtout auprès des jeunes dont l'admiration éperdue flattait son orgueil. Devant ce public novice, friand de conseils, Eiffel parlait métier et technique, exposait ses trouvailles ingénieuses pour la Tour :

« Sentez-vous le chemin parcouru depuis les débuts de la construction métallique ? Naguère nos piles utilisaient des colonnes en fonte, avec des entretoises d'un autre métal : voilà le viaduc de la Sioule sur la ligne d'Orléans. Puis l'idée m'est venue de remplacer la fonte par le fer, plus solide. Ces piles nouvelles étaient formées de quatre grands caissons ouverts vers l'intérieur, avec une garniture de barres capables d'endurer les efforts du vent. On peut juger de ce système sur le pont du Douro ou le viaduc de Garabit... Mais là n'était pas encore la solution ultime, car pour des hauteurs très grandes, le poids menaçait l'équilibre de la construction ! J'ai donc décidé de supprimer les entretoisements et d'incurver les arêtes, un procédé appliqué au pylône de 300 mètres. Retenez ceci, messieurs : la Tour n'est qu'une pile de pont debout — la pile de pont absolue ! »

Chez les aînés qui l'avaient suivi depuis ses premiers chantiers, le quinquagénaire venait moissonner les souvenirs. On causait du vieux temps où les établissements Eiffel, alors une enseigne modeste, jetaient des ponts sur tous les gouffres de France pour ouvrir la voie au chemin de fer. Les noms des ouvrages remarquables — le viaduc de Porto au Portugal, la gare de Pest en Hongrie... —, ceux des collaborateurs défunts animaient la conversation.

Les jumeaux de la gomme furent les derniers à recevoir la visite de Gustave Eiffel. À ce moment l'entrepreneur avait déjà beaucoup trinqué, et bu le champagne plus souvent qu'à son tour : amenant sa coupe pleine contre celle d'Armand, il la renversa sur la veste du jeune homme.

« Je suis confus ! » bredouilla Eiffel dans un hoquet d'ivresse.

Le Sanflorin repoussa courtoisement le mouchoir qu'on lui tendait, avec une parole indulgente comme en ont les subordonnés en telle circonstance.

Ce fut à cet instant qu'un ouvrier, trempé de la tête aux pieds, brisa le cercle des ingénieurs en s'écriant : « Monsieur Eiffel ! Quel malheur ! »

L'apparition causa un remous autour des tables. Tous les regards convergeaient sur le pantalon crotté, la face barbouillée de terre, les souliers à ficelle qui laissaient des traînées d'eau sale. Deux ou trois ramoneurs parmi les plus costauds se serrèrent autour d'Eiffel en lui faisant un rempart de leur corps. On craignait pour le constructeur à cause des polémiques qu'allumaient ses projets — et d'abord cette insolente tour de métal qui faisait contre elle presque l'unanimité. La protection des ouvriers était celle de fils auprès du père, celle de travailleurs autour de leur gagne-pain.

« Enfin, c'est moi ! grogna l'inconnu en s'essuyant le visage. Arthur le terrassier ! »

Il y eut un second mouvement dans la foule : on se pressait cette fois autour du personnage familier.

« Eh bien ! Parlez ! l'enjoignit Eiffel. Qu'est-il arrivé ? »

L'ouvrier ôta sa casquette qui révéla une calotte de cheveux blonds, d'un éclat surprenant dans cette tête noire. Aux mèches du cou pendaient des grains de terre.

« Hélas ! monsieur ! Nous étions, Gaston et moi, à creuser la tranchée de la Seine — celle par où vont passer les égouts de l'Exposition — quand nous avons trouvé... Non... (corrigea vite le terrassier), c'est Gaston qui l'a vu d'abord. Oui, c'est lui ! »

L'index d'Arthur pointa un deuxième homme qui approchait. Il semblait désigner un criminel.

« Mais quoi donc ? s'emporta Eiffel. Qu'avez-vous vu ? Venez au fait !

— Un cadavre, monsieur ! Un cadavre de femme roulé dans le sable, les cheveux en pelote, les jupons troussés jusqu'aux cuisses ! Même qu'elle sortait la langue comme une étranglée ! Ah ! Dieu me garde ! »

Un sanglot froissa les derniers mots du terrassier. Jugeant cela poli, il se moucha dans un pli de sa manche.

Cependant Eiffel, dont les sourcils s'étaient d'abord noués à la mauvaise nouvelle, parut rassuré : ouf ! le chantier était sauf... C'était une menace toujours présente à son esprit — un accident, une grève qui retarderait l'élévation de la Tour ou même la compromettrait. Auprès de telles calamités, découvrir un cadavre était un moindre mal.

« Soit, mon brave ! fit le constructeur presque avec bonhomie. Qu'attendez-vous ? Il faut appeler la police !

— Elle est venue toute seule, monsieur... En ce moment les sergents de ville sont à pied d'œuvre : ils ratissent la plage pour trouver des *indices*, comme ils disent. On a parlé d'abord d'appeler une ambulance, mais voyant que le corps ne bougeait pas et qu'il arrivait des journalistes, c'est un camion de la morgue qui est venu... Il est parti tantôt.

— Les journalistes ? se troubla Eiffel. Quels journalistes ? »

Le second terrassier venait de rejoindre son équipier. Il renseigna d'une voix haletante :

« Ceux du *Gaulois*, du *Gil-Blas*, de *La Lanterne*... Dix au moins ! Tout ce monde maniait le crayon et la plume, l'un d'eux avait un appareil pour faire des photographies... Il a pris une pose avec la plage et la Tour au fond — ça devait faire joli !

— Vous ont-ils posé des questions ? s'alarma le constructeur.

— Pardi !

— Sur la Tour ?

— Pourquoi non ? »

À ce mot, Eiffel eut une éruption de colère — de ces

186

colères qui faisaient le relief de son personnage et dont ses employés gardaient le souvenir en creux, aussi bien que des primes de Noël.

« Pourquoi ? Le benêt me demande pourquoi ! Mais parce que dès demain, monsieur, toutes les feuilles de France en feront les gorges chaudes ! Vous lirez en première page du *Figaro*, du *Siècle*, du *Matin* que la Tour a tué ! Imaginez les titres : "La Tour assassine", "Un meurtre à l'ombre de la Tour", "Eiffel au banc des accusés" ! En avions-nous besoin pour enrager l'opinion contre nous ? La presse ! C'est notre pire ennemie ! »

La décharge avait été si rude que d'abord les terrassiers furent réduits à quia. Ils regardaient leurs mains, honteux comme des enfants qui, jouant avec un fusil chargé, ont fait partir le coup sans le vouloir. Enfin Arthur trouva le courage de répondre.

« Si c'est ainsi, allons leur parler ! Ces messieurs sont encore sur la plage. Tout peut s'arranger !

— Non ! trancha Eiffel. Je n'ai rien à dire à ces pisse-copies ! C'est à leurs patrons que je vais télégraphier, et sur l'heure ! »

Presque en bousculant les deux hommes, Eiffel quitta le chantier d'un pas furibond. Un grand silence tomba ensuite sur le personnel. Personne ne songeait plus à boire : on déposa les verres et on se dispersa.

Seuls restaient les terrassiers, encore sous le choc, et un jeune ingénieur que le reflux de ses collègues laissait là tel un morceau d'épave : il s'agissait d'Armand.

« Alors, tu viens ? » fit Odilon.

Mais le Sanflorin semblait pétrifié. Une intuition horrible lui était venue, de celles qui oppressent la poitrine et forcent de longues aiguilles dans les veines. En alternance, fièvre et frisson passaient sur sa peau, variant les impressions de froid et de chaleur.

« Dis, tout de même..., balbutia le jeune homme en tordant son nœud de cravate. Cette femme... Ce ne serait pas... ? »

Le regard d'Armand était allumé d'une telle épouvante qu'Odilon prit peur à son tour. Il se fit violence pour dire d'un ton badin :

« Que vas-tu imaginer ? Roseline est dans sa chambre, elle attend ta visite ! Allons, cours ! »

En entendant le nom de l'actrice, un terrassier avait tourné la tête. Arthur confia quelque chose à l'oreille de son équipier puis s'avança vers le Sanflorin.

« Êtes-vous Armand Boissier ? »

Cet inconnu qui surgissait pour dire son nom était dans l'ordre des choses, l'ordre terrible pressenti par Armand. Le frémissement du jeune homme devint grelottement, si fort dans ses mâchoires qu'il l'empêchait de parler. Il ne put qu'hocher la tête.

« Alors, j'ai ceci pour vous, annonça Arthur en sortant une enveloppe de sa poche. C'était glissé dans la ceinture de la femme... Je n'aurais pas dû regarder, mais enfin ça disait : "Armand Boissier, employé chez Eiffel & Cie, constructeurs" ! Avec la police qui rôde, vous comprenez... Il s'agissait d'aider un camarade. Dites, j'ai bien fait ? »

Armand regardait l'enveloppe avec effarement. Des ronds de sueur grandissaient sur le papier, là où ses doigts étaient posés. Il voyait son nom tracé en grosses lettres noires. À travers le vélin plus fin du rabat transparaissait une feuille couverte d'écriture — une lettre à son adresse.

« Ah ! Odilon ! » s'écria Armand avec un regard de détresse.

Le Parisien arriva à temps pour soutenir son ami. Ses jambes sapées d'émotion ne le portaient plus.

« Il faudra veiller sur lui ! fit Arthur en aidant à porter le jeune homme vers une chaise. Cette dame, il l'avait dans la peau ! »

DEUXIÈME ÉTAGE

8

S'il n'avait été que d'Armand, la lettre eût fini en boule dans le caniveau ; ou bien, dissoute à la chaleur humide de ses doigts qui la maniaient sans cesse, elle fût par faveur devenue illisible.

L'ingénieur n'estimait aucun endroit commode, aucun moment propice pour y poser les yeux. Les décors pathétiques — portail d'église, square pluvieux — où se consomment usuellement les lettres d'amour lui semblaient indignes du billet de sa fiancée. Il voulait mieux, plus grand, surhumain : le cratère d'un volcan en éruption, la proue démembrée d'un navire qui sombre...

À défaut, Odilon fatigué de marcher proposa l'arrière-salle d'un café. Ils commandèrent une bouteille de malaga.

« Ah ! Odilon ! Cette lettre ! Je ne peux pas l'ouvrir !

— Confie-la-moi..., proposa son ami. J'en ferai lecture pour toi. »

Armand tendit la lettre, geste qu'il regretta aussitôt. Trop tard : Odilon l'avait saisie et déchirait déjà l'enveloppe.

« Non ! Rends-la-moi ! » supplia Armand comme un enfant dont le jouet a été confisqué.

Mais le Parisien interposait sa canne avec fermeté.

« Allons, ressaisis-toi ! Que va-t-on penser de nous ? On dirait des frères à l'ouverture d'un testament ! D'ailleurs..., ajouta Odilon en parcourant les lignes d'un œil rapide, d'ailleurs ce billet n'a rien d'alarmant ! Il est même encourageant, si l'on peut dire... »

Le rire du Sanflorin éclata, noir et torturé.

« Encourageant ? À quoi peut donc encourager le message d'une morte ?

— Je devrais te blâmer de ces paroles ! réagit le Parisien en prenant une gorgée de vin cuit. Pour le spirite que je suis, et que tu es devenu, il n'est pas de trépas mais seulement un passage. Roseline vit, ailleurs et autrement... »

Armand chassa son verre plein d'un revers de la main.

« Fadaises ! As-tu l'esprit à faire ton boniment, un jour pareil ? Je ne sais ce qui me retient de t'imprimer mon poing sur la figure ! »

Alerté par le bruit, le patron du café fit une apparition, un gros bâton à la main. Son regard alla du verre brisé aux deux consommateurs, en s'attardant sur le Sanflorin dont le bras était levé pour frapper. Mais Odilon eut un sourire charmeur qui voulait dire : « Pas de souci, nous paierons la casse ! » Rassuré sur ce point, le cabaretier fit une sortie tolérante.

« Tiens-toi tranquille et écoute ! pria le Parisien à mi-voix. La lettre commence ainsi : " Armand mon aimé... "

— Elle a écrit cela ? » glapit l'ingénieur en se tordant pour lire par-dessus l'épaule de son ami.

Odilon reprit :

194

Armand mon aimé,
Aujourd'hui j'ai le cœur lourd, et ma main rechigne en tra-
çant ces mots, les derniers sans doute que vous lirez de moi...
Ce sont des larmes, les plus pures de mon cœur, qui se mêlent à
l'encre et lui font des boues. À peine puis-je écrire, tant je vou-
drais pleurer.

« Comme c'est senti ! admira le Sanflorin.
— C'est cité, plutôt... Il me semble avoir lu la dernière phrase quelque part. »

Armand mon soleil, mon ange ! Vous souvient-il, chère âme,
de nos étreintes fougueuses, des cavalcades sous la voûte des
tilleuls, des limonades que nous sirotions à deux pailles ?

« S'il m'en souvient ! » plaça encore Armand en
léchant ses doigts sucrés de liqueur ; mais l'instant
d'après : « Pourtant non... Elle détestait la limonade ! »
Odilon eut un claquement de langue réprobateur.

Hélas ! Ces doux moments sont éteints pour jamais. Dans
quelques heures, j'aurai rejoint l'île où séjournent les morts.
Sur cette berge de Seine où nous allions marcher main dans la
main, on repêchera bientôt une noyée...

La poitrine d'Armand fut soulevée d'un gros sanglot.

Il me coûte d'accomplir le geste fatal. Personne ne se résout
aisément à mourir ; j'y étais disposée moins que quiconque, moi
que la vie a comblée.
Et pourtant, c'est aujourd'hui la seule issue permise. Peut-
être mériterai-je votre pardon, à défaut votre indulgence, quand
vous saurez la destinée odieuse qui m'accule à cette fin.

« Poursuis ! s'écria le Sanflorin en pressant l'épaule d'Odilon.

— Oui, si tu cesses de m'interrompre ! Où en étais-je ? »

Cher Armand, que connaissez-vous de moi ? Ce qu'écrivent les gazetiers, deux ou trois confidences sur l'oreiller. C'est peu de chose... Sachez-le, une femme se livre à son amant moins qu'à quiconque.

Vous ignorez par exemple que mon père est un grand ingénieur et architecte américain. Son nom est Gordon Hole. C'est au génie de cet homme que les nations d'outre-Atlantique doivent leurs constructions les plus audacieuses — en particulier un immeuble immense, à Chicago. Son amour pour la France l'a souvent appelé de ce côté de l'océan, ceci dès son plus jeune âge. En France il a étudié, il a travaillé et il a aimé. Ma naissance est le fruit de sa liaison avec une fille de joie parisienne.

Oh, Armand ! Vous ne pouvez savoir combien cette maternité indigne m'a fait souffrir. D'autres se seraient peut-être donné la mort pour échapper aux quolibets et aux railleries. Mais l'amour de mon père, un homme exceptionnel qui m'a élevée seul pendant vingt ans, est parvenu à vaincre en moi tout ressentiment.

« La suite ! » s'impatienta Armand.

Mais venons au fait. Il est temps pour vous de recevoir mon terrible secret, un secret dont le poids à présent m'incline vers la tombe...

Par hasard, mon père a fait ses études à l'École centrale, aux côtés de Gustave Eiffel. C'est ensemble qu'ils ont appris le métier d'ingénieur. Or, mon père avait pour les disciplines enseignées à l'École, en particulier la construction métallique, un don plus affirmé que son voisin de banc. Quand Gustave peinait, bâclait des croquis maladroits, Gordon, inspiré, jetait les bases de l'architecture métallique moderne, au gré d'intuitions prodigieuses...

Qu'a fait Eiffel l'opportuniste ? Il a copié. Il a copié d'abord pour décrocher son diplôme d'étudiant, puis a récidivé lorsqu'il est entré dans la profession. Ses ponts, ses viaducs, la Tour elle-même ne sont que projections laborieuses des idées de mon père. Jugez du ressentiment de Gordon Hole, lorsqu'il a vu son génie pillé par un ancien camarade et, de surcroît, valant à l'usurpateur richesse et renommée !

« Je n'en crois pas mes oreilles ! s'exclama Odilon. Eiffel, un escroc ? »

Le Sanflorin fronça les sourcils.

« C'est bien possible... Je savais déjà par mon oncle que l'idée de la Tour n'était pas de lui. »

Mon père, bien sûr, a intenté des procès. Hélas ! Quelle preuve apporter d'un forfait si subtil, concernant des solutions d'architecture auxquelles les juges n'entendaient rien, et dont d'ailleurs aucun brevet n'était déposé ? Les procès ont été perdus et mon père ruiné... Vingt longues années lui ont été nécessaires pour remonter la pente et conquérir en Amérique la gloire qu'il méritait.

Tout ce temps, mon père et moi avons vécu dans le dénuement. Notre seul réconfort était de maudire chaque jour le nom d'Eiffel et de cracher sur son portrait publié par les journaux. Vous savez combien peut s'enrager la haine dans le cœur d'une enfant...

Lorsque Odilon nous a présentés, j'ignorais que vous étiez employé chez Gustave Eiffel. L'apprendre par hasard, hier, a été une révélation atroce. Vous, Armand, complice de l'ignoble individu ? Collaborant à la Tour, cet édifice d'infamie dont mon père avait pour ainsi dire dressé les plans ?

J'en suffoquais d'horreur, et les cris affluaient en même temps que les larmes. Tout le jour j'ai pensé vous tuer — me séparer de vous n'était pas assez. Un poignard devait y servir : j'attendais votre visite cette arme à la main.

Contre toute attente, c'est mon père qui m'en a dissuadée... La Providence a voulu qu'il me visite ce jour-là, quelques heures avant vous. Son cœur aimant lui a dicté des paroles d'apaisement. Il m'a représenté votre innocence — celle d'un jeune ingénieur appelé par une célébrité dont il ignorait les turpitudes, et qu'il prenait naïvement pour un modèle. Mon père a cru bien agir, sans doute, en m'expliquant cela de sa voix douce et patiente. Il ignorait que le remède portait un autre mal. La mort détournée de vous s'est cherché une nouvelle proie, et m'a trouvée... Les mots qui ont fait votre salut ont fait aussi ma perte.

Vous savez tout, à présent, cher ange ! Ce corps sans vie que vous ramasserez sur la grève de Seine, c'est celui d'une femme déchirée... Tant d'autres ont succombé à ce conflit premier : l'amour qu'on porte à l'homme, le respect qu'on doit au père.

Je me donnerai la mort au pied de la Tour, en espérant souiller de scandale Eiffel et son édifice. Ce sera bien la moindre réparation pour les torts qu'il m'a causés, ayant fait de moi d'abord une enfant misérable, puis une amante malheureuse. Pardonnez-moi si vous pouvez...

Je vous aime. Je vous dis adieu.

Roseline Page

Armand poussa un hurlement qui ramena le patron avec son gourdin. Mais cette fois, le jeune homme était dans de telles transes qu'on ne put l'adoucir — ni Odilon avec ses bonnes paroles, ni le cabaretier prodigue de coups de bâton (ces derniers, du reste, ne faisant qu'ajouter des cris de douleur aux cris de chagrin).

À la fin, le renfort de trois gaillards venus de la salle eut quand même raison du forcené, assis rudement sur une chaise et maintenu là par la poigne du cabaretier. Odilon qui ramassait les feuilles dispersées par terre brandit l'une d'elles avec excitation.

« Regarde ! La dernière est écrite au verso. Ce n'est pas fini ! »

La lecture reprit donc en présence du patron et de ses gros bras. Piaffant sur sa chaise, Armand semblait un accusé rebelle au moment du verdict.

« Oui, reprit le Parisien, ça continue après la signature. Mais l'écriture n'est pas la même : hâtive, relâchée, d'ailleurs d'une encre plus fraîche... Peut-être Roseline a-t-elle couché ici ses dernières volontés ? »

Armand mon aimé, quelques mots encore... Je dois me hâter car d'un instant à l'autre vous pouvez paraître — alors je n'aurai plus le courage de faire ce que le devoir m'impose.

Corps de chair, nous allons être séparés pour jamais... Mais subsistent nos âmes, en la survivance desquelles, comme Apolline et Odilon, je crois fervemment. Oh, mon aimé ! Ne serait-ce pas un baume sur notre douleur si nous pouvions au-delà de la mort, à la manière spéciale des spirites, nous transmettre mutuellement nos pensées ? Notre amour pourrait rayonner encore, et notre union se refaire en esprit ! Dans le monde où je vais, la peine et la rancœur sont oubliées...

Quelle belle idée, mon ange ! Et quel réconfort pour moi si vous la suiviez ! Rappelez-vous, ce cercle spirite que nous avons fréquenté de compagnie... Évoquez-y mon Esprit ! Pourquoi non ?

J'y songe enfin : mon père a pratiqué le dialogue avec les morts en Amérique. Si la chance vous met sur son chemin, conviez-le au cercle afin qu'il puisse entendre mes messages. Croyez bien que je vous en serai reconnaissante ! Je ne conçois pas de joie plus réelle, pour une défunte, de voir son père et son amant réconciliés devant sa tombe

Odilon répéta le dernier mot avec une finale plongeante, car d'abord il l'avait lu suspendu, comme au milieu d'une phrase. De fait, le point manquait... Cette seconde lecture installa un silence, au lieu du cri poussé derrière la précédente. On n'entendit que le bruit des feuilles, repliées puis glissées dans l'enveloppe.

« Tout de même..., enchaîna Odilon, quelque chose m'intrigue. Voilà — n'est-ce pas ? — un billet qui a séjourné dans l'eau, assez de temps pour que Roseline succombât. Or, le papier est à peine humide ! Dans quel fond de poche l'a-t-elle donc enfoui, pour qu'il ressorte sec d'une robe trempée ? »

Armand ajouta d'une voix songeuse :

« Il y a autre chose. Dans cette lettre, Roseline me vouvoie... Elle ne l'a jamais fait. Et puis, comment dire ? Ce n'est pas sa manière de causer ; elle avait des mots, des tournures que je ne retrouve pas.

— Connais-tu son écriture ? demanda Odilon en étudiant le nom sur l'enveloppe.

— Non ! Quel besoin de correspondre quand on habite ensemble ? J'ai reçu deux ou trois billets qui sont perdus. »

Sur le tour intime que prenait la conversation, le patron et ses hommes eurent le bon esprit de s'en aller.

Les jumeaux se retrouvèrent seuls, l'enveloppe posée entre eux sur la table.

« Un mystère est là-dessous, conclut le Parisien en ramenant avec sa main des éclats de verre. Je ne peux croire que Roseline ait résolu si vite de mettre fin à ses jours, et pour un motif si léger. Peut-être a-t-elle été victime d'un chantage ? D'une vengeance ? Un amant jaloux, par exemple ?

— Gustave Eiffel ? suggéra son ami dont l'œil s'était rallumé.

— Gardons nos esprits... Avant tout, il faut se rendre à la morgue où le corps a été transporté. Veux-tu m'accompagner ?

— Bien sûr !

— Ce sera pénible...

— Tant pis ! Je ferai face. Sans l'avoir vue de mes propres yeux, je ne croirai jamais qu'elle est morte. »

Laissant sur la table le prix des boissons et des verres, les ingénieurs quittèrent le café.

Le Père la Pudeur comptait l'argent avec la méticulosité d'un savant dénombrant les organes d'un mille-pattes.

Lui qu'on régalait toujours d'une pièce, et dont le salaire même sonnait métallique, se sentait gauche en possession de grands billets. Les chiffres imprimés au coin des larges coupures défiaient son aptitude au calcul ; ils n'entraient pas dans la mesure, inculquée par cinquante ans de gêne, du vin à seize sous le litre, du plat de pois cassés à deux sous, ou du petit noir encore meilleur marché...

S'il avait osé, il aurait demandé à son visiteur la conversion des billets en espèces sonnantes et trébuchantes, de celles qu'on mord au coin pour en éprouver le titre. Que faire avec ces morceaux de papier ? Autant le payer d'une découpe de journal, pour remplir le carreau brisé de sa fenêtre !

Tout de même, réfléchit encore le Père la Pudeur, si c'était cent francs qu'il avait réellement dans la main ? Un mois de salaire ! Ne risquait-il pas d'indisposer son bienfaiteur en y revenant — pire : qu'on lui confisquât une partie de la somme ? Ça, non ! Il préférait se taire. Cent francs, c'était bien payé pour les menus services dont on le priait !

Vingt-cinq francs d'abord, s'il éconduisait les policiers venus déposer chez lui le corps d'une jeune dame en les empêchant d'y regarder de trop près ; vingt-cinq francs encore s'il classait « décédé par noyade » ce même cadavre, sans consulter le médecin habituellement chargé des examens ; vingt-cinq francs enfin si, aux visiteurs qu'on annonçait, il présentait son suborneur comme le père de la demoiselle.

La dernière requête concernait l'enlèvement du corps. Ici, le Père la Pudeur fit un peu de difficulté. Il n'aimait pas qu'on dépeuplât la morgue dont il avait précisément la garde : cela pouvait nuire à sa cote professionnelle. Et puis, s'agissant d'une jolie femme trouvée en jupon sur les bords de la Seine, il y aurait fatalement enquête, autopsie du médecin légiste... On ne pouvait sevrer la police de l'objet du délit.

« Vous n'aurez qu'à dire que la famille a réclamé le corps ! simplifia Gordon Hole. Ou alors qu'on l'a volé ! Quelqu'un s'introduit dans la morgue, vous assomme avant d'emporter le cadavre par la fenêtre... S'il n'est que de cela, je me ferai un plaisir de vous tailler une bosse avec la crosse de mon Remington. »

L'apparition du revolver conféra un poids nouveau aux arguments de l'Américain. Le Père la Pudeur ne fit plus d'objection, mais seulement des questions sur le rôle qu'il devait tenir.

En somme, ce n'était pas la première fois que des originaux entendissent disposer des cadavres avant qu'on les mît en terre. Beaucoup payaient moins bien que cet étranger... Maltraiter les corps, les posséder charnellement, soustraire leurs ongles ou leurs cheveux, s'exercer sur eux à la dissection, il en avait vu tant et plus ! Ces sombres pulsions éclairaient une facette de l'âme humaine sur laquelle le Père la Pudeur, fidèle à son surnom, gardait une réserve de bon ton.

Le marché conclu, il ne restait qu'à attendre la livraison du cadavre.

La police se présenta en fin d'après-midi. Le Père la Pudeur aida à transporter le corps recouvert d'un drap — non, expliqua un brancardier, parce qu'il était affreux à voir, mais plutôt parce qu'il restait désirable dans la mort ; il s'agissait d'éviter aux policiers des érections malséantes... Personne ne partagea le rire épais du jeune homme.

« C'est là ! » indiqua le gardien en désignant une table vacante, celle choisie par Gordon Hole.

Ils installèrent Roseline sur le plateau de marbre. Alors, suivant les instructions qu'il avait reçues, le Père la Pudeur congédia les policiers sans leur servir l'apéritif accoutumé.

« Est-il à ressort, aujourd'hui ! » observa le brancardier qui regrettait son verre d'absinthe.

Comme annoncé, les jumeaux firent leur visite à la

tombée du jour. Dès qu'on entendit leurs pas dans le couloir, Gordon se frotta un cerne d'oignon sur les paupières. Des larmes affluèrent dans ses yeux irrités. Il jeta ensuite du désordre dans son costume, délogeant des boutons, faussant le nœud de cravate. Le Père la Pudeur en béait d'étonnement.

Ce fut Odilon qui avisa le premier le corps de Roseline. Il voulut retenir son ami mais n'en eut pas le temps. Comme aspiré vers elle, Armand s'était jeté aux pieds de sa bien-aimée ou plutôt à sa face — ce visage familier qu'il n'osait caresser encore mais contournait de ses mains tremblantes, touchait du bout des doigts comme une chose brûlante. Littéralement, ses yeux bouillonnaient de larmes.

« Odilon ! Elle est morte ! » se lamentait Armand. Dans sa voix ténue, comme expirante, perçait néanmoins l'accent serein des retrouvailles. Cette confrontation valait mieux que l'absence, ce cadavre mieux qu'une lettre

Ce fut un moment pénible. Armand pleurait agenouillé près de sa fiancée ; Odilon se tenait debout quelques pas en arrière, avec le taciturne Père la Pudeur. Quant à Gordon Hole, adossé à la table, il s'inspirait du chagrin d'Armand pour interpréter le sien. Le père empruntait au gendre ses pleurs et ses soupirs en les nuançant d'une chaste distance, qu'il croyait plus conforme à son rôle : c'étaient des baisers sur le front plutôt que sur les lèvres, des enlacements au lieu de caresses.

Odilon scrutait l'Américain. Ce visage ne lui était pas inconnu, l'avait-il vu quelque part ? Au moment opportun, il aborda l'architecte.

« Monsieur Gordon Hole, je présume ?

— Comment savez-vous mon nom ? »

Le Parisien ôta respectueusement son chapeau.

« Une lettre trouvée sur votre fille par ceux qui l'ont découverte. »

L'Américain vit l'enveloppe dans les mains d'Odilon et comprima un sourire.

« Une lettre ? Quelle lettre ? La police ne m'a rien dit !

— Monsieur, accepteriez-vous de souper en notre compagnie ? Je crois que nous avons beaucoup à nous apprendre... »

Le dîner eut lieu, si peut s'appeler dîner un ragoût rustique de lard et de fèves, réchauffé sur le mauvais poêle du Père la Pudeur. C'étaient là toutes les provisions du gardien, qu'il accommodait pour les visiteurs de passage. Des générations d'agents de police, de fossoyeurs et de médecins légistes avaient pratiqué cette table, également prisée du beau monde. Les gandins du boulevard se donnaient le frisson en imaginant que la planche où l'on dressait le couvert provenait de la salle des morts, et que les vieux couteaux de cuisine, certes un peu émoussés, avaient servi autrefois à disséquer les cadavres.

Le Père la Pudeur savait bien qu'on lui rendait visite par goût du pittoresque, mais ne s'en offensait pas : mieux valait une compagnie, même frivole, à la solitude oppressante dans ce sanctuaire de la mort.

Cette nuit-là, les convives n'avaient pas l'esprit à goûter l'étrangeté du cadre. Pour assouplir leurs langues un peu raidies par les circonstances, ils mangèrent peu et burent copieusement, vidant force bouteilles de la cave du Père la Pudeur. Ce furent ensuite des présentations réciproques, l'évocation de Roseline et de sa mort.

Gordon Hole ne pouvant répondre à tout sans se trahir, il inventa de pleurer chaque fois qu'il était pris de court. La ruse fonctionna plutôt bien, même si les jumeaux s'étonnèrent de le voir fondre en larmes sur une banale question de saison théâtrale.

Le flacon d'eau-de-vie qu'on déboucha au dessert — lequel renfermait, détail affreux, une oreille humaine en suspension — incita les jeunes gens à pousser plus loin leur investigation. Évoquer les réunions spirites devant un père qui venait de perdre sa fille, semblait pour le moins désinvolte... Or, contre toute attente, l'Américain se montra des plus ouverts au sujet. En effet, pourquoi ne pas susciter l'Esprit de Roseline ? Et pourquoi pas sur-le-champ ?

« Sur-le-champ ? Qu'entendez-vous par là ? gloussa Odilon dont l'alcool brouillait un peu les facultés.

— Eh bien, nous sommes tous trois spirites, n'est-ce pas ? Voici une table, voici une chandelle... La séance peut se tenir ici même !

— Impossible ! s'écria Armand. Il manque un médium pour échanger avec l'Esprit, n'est-ce pas Odilon ? Un médium... »

Le Parisien parut contrarié. Il voulait donner raison mais devait contredire.

« Armand... tu es médium ! rappela doucement Odilon. Un médium naturel, de grand talent ! As-tu oublié comment ce pouvoir s'est révélé à toi et à nous tous, dans la roulotte d'Apolline ? »

Puis, se tournant vers l'Américain qui savourait le différend des jumeaux :

« En effet, monsieur Hole, nous pouvons tenir séance. L'Esprit de votre fille est sans doute libéré, à l'heure qu'il est. On prétend que le suicide retarde la désunion de l'âme et du corps, mais aussi qu'un spirite l'obtient facilement. En sa qualité d'initiée, Roseline a dû remplir très vite cette formalité. Donc, si Armand en est d'accord... »

Celui qu'on consultait donna du poing sur la table, en tel élan que l'oreille ondula dans son bain alcoolique.

« Non, cela me déplaît ! Pas ici, pas de la sorte... Je n'ai jamais fait le médium, je ne saurai pas... Et puis... susciter Roseline ! »

Gordon Hole eut un geste d'apaisement.

« Je comprends très bien vos raisons, jeune homme. C'est entendu : nous n'évoquerons pas l'Esprit de ma fille ce soir. Laissons passer quelques jours, nos chances d'entrer en communication n'en seront que meilleures. Quand se réunit votre cercle ?

— Mercredi à la nuit, renseigna Odilon.

— M'y admettez-vous ?

— Vous êtes le bienvenu ! »

L'Américain fit signe au Père la Pudeur qui somnolait sur sa chaise. Le gardien apporta une bouteille pleine (la sixième) dont les verres ne tardèrent pas à prendre la couleur. Gordon Hole servait libéralement ses compagnons de table, mais guère lui-même — parce qu'il avait le vin triste, alléguait-il.

« J'ai une proposition à vous faire, plaça l'architecte quand il jugea l'ivresse collective bien avancée. Une de mes compatriotes, actuellement à Paris, est une médium renommée en Amérique. Il s'agit d'une *médium parlante*, c'est-à-dire que les Esprits s'expriment par sa bouche. Elle transmet non seulement les mots mais aussi leurs intonations et leurs accents — ce qui, vous en conviendrez, repousse toute idée de supercherie. Voulez-vous la convier à notre réunion ? »

Odilon était gris, d'où sa lenteur à formuler une objection.

« C'est que... l'animatrice de notre groupe est médium elle-même ! Sa spécialité est d'écrire.

— Où est le mal ? intervint Armand plus endurant à l'alcool. Deux chances valent mieux qu'une ! Et puis, j'aurai beaucoup de satisfaction à entendre la voix de Roseline ! »

Vexé, le Parisien approuva d'un geste évasif de la main.

« Bien ! trancha Gordon Hole, je viendrai donc accompagné... La séance se tient mercredi, dites-vous ? C'est aussi mercredi qu'aura lieu l'enterrement. Hélas ! le cortège de Roseline sera bien court. Elle n'avait, pour ainsi dire, d'autre famille que moi...

— N'en croyez rien, monsieur ! fit le Sanflorin pour se montrer prévenant. Tous les amateurs de théâtre, tous ceux qui l'ont applaudie...

— ... seront ailleurs, pour acclamer une autre ! Allez, je connais les hommes ! Mais quittons ce sujet douloureux... Puisque nous avons foi dans la survie de Roseline, garder ces mines sombres serait l'offenser. Trinquons plutôt à sa nouvelle existence, comme l'on porte santé à l'enfant nouveau-né ! »

De fait, la fin du souper fut détendue, presque joyeuse. Le mauvais vin du Père la Pudeur poussait à fraterniser, mieux et plus vite qu'un nectar. Si riante devint la veillée funèbre, vers minuit, qu'un visiteur mal informé pouvait la prendre pour une bamboche de fiançailles. Gordon Hole et les jumeaux se quittèrent les meilleurs amis du monde.

De retour à l'hôtel, l'Américain trouva Gaspard qui l'attendait avec un seau à champagne. Ils fêtèrent la parfaite exécution de leur plan.

Le réveil fut éprouvant.

Gordon et Gaspard reprirent connaissance dans la baignoire de la chambre d'hôtel, où quelque fantaisie propre à l'excès de boisson avait dû les conduire, douze heures plus tôt. L'Américain, de fort méchante humeur, accusa son complice de l'avoir débauché.

« Perdre son temps à boire, un jour pareil ! Allons, debout ! Tu vas courir à la morgue prendre les dispositions pour l'enlèvement de Roseline. Et si la police avait enquêté, et si le Père la Pudeur nous avait livrés ? Pas un instant à perdre ! »

Du côté des jumeaux, la journée commençait aussi mal. Restés coucher à la morgue, ils ne s'éveillèrent qu'en milieu de matinée et partirent au bureau très en retard. À cette heure, il n'y avait plus d'espoir d'échapper à la semonce du père Pluot : l'inflexible chef d'atelier ne jugeait aucun drame, même le plus intime, de nature à dispenser du travail.

Ensuite, chez Armand surtout, la dissipation de l'ivresse avait laissé une humeur sombre. Ses idées de la veille, poissées de haine et de chagrin, hantaient toujours son crâne. C'était bien sûr sa fiancée qui lui manquait... mais aussi, de plus en plus, son poste dans les établissements Eiffel qu'il prenait en aversion : si réellement cet homme était celui qu'avait décrit la lettre posthume, s'il était la cause intime de la mort de Roseline, pouvait-il décemment rester son collaborateur ?

Sa décision fut bientôt prise.

« Je vais au travail, annonça le Sanflorin d'un ton lugubre. Mais c'est pour présenter ma démission...

— Ta démission ! Et que feras-tu ensuite ?

— Eh bien, je trouverai à m'employer ailleurs. J'irai voir Victor Contamin, l'ingénieur en chef des constructions métalliques à l'Exposition. Gustave Eiffel a parlé d'une Galerie des Machines qu'on bâtit au pied de la Tour : une réalisation tout en fer, paraît-il... Voici un chantier auquel appliquer mes talents ! »

Odilon s'efforçait d'écouter avec bienveillance. Mais la candeur de son ami chatouillait ses nerfs.

« Que t'imagines-tu ? Les places sont déjà prises ! Dans l'économie déprimée qui est la nôtre, le travail est rare et convoité. À quoi sert l'Exposition, selon toi ? À distraire les touristes, à épater les Anglais ? Fadaises ! Elle est utile surtout à occuper ces milliers d'ouvriers désœuvrés qui, sans cela, pourraient faire une révolution...

— Je ne suis pas ouvrier, mais ingénieur ! » corrigea Armand d'un ton hautain.

Le Parisien restait sur sa lancée.

« Si même on continuait d'embaucher, tu ne serais pas pris. Qui voudrait d'un démissionnaire dans son équipe ? La nouvelle de ton départ va se répandre, n'en doute pas ! C'est un petit monde que celui des constructeurs... »

L'argument donna à réfléchir au Sanflorin.

« Alors, je quitterai le métier ! Parfaitement ! Je me ferai cocher, ramoneur ou tailleur de boutons ! Tout plutôt qu'engraisser le monstre Eiffel ! L'oncle Jules peut m'héberger encore quelques jours... D'ailleurs, il est temps de rapatrier les affaires que j'ai déposées chez Roseline. Je ne supporte plus d'y dormir seul. »

Cette pensée d'un déménagement à rebours le submergea de tristesse. Armand s'assit par terre, là même où ils étaient, au milieu de la chaussée.

« Allons, relève-toi ! Tu vas te faire accrocher. Et puis, nous n'avons déjà que trop tardé... »

L'allusion mesquine tourna en révolte la peine du Sanflorin.

« Tarder ? Un jour pareil, tu te préoccupes de l'amende ? Vas-y donc ! Cours chez Eiffel ! Il est vrai que Roseline n'est plus ta maîtresse, tu n'as personne à regretter !

— Surveille tes paroles ! s'anima Odilon. Roseline ne m'était pas moins chère qu'à toi ! »

Armand le provoqua d'un sourire.

« Fadaises ! Les gens des villes ont la poitrine creuse... Et c'est pis chez les ingénieurs ! Vraiment, quel soulagement de leur fausser compagnie ! »

Un coup de pied partit, qui atteignit le Sanflorin dans les côtes. En représailles, ce dernier mordit de toutes ses forces la jambe du Parisien près de lui. Une mêlée s'engagea, périlleuse dans la rue sillonnée de fiacres et de tramways à vapeur. Des passants accoururent, non pour séparer les lutteurs mais pour les exciter l'un contre l'autre, car il y avait, dans le nombre, des amateurs de sport. On n'eut pas le temps d'ouvrir les paris : s'étant assez dépensés, les jumeaux de la gomme jetèrent l'éponge.

« Tu es une belle crapule ! jura Odilon en tâtant sa dent déchaussée.

— Et toi, une immonde fripouille ! répliqua Armand qui massait son coude endolori.

— Je suis ton aîné, tu me dois le respect ! Alors prends ce conseil : ne démissionne pas sur un coup de sang... Les décisions qu'on prend à froid sont souvent les meilleures. »

Le Sanflorin fit cette concession à leur amitié.

« C'est entendu... Mais ne crois pas m'avoir dissuadé ! Je sens bien mon devoir envers Roseline, comme tu devrais sentir le tien. »

Les jumeaux poursuivirent leur chemin en clopinant. Par chance, ce matin-là, M. Pluot fiévreux gardait le lit : ils échappèrent à la sanction.

9

Depuis la fin de novembre, l'Hôtel Britannique accueillait une bien étrange pensionnaire.

Elle s'était fait enregistrer sous le nom de « comtesse d'Artois » ce qui, pour commencer, éveilla la méfiance du personnel : non que quiconque mît en doute la réalité de ce titre — à Paris, il suffit de se prétendre pour être, et les ducs prolifèrent comme les bouches d'égout —, mais l'on jugeait suspect qu'une dame de si haute naissance allât seule et sans compagnie. Dans l'esprit des garçons d'étage, la fortune était nombreuse et prolifique ; les riches, traditionnellement incapables de rien faire par eux-mêmes, entraînaient à leur suite tout un flot de laquais, de cuisiniers et de cameristes où se vérifiait leur condition.

Les mêmes s'interrogeaient à l'angle des couloirs : comment qualifier cette femme énigmatique ? Était-ce une *genreuse*, c'est-à-dire une aristocrate authentique, une *pshcutteuse*, donc une demi-mondaine ?

Le suspense dura peu : dès les premiers jours de décembre, la comtesse d'Artois signait sa note de restaurant du nom de « princesse de Batavia », ce qui la fit connaître comme une originale (ordre des mytho-

manes, famille des usurpateurs de titres nobiliaires).
Personne ne se retourna plus sur sa robe à longue traîne
dont les pentes recouvraient, affreusement sonores, des
escarpins à talons d'acajou.

On s'en avisa bientôt, ce trait n'était pas le seul qui
mît Salomé — son véritable nom — à part de la clientèle sage et un peu terne de l'hôtel.

À son arrivée, la jeune femme avait fait déposer dans
la chambre n° 11, au deuxième étage de l'établissement, une malle de grandes dimensions fermée par
deux énormes serrures. Sur les côtés du bagage cou-
raient des bandes de toile scellées par des cachets de
cire. La voyageuse avait spécialement recommandé de
ne pas toucher à ce coffre, ajoutant solennellement :
« Si vos employés tiennent à la vie. »

Il n'en fallut pas davantage pour susciter autour de
Salomé un dense réseau d'espionnage, impliquant une
demi-douzaine de femmes de chambre et autant de
grooms — réseau comme sait en organiser, mieux que
les services de renseignements, le personnel désœuvré
des palaces. Trois jours plus tard, on savait tout de
Salomé : l'heure de sa toilette, son dessert favori, le
comportement nocturne de sa coiffure et même, grâce
au guet effronté d'un garçon d'étage, la fréquence exacte
de son recours au plaisir solitaire.

Les témoignages présentaient des nuances entre eux.
Mais, sur un point au moins, tout le monde s'accordait :
personne n'avait jamais rendu visite à la jeune femme.

Or, c'était là qu'appuyait le mystère. Des appartements de cette solitaire sortaient en effet, à toute heure
du jour et de la nuit, des bruits de discussions impliquant plusieurs personnes ; on distinguait nettement
la voix d'un homme et celle d'un jeune enfant. Ces

échanges étaient animés, violents même, rappelant ceux d'un couple pendant une scène de ménage. Bientôt les plaintes des voisins affluèrent sur le bureau du directeur : ils entendaient des cris, de la vaisselle brisée, des meubles remués — impossible de fermer l'œil !

Un soir, le vacarme fut à son comble. À travers la porte de la chambre parvenaient les vociférations d'un homme, les plaintes d'un garçonnet : « Papa ! maman ! Cessez de vous battre ! » Les cris portaient jusque dans le hall de l'hôtel, où les badauds commençaient d'affluer.

Le directeur appela la police. Dix minutes plus tard, un commissaire à ceinture tricolore se présenta avec son escorte d'agents et de chiens. L'officier intima l'ordre à Salomé d'ouvrir sa porte. Pour toute réponse, la voyageuse tira le verrou à l'intérieur. Devant l'insistance des gendarmes, elle s'écria : « Laissez-moi tranquille ! Mêlez-vous de vos affaires ! Ce qui se passe ici ne vous regarde pas ! » Le vacarme reprit de plus belle.

Pour finir la porte fut enfoncée, révélant ce troublant spectacle : Salomé seule au milieu de la chambre, en compagnie d'une grande malle dont parvenaient les lamentations d'un enfant et d'une armoire qui résonnait des jurons d'un homme. Les policiers considérèrent la voyageuse, tout à fait calme, avec une fascination mêlée d'effroi. Elle fut saisie *manu militari* par deux agents, tandis que d'autres s'employaient à ouvrir la malle et l'armoire copieusement cadenassées.

L'armoire était vide... Dans le coffre, on trouva une boîte plus petite dont surgit un polichinelle au nez du commissaire stupéfait : « Je vous remercie, monsieur le commissaire. Vous vous êtes donné bien de la peine ! Je

suis un enfant de carton, et ma maman est ventriloque ! »

La police, le personnel, les clients : tous étaient mysti-
fiés...

Nouvelle venue à Paris, Salomé la ventriloque avait
imaginé ce numéro pour avoir bientôt un engagement
dans un café-chantant.

Elle l'aurait sans doute obtenu, tant les journaux
s'empressèrent de relater cette histoire et de faire sa
publicité, mais Gordon Hole devança les directeurs de
cabarets : l'après-midi même, il toqua à la porte de
Salomé, d'ailleurs voisine de la sienne.

L'Américain pratiquait l'art de convaincre en virtuose,
à moins que ce talent fût celui des billets de banque dont
sa poche ne désemplissait pas. Cinq minutes après le
début de leur entretien, Salomé la ventriloque était engagée par Gordon Hole et suivait son nouvel employeur
dans ses propres appartements. Là, elle fit la connaissance
de Gaspard et découvrit le menu de l'affaire.

« C'est tout ? s'étonna la jeune femme quand on lui
eut expliqué son rôle.

— Rien d'autre, mais attention ! L'exécution doit
être parfaite ! Le moindre écart nous perdrait tous... Je
ne pourrais alors garantir votre sécurité. »

Un reste de prudence motiva la question suivante de
Salomé.

« Pourquoi faites-vous cela ?

— Considérez qu'il s'agit d'une farce, répondit
l'Américain d'un air dégagé, un petit tour joué à un
ami ! »

La ventriloque borna là sa curiosité. Rendez-vous fut
pris pour le lendemain après-midi, ce qui laissait à
Salomé le temps d'apprendre son texte et d'exercer sa

216

voix au timbre recherché. Gaspard lui confia le phonographe avec le cylindre gravé, en lui expliquant son fonctionnement.

« Et si l'enregistrement est mauvais ? » se méfia encore la jeune femme.

Gordon Hole tapota l'appareil comme un jockey flatte l'encolure d'un pur-sang.

« Ce modèle, mademoiselle, est le dernier-né d'Edison. Il reflète la technique la plus avancée dans le domaine de la capture de sons... Songez qu'il a fallu dix ans pour le mettre au point ! Vous n'avez donc aucune crainte à avoir. Par ailleurs, je suis prêt à vous écouter quand il vous plaira. Je connais la personne qu'il s'agit d'imiter et garde un souvenir précis de sa voix.

— Dans ce cas... »

Aidée de Gaspard, Salomé emporta le phonographe dans sa chambre.

« J'ai confiance..., déclara l'Américain au retour de son homme de main. Cette jeune femme a du talent et de la probité. Vois-tu, c'est la complication de ce genre d'aventure : il faut s'entourer de gens honnêtes — sinon, on est trahi — qui acceptent de servir un but malhonnête — sinon, on échoue. Il n'y a qu'un seul moyen... leur déguiser la finalité de leurs actes !

— Salomé nous donnera satisfaction, j'en suis sûr ! Comment saviez-vous qu'une imitatrice allait descendre dans cet hôtel ?

— Je n'en savais rien ! C'est le hasard ! Toutefois, l'Hôtel Britannique est connu pour recevoir des artistes et des directeurs de troupe, surtout anglo-saxons. Le Châtelet et l'Opéra-Comique sont à deux pas... Notre amie ne pouvait l'ignorer.

— Ah ! monsieur, votre plan coule à merveille ! »

Certes, Jules Boissier eut beaucoup d'étonnement lorsqu'un matin, il vit reparaître sur le seuil de sa maison le neveu Armand entre deux valises pleines. Les serrures ne fermaient plus, d'où de nombreux tours de ficelle pour rendre solidaires les parois de toile.

Ainsi flanqué de ses drôles de bagages, le torse moulé dans une veste sombre à laquelle manquaient deux boutons, le Sanflorin avait l'air d'un violoniste pauvre qui revient de tournée. À n'en pas douter, les voisins avaient l'œil à la fenêtre.

« Tu viens souper ? marmonna l'oncle. Ce n'est pourtant pas l'heure ! »

Armand poussa du pied la plus grosse valise.

« Aide-moi à porter celle-ci à l'intérieur. L'amener depuis chez Roseline m'a rompu les bras ! »

Un silence pudique est conseillé aux oncles et aux tantes, aussi bien qu'aux parents directs, si tel jeune homme parti vivre chez sa maîtresse revient à l'improviste. Jules ne prononça pas un mot — ni quand Armand vida sa valise au fond d'une armoire, ni lorsqu'il lampa des tasses de café trouvées sur la table.

En revanche, voyant son visiteur arracher à tour de bras les fleurs du jardin, l'oncle crut bon d'intervenir. Peu lui importait qu'on appauvrît ses allées, rarement entretenues, mais non le jugement des voisins : avec l'âge, un désir de respectabilité venait à Jules.

« Pour qui sont ces fleurs ? s'informa-t-il en apportant un vase.

— Pour Roseline », annonça gravement le Sanflorin.

À cet instant, les nerfs lui cédèrent. Il eut un petit

hoquet et les larmes reparurent — ces larmes qui avaient tant coulé depuis deux jours.

Jules Boissier possédait le don de consoler. Aux paroles qui ne font souvent qu'aiguiser le chagrin, il préféra un acte : prendre les fleurs des mains d'Armand et arranger un beau bouquet dans le pot

« Vous vous êtes disputés, n'est-ce pas ? La belle affaire ! Une averse qui passera... À ton âge, le ciel est balayé d'un vent constant qui chasse tous les nuages. Ce bouquet lui fera plaisir. Sauf que... ces chrysanthèmes, sont-ils les bienvenus ? Méfie-toi : les femmes lisent partout des intentions. »

Armand tomba dans les bras de Jules, écrasant les fleurs entre eux.

« Mon oncle... Roseline est morte ! »

Il s'ensuivit beaucoup de larmes, partagées cette fois, et un long conciliabule dans l'hôtel aux volets clos.

Quand sonna l'heure de se rendre aux obsèques, les voisins attentifs virent la porte s'ouvrir et deux hommes en complet noir descendre les marches en s'accrochant par le bras. Le plus jeune portait une gerbe dont les couleurs franches juraient avec l'ombre des costumes et qui parut aux commères, dans la circonstance qu'elles devinaient, fort inconvenante.

Au même instant, un fiacre aux stores baissés cheminait vers le cimetière selon le rendez-vous fixé par Gordon Hole. Odilon relisait le petit bleu reçu le matin même par les proches de Roseline.

« Tout de même, confia l'ingénieur à Apolline assise à ses côtés, bâcler un enterrement de la sorte ! Il n'y aura, entends-tu, ni messe ni procession. Je n'espérais pas l'église tendue de noir comme pour les gentilshommes, mais enfin... Nous ne pourrons même pas embrasser

Roseline une dernière fois : le cercueil sera déjà scellé, prêt pour la mise en terre. C'est révoltant ! »

La jeune femme fit une réponse hardie :

« Je l'approuve, plutôt ! Un spirite sincère devrait toujours inhumer les siens de la sorte... Si vous étiez confiants dans la survie de l'âme après la mort, vous ne ressentiriez aucun chagrin lors des obsèques — non, plutôt une douce mélancolie, celle qu'on éprouve en saluant un voyageur sur le quai du train. Les larmes, les cortèges, les *De profundis*, tout ce décorum fait offense à Dieu ! Finalement il atteste votre peu de foi...

— Cela te plaît à dire ! s'indigna Odilon. Posséder une âme ne me prive pas d'avoir un cœur, et de le sentir quand disparaît un être cher ! »

Apolline fit non de la tête mais renonça à discuter. Elle préféra choisir une fleur dans la gerbe mortuaire posée en face d'eux : une pervenche dont elle arracha les pétales pour les sucer comme des feuilles d'artichaut.

« D'ailleurs, ajouta le Parisien, d'humeur chicanière, ta manie de manger les fleurs me répugne ! Regarde, tu désordonnes ce beau bouquet... »

La jeune femme lui tendit un pétale où brillait l'empreinte fraîche de ses dents.

« Dans le langage des fleurs, la pervenche blanche signifie : joie du souvenir...

— Oui, j'ai feuilleté la *Revue illustrée* où tu lis ces sottises. Voilà bien ce qui importe à une femme, un jour semblable — son petit jardinage ! Vas-tu aussi courir Aux Deux Saules choisir un tissu pour ta robe de deuil ? À ta pervenche je réponds donc la digitale : manque de sincérité ! »

Apolline foudroya son mari du regard. L'éventail de

daim qui pendait à son poignet se déploya farouchement, à l'espagnole.

« Le camélia blanc : beauté accomplie ! Le courbaril : affection qui survit à la mort ! »

Le Parisien mit fin à la dispute d'un geste tranchant de la main.

« Il suffit ! Ce n'est ni l'endroit ni le moment d'avoir une scène... »

À cet instant, le cocher donna du poing sur le toit de la voiture, façon grossière d'avertir ses passagers qu'ils étaient à destination.

Comme l'avait prédit Gordon Hole, les funérailles de Roseline avaient attiré peu de monde. Outre les quatre fidèles déjà nommés et l'Américain lui-même, ceux qui bravaient la bise hivernale pour assister à l'inhumation n'auraient pas rempli un banc d'église. On reconnaissait le propriétaire de l'appartement qu'avait occupé l'actrice, venu sans doute réclamer l'arriéré du loyer ; le sous-directeur du théâtre, inquiet lui du contrat résilié ; quant à cet homme d'allure athlétique, sa haute taille et sa forte moustache le désignaient évidemment comme un fonctionnaire de police.

Gordon Hole n'avait pas souhaité épaissir le cortège. D'une part, la dépense consentie à ce simulacre d'enterrement lui semblait déjà excessive et, d'autre part, le risque d'être démasqué augmentait avec le nombre d'invités. La chance avait permis que Roseline fût quasi sans famille et sans attaches : mieux valait ne pas la provoquer...

L'inhumation fut l'affaire d'un moment. On jeta quelques pelletées de terre sur le cercueil vide puis Gordon Hole, qui redoutait les questions, appela sa voiture stationnée dans une allée du cimetière. Cette dérobade fut mise sur le compte du chagrin paternel, et personne n'eut l'audace d'aborder l'Américain.

Même la police, parfois effrontée, marqua un respect inattendu aux circonstances.

« C'est une pauvre demoiselle qui a mis fin à ses jours ! confia l'inspecteur à Odilon. Il y en a beaucoup, par ces temps de misère. Les hommes se pendent et les femmes se noient ! »

Le Parisien trouva l'occasion d'afficher son aigreur.

« J'aurais souhaité rendre un dernier hommage à la défunte. Comment se fait-il que le corps n'ait pas été exposé ?

— C'était la volonté de M. Hole, attendu les circonstances spéciales du décès. Le corps a été mis en bière le lendemain de son arrivée à la morgue. Mes services n'ont pu l'examiner...

— On n'a jamais vu ça !

— Bah ! fit le policier débonnaire. À quoi bon accabler la famille ? Cette demoiselle a souhaité mourir. Laissons-la reposer en paix... »

L'enquête fut close et le deuil put commencer.

Dans la chambre de son garni, au dernier étage d'un immeuble parisien, Gaspard Louchon surveillait le réveil difficile de Roseline Page.

Rapatrier la jeune femme depuis la morgue n'avait pas été une mince affaire. Les muscles de Gaspard se ressentaient encore de leur effort, et ses nerfs des fréquentes alertes qui avaient ponctué son voyage clandestin à travers la capitale. Est-ce qu'au moins l'Américain se figurait les risques qu'avait courus son associé, dépositaire d'un corps dérobé chez le Père la Pudeur ? Avait-il la notion du châtiment qui l'attendait, si la police avait vent de l'affaire ? Certainement non ! À Gordon, les missions faciles et gratifiantes — une lettre à écrire, un rôle de comédie... Mais au pauvre Gaspard, les tâches ingrates, les besognes dangereuses !

Il consulta sa montre et remplit une nouvelle cuillère d'antidote, ce liquide jaune et crémeux qu'il faisait boire à la fiancée d'Armand. Le sang qui revenait peu à peu aux joues de la jeune femme marquait un progrès. Néanmoins Gaspard le trouvait paresseux, et s'en inquiétait... Chez certains sujets, le poison laissait des séquelles — à moins que ce ne fût, également incommodante, la longue privation d'eau et de nourriture.

Vers midi, ayant gravi tous les échelons de la conscience, l'actrice ouvrit enfin les yeux. Ils semblaient vides et inhabités. Mais un moment après, d'une façon indéfinissable, le regard y monta. Gaspard, la tête penchée sur la convalescente, hasarda un sourire.

« Où suis-je ? Qui êtes-vous ? » demanda Roseline dans un bâillement.

À ces questions inévitables, l'homme de main préféra répondre sans ambages, considérant qu'il ne pourrait de toute façon trahir longtemps la vérité. Il raconta d'une traite l'enlèvement, l'abandon du corps au bord de la Seine et son séjour à la morgue. Rien des démarches qui composaient ce plan artificieux ne fut passé sous silence. Roseline apprit que ses amis la tenaient pour morte, que son enterrement s'était déroulé le matin même. Elle sut que Gordon Hole se faisait passer pour son père.

« Mon père ? réagit la comédienne. Mais il a été tué devant les barricades de Paris ! J'étais un bébé ! »

La confusion de pensée où se trouvait Roseline obligea l'homme de main à répéter trois fois son récit, en modulant certaines phrases dont le sens, trop riche ou trop brutal, défiait encore son entendement. À la fin elle comprit... Alors une telle détresse se peignit sur ses traits, devant l'horreur de sa situation, que Gaspard craignit de voir sombrer ses facultés.

« Mais à présent tout est fini ! conclut ingénument l'homme de main. Vous êtes éveillée et bien-portante ! M. Hole vous a confiée à moi, je vais prendre soin de vous ! »

Seule la tête de Roseline et un peu ses mains avaient bougé depuis son réveil. Or à cet instant, la panique lui inspira de descendre du lit pour se mettre debout. Elle donna une violente impulsion à ses jambes et à ses bras. Hélas ! Répété deux fois, cet effort désespéré n'obtint que de tourner son corps de côté, dans une posture encore moins confortable. Prise de vertige après ce mouvement, elle rendit gorge. Le gardien la recoucha sur le dos.

« Soyez sage, je vous en prie ! Il me coûterait d'être brutal. Je vais être obligé de vous attacher... »

Et, au moyen de la corde toute prête, Gaspard entreprit de ficeler les jambes de la comédienne.

« Qu'entendez-vous faire de moi ? demanda Roseline dans un râle.

— C'est à M. Hole d'en décider... Si vous voulez mon opinion, vous lui causez de l'embarras. Il n'a pas le cœur de vous tuer, sans pouvoir non plus vous laisser vivre normalement. Certes oui, vous êtes un problème pour lui !

— Mais enfin, pourquoi m'avoir enlevée ? Pourquoi faire croire à ma mort ? Je n'y comprends rien... »

Gaspard regarda Roseline pendant qu'il serrait un

nœud tout près de sa cuisse. Il ferma la boucle quand il vit grimacer le beau visage.

« Vous ne voulez pas répondre..., constata la jeune femme. Au moins, dites-moi : me laisserez-vous sortir ?

— Une morte dans les rues de Paris ? Non, c'est impossible.

— Pourrai-je écrire ? Envoyer une lettre à ma mère ?

— Pas davantage..., fit doucement Gaspard qui n'aimait pas ce rôle de censeur. En revanche, c'est promis, je vous apporterai des revues et des friandises. Nous aurons de longues conversations, nous jouerons aux dominos et au jacquet. Vous pourrez tricoter, si c'est votre goût... »

Le gardien faisait son possible pour distraire Roseline et présenter sa réclusion comme une convalescence pleine d'agrément et de jeux. La jeune femme ne lui sut aucun gré de cette attention, mais s'irrita plutôt de ce qu'elle prit pour un nouveau stratagème.

« Vous mentez ! Tout ceci est pure invention, macabre mise en scène ! Quelle actrice jalouse vous paie à me faire peur ? Est-ce Gabrielle Réjane, à qui j'ai soufflé un rôle à l'*Ambigu-Comique* ? Ou bien Julia Bartet, cette rivale sans talent ? Je sais qu'elle me hait mortellement... De qui êtes-vous l'instrument ? Confessez-vous !

— Je dis la vérité, mademoiselle.

— Il faut le prouver ! »

Gaspard choisit dans la pile de revues sur la table, deux journaux datés respectivement du jour et de la veille.

À la une du premier, on découvrait une gravure de la Tour dans son aspect récent, dotée d'un frêle premier étage. La construction projetait sur la Seine une ombre treillissée qui semblait un filet gigantesque — un filet dont les mailles piégeaient une femme couchée avec les traits de Roseline. « La sirène malheureuse », titrait la gazette.

La rubrique nécrologique du second journal évoquait brièvement les obsèques de l'actrice. Il s'agissait d'une annonce « économique » de quatre lignes, sans frise ni ornements, comme en placent les petits-bourgeois lorsqu'ils enterrent un oncle sans héritage. Aucune indication n'était donnée sur le lieu ni sur le jour des obsèques. Le texte compendieux invitait seulement les lecteurs à « s'unir aux prières » de la famille en deuil.

« Ça remue de lire son nom sur cette page, n'est-ce pas ? ironisa Gaspard. Savez-vous comment Moïse Millaud, le fondateur du *Petit Journal,* se fit connaître dans la modeste feuille où il débuta ? Responsable de la rubrique nécrologique, il faisait suivre les noms des défunts par ceux de leurs médecins traitants ! En voilà une trouvaille ! »

Mais Roseline n'avait pas le cœur à rire. D'être ainsi confrontée à l'évidence sapait son dernier espoir. Alors cette jolie femme qu'on n'avait jamais vu pleurer, dont les chagrins les plus sérieux semblaient s'évaporer comme la rosée de l'aube, forma deux grosses larmes qui allèrent rouler dans son collier de perles. Gaspard en fut tout retourné.

« Ce n'est pas gentil ! Non, ce n'est pas gentil ! Vous voulez m'attraper par les sentiments ? Moi qui fais tout pour vous être agréable ! Si c'est ainsi, je vais dans la pièce d'à côté ! Parfaitement ! Et ne vous avisez pas de crier, sinon je vous mets le bâillon ! »

Gaspard jeta quelques journaux sur le lit, à portée de main de Roseline. Il sortit d'humeur fort troublée.

226

La nuit tombait quand Gordon Hole, donnant le bras à Salomé la ventriloque, se présenta à la porte de la morgue.

À cette heure et dans cette circonstance, banalement agiter la cloche parut faible à l'Américain. Il préféra gratter la porte puis, celle-ci entrouverte, s'y faufiler en jetant de prudents regards de côté. Ces précautions d'ailleurs excessives troublèrent la jeune femme. Où l'entraînait-on ? Son malaise vira à l'angoisse quand elle vit Gordon échanger avec le gardien un signe de connivence.

« Monsieur, je ne vous suis plus ! débita la ventriloque à toute allure. Gardez votre argent, je reprends ma liberté ! »

La pression des doigts de l'Américain s'accentua sur son bras.

« C'est hors de question ! Vous étiez prévenue... Allons, du courage ! Il s'agit d'un jeu, d'une mascarade ! Vous ne courez aucun danger. »

Le cercle spirite au complet était déjà réuni dans la salle de la morgue. Une vingtaine de jeunes gens attendaient, assis sans façon sur les tables d'exposition des cadavres. Leurs habits sombres les assimilaient à ce décor funèbre. Certains paraissaient des fossoyeurs venus prendre livraison d'un client ; d'autres, à la santé douteuse, se distinguaient à peine des morts et, comme ils s'accoudaient aux plateaux de marbre, semblaient s'en relever. Au premier coup d'œil, on devinait que ces gens n'habitaient pas le monde réel ni tout à fait leurs corps.

Pareille assemblée pouvait intimider. Or elle produisit l'effet inverse sur Salomé. Ainsi sont les vraies comédiennes, dont le trac se dissipe au lever de rideau. La ventriloque identifia aussitôt Apolline et marcha à sa rencontre.

« Chère consœur, je suis flattée de faire votre connaissance ! »

La teinte d'accent américain, l'espèce de révérence garçonne étaient un chef-d'œuvre de composition. C'était bien le personnage qu'avait imaginé Gordon Hole et auquel les spirites, d'après sa description, pouvaient s'attendre : une médium du Nouveau Monde, rieuse et exaltée, dont l'occultisme n'avait pas le caractère mondain des Français mais une familiarité toute anglo-saxonne.

De l'autre côté de l'océan, on conversait avec les morts comme avec son voisin de palier. Une gymnastique des bras et de la tête mettait les médiums en condition d'opérer — selon la croyance américaine que l'obstacle aux communications résidait dans le corps. Les technologies modernes, l'électrisation en particulier, venaient au secours des pythies défaillantes. Il s'agissait d'une école pragmatique dont Salomé semblait l'élève disciplinée.

Apolline rendit les salutations avec un sourire. Le contact était bon : on ne sentait de sa part aucune défiance envers la nouvelle venue. Cela contribua beaucoup à détendre l'atmosphère. Sans plus tarder, les spirites formèrent leurs rangs pour descendre dans la cave.

C'était la première fois que deux médiums, dont aucune ne prévalait nettement sur l'autre, se trouvaient réunies à la table. Ce cas rare suscita une discussion de protocole : qui des deux femmes ouvrirait la séance ? Laquelle adresserait la prière aux Esprits ?

Par courtoisie, on décida de réserver l'évocation proprement dite à Salomé, tandis qu'Apolline serait chargée d'animer la soirée. La séance put commencer.

Cette réunion en présence d'étrangers, pour appeler l'Esprit d'une morte que tous avaient connue, possédait un caractère exceptionnel. Apolline voulut mettre les formes : il y eut d'abord, selon les prescriptions du maître Allan Kardec, lecture des communications spirites obtenues dans la dernière séance et leur mise au net, puis un rapport succinct de la correspondance qu'entretenait le cercle avec d'autres sociétés occultes. Odilon proposa une sorte de revue de presse, très dense à la vérité, qui démontrait l'intérêt suscité partout par le spiritisme. Les meilleures plumes sacrifiaient à la mode : ainsi Théophile Gautier, auteur du roman *Spirite* paru vingt ans plus tôt, ou Yveling Rambaud dont on annonçait le feuilleton intitulé *Force psychique*.

Gordon Hole, qui assimilait le spiritisme à une attraction foraine et lui avait supposé les mêmes formes cocasses et grimacières, s'étonnait du sérieux de la réunion. La discipline des échanges, l'autorité sans faille d'Apolline évoquaient un collège philosophique où l'on débat gravement de sujets élevés. L'assemblée comprenait même un commissaire chargé de maintenir l'ordre : à deux reprises, il avait fait exclure un membre coupable d'avoir pris la parole sans autorisation. En tant qu'auditeur étranger, l'Américain devait garder le silence.

Au moment du compte rendu d'Odilon, une heure s'était déjà écoulée et l'évocation n'avait pas encore eu lieu.

Cette attente tourmentait sourdement Salomé. Plus approchait le moment de son entrée en scène, plus grandissait son angoisse de mal faire. Elle se trouvait moins à l'aise dans ce costume chamarré de devine-resse, avec ses voiles pailletés d'or et ses bracelets en clinquant. Qui pourrait la prendre au sérieux ? Qui n'allait deviner, dès les premiers mots sortis de sa bouche, l'évidente supercherie ?

Tout à coup, Apolline fit signe à Salomé qu'elle pou-vait commencer. La ventriloque inspira profondément et récita la prière d'évocation : « Je prie Dieu tout-puis-sant de permettre à l'Esprit de Roseline Page de se communiquer à moi. Je prie aussi mon ange gardien de bien vouloir m'assister et écarter les mauvais Esprits ! »

Bien qu'à ce moment tout le monde eût les yeux fer-més, Salomé entrouvrit les siens pour juger l'effet de ses paroles. C'était un succès : la vingtaine d'assistants liés par les mains écoutaient dans un silence attentif. Elle poursuivit :

« Esprit de Roseline Page, es-tu là ? »

Elle réitéra trois fois cette question, comme on frappe trois coups au théâtre.

« Esprit de Roseline Page, veux-tu me répondre ? »

Le temps était venu d'employer ses talents. Salomé se remémora la voix de la comédienne, telle qu'elle avait pu l'entendre sur le cylindre du phonographe, et l'em-prunta pour dire :

« Je suis là. »

L'imitation était réussie. Un frisson courut l'assis-tance à l'écoute de cette voix familière, connue de cha-cun pour son timbre un peu grave et son coquet défaut de prononciation — façon de substituer la langue sif-flante à la langue chuintante, ce que les professeurs de diction nomment un *blèsement*.

« Je suis là ! » répéta Salomé.

Armand s'était vu assigner le rôle de questionneur.

Mais une telle émotion l'avait submergé, en croyant entendre sa bien-aimée, qu'il ne put remplir sa fonction. Odilon prit le relais.

« Êtes-vous la comédienne Roseline Page, notre amie disparue ?

— C'est moi », affirma la voix.

D'une réplique à la suivante, la jeune femme améliorait sa contrefaçon. Elle parlait désormais lèvres closes — un truc de ventriloque, dont elle espérait ce jour-là étayer l'origine surnaturelle de ses propos. En somme, si ses confrères donnaient vie à des pantins ou à des animaux, elle pouvait bien animer un fantôme !

« Une lettre a été trouvée sur vous, poursuivit Odilon. En êtes-vous l'auteur ?

— Je le suis.

— Son contenu est-il fiable ?

— Je n'ai écrit que la vérité. »

La première série de questions, assez longue, visait à confirmer l'identité de Roseline. Tel était en effet l'accident commun des évocations : appeler un Esprit qui ne venait pas, mais que remplaçait un autre pris pour lui.

Les questions suivantes avaient une autre fonction. Rédigées par Odilon sous la dictée d'Armand, et la réciproque, elles devaient pallier l'imprécision de la lettre sur certains sujets.

« Votre absence nous cause un grand chagrin..., déclara Odilon. Il nous importe d'approfondir vos raisons. Quelqu'un vous a-t-il inspiré ce geste regrettable ?

— Oui.

— Son nom ?

— Gustave Eiffel. »

Depuis dix minutes qu'ils les joignaient, les mains des spirites devenaient moites et glissantes, désagréables à tenir. On s'y efforçait malgré tout, afin de ne pas rompre la chaîne. À cet instant pourtant, elle fut brisée par un soubresaut d'Armand. L'ingénieur se lia de nouveau avec ses congénères.

« De quoi M. Eiffel s'est-il rendu coupable ?

— Il a causé le malheur de notre famille, il a pillé le talent de mon père et ses idées. Surtout, il a pris l'homme que j'aime pour collaborateur. Cet affront m'accula à mourir.

— Mais en recrutant ce jeune ingénieur, Eiffel pouvait-il savoir qu'il faisait du tort ? »

Salomé marqua une courte hésitation. Elle reprit en choisissant ses mots :

« Le mal peut être commis sans intention, cela ne suffit pas à l'absoudre... L'homme qui jette une allumette et provoque l'incendie d'une grande forêt ne l'a pas voulu : il n'en est pas moins responsable. »

À part lui, Gordon félicita Salomé de s'être si adroitement tirée d'affaire.

« Vous avez choisi de mourir près du chantier de la Tour. Était-ce pour nuire à M. Eiffel ?

— En effet, j'espérais le compromettre. Mais la presse n'a guère joué le jeu. »

Odilon en avait terminé. Il toucha l'épaule d'Armand. Alors le Sanflorin, qui avait longuement médité sa question, la formula d'une voix peureuse :

« Roseline... Peut-on faire quelque chose à ton... à votre service ?

— Vengez-moi ! »

Ces paroles véhémentes, si peu dans le ton de l'entretien, éveillèrent une rumeur à la table des spirites. Apolline la réprima d'un « chut ! » impérieux.

« De quelle façon ? s'informa l'ingénieur. Dites et nous agirons !

— Détruisez la Tour ! »

La rumeur reparut et s'enfla. Cette fois, Apolline fut impuissante à ramener le calme. Le commissaire de discipline n'y réussit pas davantage, quoiqu'il eût déjà expulsé les plus bavards. En un moment, la séance des spirites se mua en salon parisien où l'on conversait à voix basse avec ses voisins, à voix haute avec les confrères du bout de la table. Le volume des discussions montait sans cesse, formant un brouhaha qu'amplifiait encore la résonance des voûtes de pierre.

Salomé se pencha vers Apolline, assise à ses côtés.

« Quelle pétaudière ! C'est ma faute ! »

La médium lui prit fraternellement la main.

« Vous n'y êtes pour rien... L'évocation était très belle. Je vous envie ce don de faire entendre la voix des morts. Mais il faut comprendre nos spirites : deux heures de séance, c'est long ! Il tarde à chacun de commenter les propos de Roseline. Tant pis pour l'ordre du jour !

— L'Esprit n'avait pas terminé, je crois... Ce chahut l'a fait fuir. Peut-on prévoir une nouvelle séance ? »

Apolline eut le sourire du maître pour l'élève bien classé.

« C'est d'accord...

— Quel jour ?

— Inutile de prendre date. Passez quand vous voulez, vous serez toujours la bienvenue ! Nos réunions sont le mercredi soir. »

D'un clin d'œil, Salomé confirma à Gordon l'accomplissement de sa mission. Elle reçut en retour un témoignage discret du contentement de l'Américain.

À l'autre bout de la table, Armand et Odilon échangeaient leurs impressions sur la séance. Le Sanflorin croyait à la réalité de l'évocation, quand son ami la repassait d'un œil critique.

« Odilon, quelle histoire ! Roseline nous commande d'abattre la Tour !

— Comme tu y vas ! D'abord, s'agit-il bien de Roseline ? »

Armand eut un hoquet de surprise.

« Et de qui d'autre ? Nous l'avons entendue !

— Certains Esprits mal intentionnés font des farces aux dépens des humains. Contrefaire une voix est sûrement dans leurs moyens... Et puis, la ressemblance est-elle si évidente ?

— Mais ses propos ? Les détails qu'elle a donnés ?

— Leur accent me choque. Roseline était une femme passionnée, mais sujette moins que quiconque au ressentiment. Je ne l'ai pas reconnue dans ces paroles vengeresses. Toi non plus, si j'en juge par ton vouvoiement... Tu m'as dit la tutoyer ! »

L'argument avait porté. Armand eut un instant d'hésitation.

« J'étais intimidé... Deviser avec un spectre, ce n'est pas comme parler à la femme vivante !

— Pour finir, enchaîna Odilon fidèle à son idée, j'ai été surpris qu'elle mentionne la Tour. Pourquoi la Tour ? N'est-ce pas un trait médiocre, indigne de notre amie, que de demander réparation par un tel acte où beaucoup trouveraient la mort ?

— Cependant, elle n'a pas appelé au meurtre d'Eiffel ! »

Le Parisien balaya cette nuance du revers de la main.

« Dans le monde pacifié des Esprits, les passions terrestres n'ont plus cours... sauf chez les âmes viles, qu'on reconnaît par là. Roseline ne peut leur être assimilée. Non, je l'affirme : ce n'est pas elle qui s'est exprimée ce soir...

— Et moi, je suis certain qu'elle a parlé ! rétorqua le Sanflorin. Inutile d'en débattre. Attendons la prochaine séance ! »

La réunion terminée, les spirites quittèrent la morgue et se dispersèrent sur le quai. Les jumeaux rentrèrent de compagnie, ensuite Armand prit seul l'omnibus vers la rue de Bruxelles.

10

On procéda à de nouvelles évocations de Roseline dans les mois qui suivirent.

Cet entretien posthume devenait régulier et même ordinaire, suppléant les autres communications du cercle spirite. À quoi bon convoquer des morts anonymes, puisqu'on avait sous la main une défunte connue de tous ? Pourquoi interroger des âmes confuses ou laconiques, quand Roseline parlait si bien, avec toute l'éloquence d'une ancienne comédienne ?

Conseillée par Gordon Hole, Salomé ménageait ses effets : c'était en fin de séance que l'Esprit se livrait le mieux, l'entretien n'ayant servi qu'à créer le suspense. Quant aux tout derniers mots, souvent opaques, leur rôle était d'attirer le public à la prochaine représentation.

Ces évocations toujours réussies, sans plus d'hésitations ni de silences qu'il n'en fallait pour les rendre crédibles, profitèrent beaucoup à la réputation de Salomé.

Curieusement, personne ne mettait en doute l'honnêteté de son talent, si peu dans les normes humaines. On tolérait que cette nouvelle venue obtînt du premier coup, et comme en claquant des doigts, de faire parler une morte ; un exercice où d'autres s'épuisaient inutilement mois après mois.

C'était peut-être par goût des miracles — vénération humaine pour ceux qui dominent, triomphent à l'aise et sans effort. Il fallait un héros à la discipline spirite, fade à force d'humilité.

Mais plus sûrement, c'était grâce à l'Américain et à sa belle idée : prêter la voix de Roseline à Salomé. La répétition de ce prodige désarmait les plus sceptiques. Telle était l'identification des deux femmes qu'on ne les démêlait plus. Attaquer la médium signifiait s'en prendre à l'Esprit lui-même. La vive et la morte faisaient cause commune, au grand bénéfice de la première.

Face à un mensonge si bien réglé, seule Apolline pouvait douter. Elle connaissait le métier : il est vraisemblable qu'elle eût surpris, à travers cent détails, l'imposture de la ventriloque. D'où venait alors qu'elle n'accusât jamais Salomé, mais plutôt l'encourageât ? Comment tolérait-elle l'affirmation de sa consœur, appelée à devenir la guide officieuse des spirites ?

De toute évidence, la médium était subjuguée. Cet ascendant obscur qu'ont certains êtres sur d'autres, et qui font la mère céder à son enfant, le tigre reculer face au dompteur, mettait Apolline sous le pouvoir de Salomé. La ventriloque sentait cet intérêt, le partageait dans une certaine mesure, sans pouvoir tout à fait y répondre. Comment se lier d'amitié avec quelqu'un qu'elle trompait ? Elle devait à tout prix garder ses distances. De fait, obéissant à Gordon Hole, Salomé ne fréquentait personne en dehors des réunions.

Chaque semaine la médium nouvelle gagnait sur l'ancienne, confisquant ses pouvoirs et ses prérogatives. C'était désormais Salomé qui dirigeait les séances, fixait l'ordre du jour et signait le courrier. Le cercle spirite n'apparaissait plus comme le groupe d'Apolline invitant Salomé, mais comme celui de Salomé tolérant Apolline.

Sous le règne de la ventriloque, la tournure des séances changea radicalement. Adieu les réunions de naguère, tristes et compassées, où l'on espérait des heures la manifestation des Esprits ! Adieu aussi les messages gribouillés, dont le pauvre déchiffreur prenait des migraines !

Désormais les séances étaient plaisantes et récréatives. On s'y rendait comme au café-concert, le pas léger et la fleur à la boutonnière ; on en sortait de même, cultivant le dernier bon mot de Roseline comme un refrain à la mode. La consigne de discrétion était oubliée. Certains spirites parlaient d'inviter leurs amis : c'était si amusant, le cercle ! Bien des cabarets pouvaient lui envier son succès, eux dont les tours de chant remplissaient à peine trois rangs de fauteuils. Un nouveau comptoir *décadent,* dans le sous-sol de la morgue ? Le bruit s'en répandait, porté par des voisins qui avaient vu sortir des noceurs turbulents de la maison des morts.

Venus à l'occultisme par goût du sensationnel, une majorité de spirites approuvaient la réforme des séances. Seuls Odilon et Armand y trouvaient à redire — le premier selon ses convictions spirituelles ; le deuxième parce qu'il s'agissait de Roseline, et que Roseline était sacrée...

Les démarches du Parisien pour raisonner Apolline firent chou blanc.

« Tu te tourmentes pour rien ! réagit la médium. Salomé sait ce qu'elle fait... Et puis, reconnais-le, les séances sont plus drôles ainsi !

— Drôle, l'évocation des morts ?

— Pourquoi non ?

— Ma parole ! s'écria Odilon en prenant sa femme par les épaules. Tu es possédée ! Ce n'est pas Apolline que j'aime, Apolline que j'ai épousée ! Cette Américaine t'a tourné la tête !

— Je suis lasse, Odilon... Cinq années à présider le cercle m'ont vidée de mes forces. Salomé arrive à point nommé pour prendre la relève. »

Si l'insistance du Parisien eut le moindre effet, ce fut d'affaiblir leur couple, qui s'identifiait intimement à une foi partagée dans le spiritisme. Du moment que leurs idées divorçaient, il semblait que leurs corps dussent faire de même. L'alliance à leur doigt, déjà furtive, disparut tout à fait. Apolline la première ne la passa plus ; Odilon suivit pour ne pas être en reste. On guettait la séparation prochaine.

Du côté d'Armand, les choses étaient bien différentes : sa bien-aimée habitait l'autre monde. Une fois la semaine, elle se produisait pour l'agrément de quelques curieux, des hommes en majorité, dans une cave enfumée aux allures de lupanar.

Ces entretiens étaient loin d'agréer l'ingénieur. Il n'aimait pas qu'ils fussent publics : parler à Roseline devant tous ces hommes lui donnait l'impression d'exhiber sa fiancée pour des voyeurs. Comment aborder certains sujets, très intimes, quand il savait leurs propos consignés dans un procès-verbal ? Roseline elle-même en souffrait : c'était l'excuse du ton impersonnel, du vouvoiement têtu qu'elle marquait à tous et même à lui, son fiancé... Elle l'appelait « Monsieur Boissier » !

Après deux mois de ce traitement, on perdit de vue qu'Armand avait été l'amant de Roseline — ou plutôt, on se rappela que d'autres spirites avaient eu ses faveurs. Le rôle de questionneur fut disputé au Sanflorin ; il le défendit farouchement, comme il eût gardé sa femme contre des rivaux. Cette jalousie posthume n'avait pas de remède, sauf à consulter Roseline à la façon puérile des prétendants : « Qui de nous a ta préférence ? » L'orgueil d'Armand y répugnait encore.

Un soir, n'y tenant plus, le Sanflorin prit Gordon Hole à part.

« Monsieur Hole, pouvons-nous causer ? »

L'Américain s'inclina courtoisement, et guida lui-même l'ingénieur vers deux chaises à l'écart.

« Je dois parler à ma fiancée. Je veux dire... lui parler *en tête à tête* !

— Cher ami, vous le faites déjà ! observa perfidement Gordon Hole. À toute heure du jour et de la nuit, dans le secret de votre cœur !

— Il s'agit d'autre chose. J'ai besoin de m'entretenir avec son Esprit. Certaines questions me brûlent les lèvres et... je n'ose pas les poser lors des séances. »

L'Américain offrit une cigarette.

« Ce désir d'intimité est bien naturel. Hélas ! Comment procéder ? Roseline ne s'est jamais manifestée hors des réunions.

— Organisons une séance privée ! Salomé, vous, *elle* et moi. Qu'en pensez-vous ?

— Salomé seule peut vous répondre ! » se déroba d'abord Gordon.

Puis, estimant qu'il avait assez torturé l'ingénieur :

« Pourquoi pas ? Je vais lui en parler. »

Le visage d'Armand s'éclaira. C'était celui d'un enfant sous un feu d'artifice. « Il l'adore ! » comprit l'Américain un peu jaloux.

« Merci, merci Monsieur Hole ! Vous me sauvez la vie ! Quand aura lieu notre séance ?

— Ce n'est qu'un détail. Nous conviendrons d'une date avec Salomé. »

Sur quoi, Gordon Hole mit la main à son chapeau et se retira à la suite d'autres spirites.

Certains ouvrages d'équilibre ont une longévité admirable : tel petit caillou faisant l'appui d'un énorme rocher qu'on balance à main nue, tel menhir à l'improbable verticale siègent des millénaires, alors que les maisons les mieux fondées croulent au bout de quelques siècles.

Il en était ainsi du plan de Gordon Hole. Si douteux, si aléatoire, soumis en apparence à tant d'imprévus, il fonctionnait néanmoins, presque à l'étonnement de son auteur.

Quatre mois avaient passé sans dresser aucun obstacle sérieux sur la voie du succès. La police n'avait pas ouvert d'enquête, le Père la Pudeur n'avait pas donné son suborneur, Apolline ne contestait pas les talents de Salomé ; enfin personne de l'entourage de Roseline n'avait mis en doute la réalité de sa disparition. « Cette fille est bien seule au monde ! » songeait parfois l'Américain qui continuait de relever le courrier au domicile de l'actrice.

Si, tout de même... Une personne créait des difficultés — celle qu'on jugeait la moins susceptible d'en produire : c'était Roseline !

Depuis le réveil de la jeune femme, la vie de Gaspard, et par ricochet celle de l'Américain, tenaient du purgatoire. Leur erreur commune était d'avoir assimilé l'actrice à d'autres Parisiennes exerçant le même métier : créatures folâtres vivant de robes et de bouquets, sans autre aspiration dans la vie qu'une jolie bonbonnière où vieillir à l'abri du besoin. Sous cet angle en effet, la séquestration devenait tolérable. Nombre de filles passaient leur temps recluses, privées de sorties et de visites par un mari jaloux — lequel ne jouissait pas toujours, comme Gaspard, d'un budget princier pour éponger leurs caprices.

Mais la fiancée d'Armand était tout sauf une femme entretenue. Davantage que de cadeaux, elle avait besoin d'une société, et mieux : d'un public. L'air du théâtre, celui des parterres mondains et des soirs de premières, lui manquait férocement. Que lui importaient le champagne, les dîners fins et les livres à tranche dorée ? Ce qu'elle réclamait par toutes les fibres de son être, c'était de revenir au monde, de renaître à ce Paris heureux dont la saveur une fois goûtée ne s'oublie plus...

Afin d'obtenir de Gaspard la permission de sortir, Roseline avait tout essayé. Quatre mois, c'est bien assez à une femme pour faire tourner un homme en bourrique : tour à tour, la comédienne dans son meilleur rôle avait joué l'autorité, le charme, l'amour, l'estime et la folie ; elle avait dit « j'exige ! » puis « j'implore ! » avant « je supplie ! ». Toutes les nuances du sentiment humain avaient passé sur son visage, un spectacle inouï donné pour un seul spectateur dans une chambre fermée — et que Gaspard, en d'autres circonstances, eût chaudement applaudi.

Bien des fois, à la vérité, le brave homme avait été sur le point de céder. Il n'était pas dans ses moyens d'éconduire une belle femme qui lui murmurait : « je t'aime, détache-moi ! » en tendant suavement les lèvres.

« C'est entendu ! rugissait Gaspard. Je vous libère ! » Il allait jusqu'à défaire un ou deux nœuds.

Mais déjà les conséquences de son geste lui devenaient sensibles : la prison, les travaux forcés, l'échafaud peut-être ; ou bien, si par bonheur il en réchappait, l'hostilité de Gordon Hole, guère plus enviable...

« Je ne te livrerai pas, tu as ma parole ! » plaidait encore Roseline, en se tordant pour élargir la corde.

La guillotine bien affûtée rendait à l'oreille de Gaspard son bruit mat. Alors l'homme de main reculait — refaisait les nœuds, nouait le bâillon. De sa bouche sortaient des « pardon ! pardon ! » auxquels l'actrice, tant qu'elle pouvait, répondait par des salves d'injures.

Ces scènes pénibles survenaient pendant la journée, en l'absence de Gordon Hole. Quand l'Américain rendait visite à son homme de main — c'était habituellement le soir, en semaine —, Roseline s'enfermait dans un silence hautain, détournait la tête ou cherchait le sommeil.

La jeune femme se faisait un point d'honneur d'ignorer les questions de l'architecte, qui avait besoin d'anecdotes pour alimenter les séances spirites. Et lui, *gentleman* malgré tout, n'avait pas le cœur de punir cette entêtée.

« Oui, vous avez le beau rôle ! notait Gordon un peu amer. Pour le public des Variétés, la scène se lirait aisément : voilà le mauvais sujet qui retient prisonnière une innocente ; voici la vertueuse demoiselle, souffrant mille maux de sa capture. Comme c'est simple ! Mais la vie n'est pas le théâtre... Si vous saviez la cause à laquelle je me dévoue, l'injustice que je combats, peut-être me feriez-vous une autre figure ! »

Roseline restait muette. Gordon haussait les épaules et passait dans la cuisine où l'attendait Gaspard.

Un certain trouble s'était emparé de l'Américain depuis la fin de l'hiver. Il s'agissait, appliqué à son stratagème, des émois connus par un architecte dont l'édifice est près d'être couronné : tout a marché jusqu'ici, néanmoins... une tempête, une grève, que sait-on encore ? peut anéantir en quelques heures l'œuvre d'une année.

D'abord la claustration de Roseline ne pourrait se prolonger indéfiniment. Il faudrait un jour lui mettre un terme. Comment ? La mort, derechef, semblait une issue séduisante — deux coups de revolver, une cuillerée de poison ; rien de plus ! Le lien de Roseline avec la vie était déjà si ténu : disparue, enterrée, bientôt oubliée...

Ensuite, la confiance de Gordon dans son acolyte déclinait de jour en jour. Laisser l'actrice à la garde de cet homme vieillissant, miné par l'alcool et la drogue, attirerait fatalement les problèmes. Elle n'en ferait qu'une bouchée, du pauvre Gaspard, s'il recommençait à boire ! Or l'Américain avait ramassé des flacons vides jusque sous le lit de Roseline, dont certains dégageaient l'odeur sinueuse de l'absinthe...

À raisonner ainsi, Gordon Hole cultivait son malaise. Il fallait un antidote à ce pessimisme, une potion de confiance. L'architecte se réjouit d'apprendre qu'Armand voulait une séance spirite à trois.

« Je l'attendais ! confia-t-il à Gaspard. Vois-tu, ces réunions publiques ne convenaient guère à notre action... Quinze spirites entendant Salomé, c'était autant de témoins contre nous si les choses tournaient mal ! Désormais nous aurons Armand pour nous seuls. Une aubaine ! Je te le prédis : avant trois mois, la Tour ne sera plus qu'un tas de débris encombrant le Champ-de-Mars ! L'heure de notre victoire, enfin ! »

La vue de Gaspard ne portait pas si loin. Il ramena la discussion sur un sujet plus immédiat.

« Monsieur, j'aimerais changer d'emploi... Pour surveiller un prisonnier, on est enfermé avec lui. Or, garder Roseline m'est devenu insupportable. Je ne peux descendre acheter le pain sans redouter un méchant tour de sa part : l'autre jour, elle donnait de la tête contre le mur dans l'espoir d'alerter les voisins ! Le lendemain, elle me citait un décret de 1878 qui fixe à quatorze mètres cubes le volume d'air par chambre : "Le compte n'y est pas ! criait-elle, j'étouffe entre ces murs !" Pouvez-vous me dire, monsieur, comment une actrice peut savoir le règlement des habitations ?

— Elle l'a sans doute imaginé... Tu es bien crédule !

— J'en ai assez, monsieur ! Puis-je être relevé de ma garde ? »

L'Américain levait les mains paumes dessus, en signe d'impuissance.

« Comme j'aimerais te satisfaire, mon cher Gaspard ! Hélas ! Par qui te remplacer ? Personne n'a ma confiance que toi ! Tu es loyal, fidèle et dévoué... Peux-tu patienter encore quelques mois ? Le temps de réaliser mon plan ? Alors, je te le promets, tu pourras reprendre ta liberté... »

Le Français avait assez pratiqué son maître pour deviner un refus sans nuance derrière ces paroles diplomates. Il n'insista pas et reprit sa vie d'avant.

Le 8 avril 1888, peu avant l'heure du souper, une main importune heurta la porte de Jules Boissier.

Il était à ce moment dans le tracé délicat d'une hyperbole, œuvre de précision s'il en est — et, à ce bruit retentissant, son poignet eut un soubresaut. Voilà ce qui advint : le crayon de l'oncle fit un écart, jetant en travers de la belle esquisse une flèche erronée qui termina de surcroît (car la mine était pointue) au travers du papier.

Jules abhorrait les visites. Les visites survenaient toujours au mauvais moment — tandis qu'il avait la plume en main, l'idée en tête, sur le point d'enlever un problème difficile. C'était comme un fait exprès. L'oncle eût admis, à la rigueur, qu'on frappât à sa porte pour le bon motif : tel confrère estimé venu lui présenter l'hommage de l'Académie des sciences, tel industriel nanti d'un contrat d'exclusivité qui espérait sa signature... Mais personne de cette qualité n'aventurait jamais ses pas rue de Bruxelles. Derrière le judas, c'étaient toujours les mêmes figures, saumâtres et routinières : le facteur avec ses factures, les voisins avec leur voiture... La barbe !

En telle humeur, Jules avait accoutumé d'ouvrir sèchement la porte, presque à l'arracher : ce geste suscitait un courant d'air qui décoiffait l'importun — sauf les dames aux chapeaux fixés par des aiguilles —, événement propre à avancer son départ.

Ainsi fit le retraité ce jour-là... Mais quelle ne fut pas sa honte en découvrant l'homme sur le seuil ! Son cher frère Hippolyte !

« Mille excuses ! gloussa Jules qui s'empressa de ramasser le chapeau du visiteur.

— Ma parole, tu es piqué de la tarentule !

— Pardon ! bissa l'oncle. Une méprise... Je t'ai pris pour un créancier.

— As-tu des dettes, pour l'accueillir de la sorte ! Notre mère avait bien raison de t'appeler son "petit de la lune"...

— ... et toi son "grognon de dernier" ! As-tu fait bon voyage ? »

Hippolyte gonfla ses joues déjà bien rebondies.

« Une journée harassante... Paris est une ville folle. Dans la rue, tantôt, j'ai vu un camion transporter des arbres !

— Ce sont des platanes pour l'Exposition universelle.

— Qu'importe... Prête-moi un fauteuil, sers-moi un bock. Les jambes me rentrent dans le corps ! »

C'est en prenant le manteau des épaules de son frère que Jules remarqua les boutons noircis. L'écharpe aussi était grise de fumée. Même la barbe d'Hippolyte, à y regarder de plus près, semblait écourtée du tiers avec des parties curieusement bouclées.

« Que t'est-il arrivé ? s'enquit le retraité. Les volcans d'Auvergne ont-ils repris flamme ?

— Tu n'imagines pas ! Figure-toi que la gare Saint-Lazare a brûlé aujourd'hui ! Mon train y touchait quand ça s'est allumé, il s'en est fallu de peu que nous cuisions tout vifs... Un compartiment en bois, tu penses ! Mais, à la fin, les sapeurs ont brisé les fenêtres : j'ai pu m'en tirer !

— La gare Saint-Lazare ? Ce n'est pourtant pas là qu'on descend, en venant de Saint-Flour ? »

Hippolyte gratta son crâne d'où neigèrent quelques flocons de cendre.

« Tiens donc ? Bah ! J'ai dû m'emmêler aux correspondances ! Les trains et moi n'ont jamais fait bon ménage...

— Sacré Hippolyte ! Il n'y a que mon frère pour tomber dans pareille aventure ! Enfant déjà, tu t'écorchais les genoux à courir derrière les diligences ! Souviens-toi aussi des chantiers ! Si passait une civière ou une ambulance, on pouvait y compter : c'était pour Boissier le charpentier ! Toujours le bras en écharpe ou l'aisselle sur la béquille ! Ah ! Je ne regrette pas d'avoir choisi la carrière d'ingénieur ! »

Hippolyte souffla dans ses gants pour en chasser la suie.

« Parlons des ingénieurs ! Vous avez la vie douce, c'est vrai, mais quel tracas pour les autres ! Armand n'a pas donné de nouvelles depuis six mois...

— Tu es venu pour lui ? » demanda Jules un peu fraîchement.

Le frère posa ses poings fermés sur ses genoux, à la façon des ouvriers qui se délassent. Il restait dans les postures vigoureuses du charpentier, dans sa constitution trapue, un souvenir des travaux de force qu'il avait endurés autrefois. C'était le genre d'homme dont on craint toujours, en lui serrant la main, d'avoir la sienne broyée. Toutefois cette cuirasse réfugiait une âme sensible et presque timorée. En particulier, Hippolyte était incapable de mensonge ; il répondit donc la vérité :

« Je viens pour Armand, oui ! C'est le devoir d'un père... Il n'écrit plus. Combien de lettres restées sans réponse, depuis l'automne ! De quoi chauffer ton poêle pendant tout un hiver !

— Elles y ont servi, justement..., plaça l'oncle, féroce. Armand n'en a ouvert aucune. Il disait manquer de temps. »

Le geste d'Hippolyte marquait une impuissance résignée.

« Sa mère se fait des cheveux blancs. Elle m'a dit : si tu n'y vas pas, j'irai moi-même ! Une femme de l'âge de Bertille, perdue dans Paris, peux-tu imaginer ? Alors j'ai pris un billet...

— Combien de temps restes-tu ?

— Deux jours, trois peut-être. De quoi gronder Armand et attraper un train... S'il en roule encore ! »

Ce vieux garçon de Jules n'entendait rien à la paternité. Tout frère qu'il était, il rechignait à faire souper cet homme venu pour un autre. Le couvert fut mis négligemment ; le ragoût, servi tiède. Peu importait d'ailleurs au charpentier, préoccupé seulement de son fils. Il multiplia les questions, auxquelles Jules répondit à travers ses bouchées. Hippolyte découvrit la vie d'Armand depuis son installation à Paris : sa promotion dans les ateliers d'Eiffel, son aventure avec Roseline, le suicide de la comédienne, enfin le récent engouement du jeune homme pour le spiritisme.

« Le spiritisme ? releva péniblement Hippolyte. Qu'est-ce que c'est ?

— Je n'ai pas bien compris. Armand ne se confie guère. Il s'agit, je crois, d'évoquer les morts...

— Évoquer les morts ? cita encore le charpentier, peu réceptif à ce nouveau langage. En voilà une occupation pour un jeune homme ! N'est-ce pas plutôt le passe-temps des grands-mères, causer des disparus ? »

Jules précisa ce qu'il entendait par l'évocation des morts. Alors le père Boissier s'ébahit tout à fait.

« Quelle drôle d'idée ! À son âge, j'avais cure des trépassés comme des restes entre les dents. Si ma maîtresse s'était habillée de sapin, eh bien... j'en aurais pris une autre ! Où va la jeunesse ? »

Puis, sur le ton indiscret du badaud :

« Et pour *évoquer*, comment fait-il ? Est-ce qu'il emploie le téléphone, cette drôle de machine que tu as chez toi ?

— Non... Il se réunit avec des camarades, en fermant les yeux et en récitant des prières. Cet hiver, les rencontres avaient lieu une fois la semaine ; mais, désormais, c'est tous les jours ! Armand fréquente un autre groupe où il est seul à parler.

— Parler... mais avec qui ? Avec les morts ? s'esclaffa Hippolyte qui prenait tout à la farce.

— Il parle à Roseline, et Roseline lui répond. Oui, ça te semble drôle, j'en ai ri moi aussi. Mais ton fils est ferré ! Ces causeries d'outre-tombe, il les espère comme un tête-à-tête — tremblant avant, sifflant après... Tu verrais comme il piétine, quand l'heure approche !

— Et que se disent-ils ?

— Impossible de savoir. Si tu veux mon opinion : bêtises et sucreries, comme il est de mise à vingt ans...

— Bah ! conclut Hippolyte, je ne vois rien là de bien coupable ! Armand s'est épris d'une fantôme... On n'en meurt pas ! Mieux vaut cela que le bistrot où s'abîment tant de ses camarades. À propos, il me souvient d'une liqueur magistrale que Bon-Papa t'avait léguée dans son testament. Une liqueur si rude, annonçait-il, que "Bonaparte y eût allumé ses canons" ! L'as-tu conservée ? Vois-tu, l'incendie m'a donné une soif rouge, une soif à laper les flaques ! »

Tandis que les frères Boissier renouaient autour de la liqueur de Bon-Papa, deux amis arpentaient les rues en quête d'un restaurant.

Odilon connaissait un bouillon dans les environs

mais Armand, tenté d'aventure, voulait pis : une gargote des barrières.

« Tu veux dîner là-bas ? Sous ces toits de planches où les fourchettes piquent autant de poux que d'épluchures ? As-tu perdu l'esprit ?

— Odilon, c'est un jour heureux dans ma vie ! Les bourgeois font la fête au Café Riche, à la Maison Dorée ou chez Magny, à grands flots de fine champagne. Moi, je veux mon couvert chez les misérables...

— Voilà qui détonne ! » admit le Parisien.

À mesure qu'ils s'éloignaient des beaux quartiers, les rues subissaient une mue rapide et alarmante.

Quelques pas hors des boulevards avaient suffi à déposer belles enseignes et vitrines illuminées. Dans les faubourgs où ils furent bientôt, achevèrent de tomber les dernières écailles de prospérité : des tuiles envolées des toits, des carreaux manquants aux fenêtres, du stuc effrité aux balcons... Non la misère mais déjà l'indigence se lisait à tout étage des maisons en plâtras, basses et gauchies, qui pleuraient de leurs chéneaux percés des larmes perpétuelles. Un numéro ornait certaines façades aux volets clos.

« Des maisons de tolérance..., commenta Odilon. Tu ne verras pas d'église à moins de dix mètres, c'est le règlement de la préfecture ! »

Sur ces bâtisses des confins de Paris jouait peu d'éclairage : celui du dedans était éteint pour épargner le suif ; celui du dehors, quoique prévu par le génie municipal, chômait inexplicablement. Un bec sur deux ne soufflait plus de gaz, soit qu'il fût en panne, soit que des rôdeurs l'eussent bouché — l'ombre étant propice à leurs méfaits. On avançait dans le noir ou dans un

251

demi-jour verdâtre, on pressait le pas pour arriver plus tôt au prochain réverbère.

Ayant marché une heure, ils trouvèrent un quartier patibulaire où Odilon refusa d'entrer.

« Halte-là ! Finie la promenade ! Quelle est cette antichambre d'enfer ?

— La Californie ! Ou si tu préfères, la barrière Montparnasse... Nous sommes à destination. Que dirais-tu de souper à l'Azart de la Fourchaite ? »

Le Sanflorin désignait une cahute de planches en pleine terre, à la confluence de deux ruisseaux. Une fumée pestilentielle sortait par tous les interstices des murs et du toit. Ce devait être l'étuve à l'intérieur.

« Qu'y a-t-il au menu ? s'enquit ironiquement le Parisien.

— Le menu dépend... Pour un sou tu peux piocher, une seule fois, dans une marmite d'eau bouillante où cuisent des morceaux nobles : os de jambon, arêtes de carpe, écailles de moule, tête de chat, sabots de cheval, queue de lapin... On reçoit pour ces mets délicats l'assiette qui convient, c'est-à-dire un morceau de journal. Entrons ?

— Le jeu ne me tente pas.

— Si tu préfères, la carte de l'établissement comporte des plats fixes. Un sou toujours, c'est le prix d'une platée d'haricots à l'huile ou d'une part de brie avarié...

— Je fais demi-tour, Armand ! Mon cœur se soulève rien qu'à respirer le fumet de cette cuisine. Bon appétit ! »

Odilon pivota sur ses talons mais Armand l'arrêta d'un gentil croc-en-jambe.

« Souviens-toi ! Tu m'as promené dans tout Paris, l'année dernière... et aussi à la morgue ! Aujourd'hui, c'est à mon tour de faire le guide. Cette adresse est recommandée par le *Paris inconnu* de Privat d'Anglemont, le sésame des aventuriers dans la capitale ! Fais-moi confiance ! »

Le Parisien considéra son ami d'un œil amusé. Ils prirent une grande inspiration et poussèrent la porte du *Azart de la Fourchaite*.

On se défie d'un bon restaurant vide ; mais si c'est une gargote, on l'aime mieux. À l'heure tardive où se présentèrent les deux ingénieurs, la clientèle régulière avait déjà consommé. La seule table occupée l'était par deux garçons à casquette qui tenaient chacun un bock, dans une curieuse symétrie de cartes à jouer.

Armand et Odilon commandèrent n'importe quoi, qu'il leur fallut payer d'avance. Le plat fut déposé sur la table et personne n'y toucha. C'était bien assez d'être entré, inutile de se faire en plus des maux de ventre !

« Alors ! lança Odilon en balayant un cancrelat du bord de son assiette. Me diras-tu à la fin d'où te vient cette belle humeur ?

— Roseline m'aime. »

Le Parisien joignit ses mains en prière. Armand lui fit signe d'attendre, que le meilleur était à venir.

« Peut-être as-tu senti que je fuyais les séances de la morgue ? Il me coûtait d'évoquer Roseline devant tant de monde. C'était comme avoir des témoins de nos tête-à-tête... Je m'en suis ouvert à Gordon Hole. Il a accepté d'organiser des séances privées où Salomé n'appellerait Roseline que pour moi. Nous nous sommes réunis et, depuis, ma vie est transformée ! »

Le contentement s'exprime différemment chez chacun. Il est des individus dont il dilate la physionomie, y traçant assez tôt des rides optimistes. Avec d'autres, la satisfaction reste intérieure et cachée — c'est un nectar savouré sans témoins.

Armand ressortissait à la deuxième catégorie : rien ne transparaissait de sa joie qu'un coin de sourire à la Mona Lisa, sinon un sifflotement distrait, une cavalcade d'ongles sur la table ou telle autre amusette. Ce soir-là, sa fourchette édentée joua contre son verre un morceau de tambour appris au régiment.

« En somme, Gordon Hole t'a bien servi ? fit Odilon pour amorcer la pompe.

— C'est un homme charmant... As-tu noté comme il se dérobe, à la fin des séances ? J'y vois l'indice d'une pudeur exquise : il rentre son chagrin par scrupule de nous l'imposer. Quelle délicate attention, de la part d'un père qui a perdu sa fille ! »

Le couteau épointé d'Odilon rejoignit la fourchette de son ami contre le verre. Ils se mirent à battre en cadence.

« Je ne connais pas M. Hole. Nous n'avons guère échangé...

— C'est un architecte brillant à qui l'on doit un immeuble d'une hauteur prodigieuse à Chicago. Ce bâtiment comporte des innovations dont il est très fier : notamment un système de vide-ordures individuels qui permet à chaque résident d'évacuer ses immondices sans sortir de chez lui. En comparaison, nos boîte à saletés lui semblent bien dépassées.

— Il t'a entretenu de ces sujets ? s'amusa le Parisien.

— Longuement ! Les ordures, c'est sa turlutaine. Impossible de le faire parler d'autre chose quand il est lancé ! »

Odilon s'esclaffa, son couteau portant un coup plus vif sur le bord du gobelet.

« Alors, ne l'imitons pas ! Quelles nouvelles de ta fiancée ? Vos entretiens privés l'ont-ils changée ?

— Ah ! si tu savais ! Elle est toute différente. Autant que peut l'être une demoiselle chez ses parents et chez son amant... Les séances à la morgue la pétrifiaient, c'était comparaître devant un tribunal. Au contraire, Roseline raffole des réunions à quatre... Elle s'y montre douce et prévenante, telle que nous l'avons connue. Il paraît que l'idée vient d'elle, qu'elle me l'a inspirée pendant mon sommeil. J'ignorais cette faculté des Esprits à modeler nos décisions !

— Te voilà un spirite convaincu ! observa le Parisien dont la lame exécuta sur le verre un roulement sec.

— Sois-en reconnaissant à Salomé : avant d'entendre Roseline parler par sa bouche, j'ajoutais peu de foi aux Esprits... L'amour fait des miracles ! »

À cet instant, l'homme derrière les fourneaux se présenta à la table des deux amis :

« Ouais ?

— Plaît-il ? fit Armand en s'écartant d'une grosse louche qui gouttait sur la table.

— Vous cliquetez à en forer les oreilles. C'est donc qu'y vous faut d'la croûte ?

— Rien du tout, mon ami... Nous faisions cela par distraction. Pardon du dérangement !

— J'suis venu ! Y faut payer ! » rugit l'homme en pointant sa louche morveuse vers Armand.

Odilon sortit une pièce qu'il jeta au patron. Satisfait, le tavernier retourna en cuisine, c'est-à-dire poussa un tonneau qui marquait la frontière entre l'office et la salle.

Le Parisien profita de cette diversion pour attirer ailleurs la conversation.

« Drôle d'endroit, n'est-ce pas ? On croirait pouvoir y prendre ses aises, mais voilà : défense de tambouriner sur les verres ! Dans un an, ce sera ici comme dans les meilleurs cafés de Paris : dominos interdits, fumeurs de pipe exclus, chuchotements de rigueur... Chaque lieu a ses règles. Et les bureaux d'Eiffel ne font pas exception ! »

La transition bancale éveilla les soupçons du Sanflorin.

« Que vient faire Eiffel avec les dominos ? Explique-toi. »

Odilon décida d'abattre ses cartes.

« La franchise est un devoir d'amitié. À l'atelier, des bruits ont couru sur ton compte... S'ils sont venus aux oreilles du patron, je ne donne pas cher de ton grade d'ingénieur ! La gomme te guette, mon ami ! »

L'insouciance d'Armand croula tel un mauvais échafaudage.

« Mais enfin, de quels bruits parles-tu ?

— Tu n'es plus le même depuis la mort de Roseline, c'est l'évidence ! Nos conversations de naguère sur la Tour, nous les tenons désormais sur ta fiancée...

— Est-ce un délit d'être amoureux ?

— Armand, sois raisonnable ! Un patron te paie à dessiner la Tour, il t'associe même à la conception délicate des ascenseurs ; une preuve de confiance ! Que fais-tu de cette belle position ? Tu la galvaudes... Voici des semaines que les dossiers s'entassent sur ton bureau en prenant la poussière. Tes retards sont quotidiens, tes absences ordinaires. M. Backmann apprend à se méfier de tes calculs, souvent approximatifs, de tes esquisses qu'il faut revoir.

— Assez ! N'en jetez plus ! » grinça Armand.

Mais le Parisien refusa la trêve. Il enchaîna, implacable :

« C'est pis depuis qu'ont commencé les séances privées. Tu quittes l'atelier chaque jour à quatre heures ! Nous en sommes tous témoins. M. Pluot ne sait plus comment te punir, car, s'il percevait toutes les amendes que tu t'es attirées, ton salaire y passerait...

— Enfin, je suis veuf ! plaida l'ingénieur avec énergie. Un veuf en grand deuil, pour six mois encore !

— Roseline et toi n'étiez pas mariés...

— Nous le serons bientôt ! »

Et Armand de sortir un écrin qu'il présenta à son camarade. À l'intérieur, deux bagues grisâtres sur un coussin de velours. Cette fantaisie macabre écœura Odilon.

« Quel est ce métal ? Du fer ?

— Ce n'est pas du fer ordinaire : il provient de mon sang ! J'en ai fait tirer vingt litres par un chimiste pour produire un petit lingot de métal, de quoi forger ces deux alliances...

— Tu es fou ! lança le Parisien horrifié. Fou à lier ! »

Puis, domptant son émotion :

« Armand, le deuil a assez duré. Il est temps que tu reviennes à la réalité ! Je t'en conjure : détruis ces bagues, retire ce brassard de crêpe ! »

Le geste d'Odilon pour arracher la bande de tissu noir fut intercepté.

« Halte-là ! s'écria Armand. Je le garde ! »

Puis, sa main menottant toujours le poignet du Parisien :

« Es-tu sot, à la fin, de t'emporter de la sorte ? Allons-nous faire parler les poings, comme tantôt dans la rue ? C'est un fait, j'ai un peu délaissé mon travail. Roseline obsède mes pensées : pour ainsi dire, cette morte m'importe plus que tous les vivants. À qui la faute ? Qui m'a initié au spiritisme ? Qui m'a entraîné aux séances ? »

Il disait vrai, cependant... Boudeur, Odilon recula sur sa chaise.

« J'ignorais qu'on jasait de moi, poursuivit le Sanflorin. Cela me préoccupe... Je ne veux pas perdre ma place !

— Cet hiver pourtant, tu songeais à demander ton congé !

— À présent, c'est différent. Roseline m'a confié une... mission. Pour la mener à bien, je dois conserver mon poste aux bureaux d'Eiffel.

— Quelle mission ? s'informa le Parisien avec ironie. Culbuter la Tour ? »

Armand darda sur lui un regard aigu.

« Une mission, voilà tout ! Merci de m'avoir alerté. Je serai vigilant, désormais... »

L'ingénieur se leva pour mettre fin à l'entretien. Mais Odilon n'avait pas tout dit : campé sur sa chaise, il interpella sèchement son ami.

« J'ignore tes projets... Sache seulement que je ne te laisserai pas détruire la Tour ! Tu me trouveras sur ta route ! »

Le Sanflorin accueillit sobrement cette déclaration de guerre. Les deux hommes quittèrent la salle et reprirent le chemin de la ville, chacun de son côté.

Dans la gargote restaient assis les deux vauriens avec le patron, bâillant derrière ses casseroles.

« Faudrait songer à partir ! » fit ce dernier quand il n'espéra plus aucune rallonge d'addition.

Le garçon qui paraissait le plus jeune dit à son voisin :

« C'est curieux, dis donc, les riches... ils se mâchent le

museau pour des affaires de femme quand nous autres, on crève tout le jour qu'on peut pas manger ! »

L'autre vaurien roula une chique usagée qu'il cracha avec brio, droit sur un rat qui passait.

« J'les connais, ces deux-là. Y travaillent à Levallois. Tu t'rappelles, quand l'Américain nous payait pour faire le mauvais coup ? J'les ai vus dans la foule. Avec la veste, la cravate et tout... Des boyards, pardi ! »

Le patron qui n'aimait pas répéter empoigna un os de fort calibre et s'avança vers la table.

« C'est bon, on détale ! » fit l'aîné en campant sa casquette sur une oreille couturée.

Le silence retomba sur la Californie.

11

Rentré à la nuit, Armand se coucha, ignorant qu'un visiteur dormait sous le même toit. Il avait résolu de se lever tôt, de sorte que le père et le fils se manquèrent encore le lendemain matin. Le bon Hippolyte prit ce hasard pour un évitement, et en conçut du chagrin.

« Bah ! je sens bien qu'il est fâché contre moi..., soupira le charpentier en avisant un bol encore fumant sur la table. Peut-être vaudrait-il mieux m'en aller ? Tu m'as donné de ses nouvelles, c'est l'important. Je ne veux pas être une charge pour lui... »

Jules ne savait comment réconforter son frère. Alors Hippolyte rangea ses affaires qui gardaient encore le pli de la valise et, dès midi, se mit en quête du train du retour.

Le mal des uns fait le bien des autres. Ce réveil matinal et la ponctualité résultante réjouirent M. Backmann qui n'avait jamais vu Armand se présenter si tôt au travail.

« Je vous félicite, jeune homme ! Vous redorez votre blason ! Conservez cette saine habitude, disciplinez un peu vos travaux et nous pourrons mener à bien la tâche que nous a confiée M. Salles...

— Je vous promets d'être assidu, monsieur. »

Le Sanflorin tint parole. Ce zèle talentueux qui avait fait la réputation des jumeaux de la gomme reparut chez lui. Armand prit la question des ascenseurs à bras-le-corps, se passionna pour les problèmes importants et souvent inédits dont elle semblait hérissée. Puisqu'il ne parlait plus guère à Odilon, c'est avec M. Backmann qu'il conféra désormais, tout le jour et encore à l'heure du déjeuner, à propos des ascenseurs :

« Si j'ai bien cerné le sujet, avançait le Sanflorin d'un air compétent, le transport vertical des visiteurs soulève plusieurs difficultés : d'abord la hauteur, très supérieure à celle d'un bâtiment ordinaire ; ensuite le nombre de passagers, des milliers chaque jour ; enfin et surtout, l'inclinaison variable des piles de la Tour... »

M. Backmann complétait :

« ... à quoi s'ajoute la nécessité de prévoir des arrêts à la première et à la deuxième plates-formes, si les voyageurs veulent y descendre !

— Quelles solutions sont envisagées ?

— Aucune n'est pleinement satisfaisante... La technique des ascenseurs est nouvelle et les compagnies qui les fabriquent encore peu expérimentées. Nous connaissons depuis trente ans les treuils à vapeur, mais ils ne peuvent monter au-delà d'une quarantaine de mètres, à cause de la taille des tambours où s'enroulent les câbles. Nous maîtrisons les systèmes de vis et d'écrou mobiles, toutefois ils présentent des défauts : la lenteur et, encore une fois, une limitation du développement vertical. Enfin existent les ascenseurs à piston plongeur... Leur inconvénient est la longueur du piston. Dans le cas de la Tour, il faudrait creuser un puits de 67 mètres !

— Que pensez-vous du procédé américain ? »

M. Backmann eut un sourire indulgent.

« C'est intéressant, bien sûr ! Néanmoins un tel dispositif ne peut s'appliquer à la Tour, ceci pour deux raisons : la première est la suspension de la cabine — en France, on juge plus sûr de pousser les ascenseurs par en dessous ; la seconde est l'obligation contractuelle faite à M. Eiffel d'employer des matériels nationaux. Si nous soutenions la candidature de l'American Elevator Company, la commission de l'Exposition ferait certainement barrage.

— Je vois..., soupira Armand. Dans ce cas, il n'y a pas d'issue !

— Nenni, mon jeune confrère ! Je présenterai bientôt un dispositif de mon invention, où deux cabines progressent sur un axe hélicoïdal. L'énergie est électrique et chaque ascenseur bénéficie d'une alimentation individuelle : une révolution ! Je ne doute pas que les commissaires cautionnent un projet si nouveau. »

Jugé trop complexe, le système de M. Backmann fut rejeté en juin 1888. Armand et son collègue furent renvoyés à leurs études...

Odilon jugeait sévèrement l'engagement du Sanflorin dans sa mission.

La rentrée en grâce de son ami auprès des chefs de service lui semblait hâtive, sinon imméritée. Ne s'était-il pas, quatre mois durant, mis en congé de son travail ? La conception des ascenseurs n'avait-elle pas été retardée par sa faute ? Ah, ça ! Il suffisait donc de quelques bonnes notes pour faire oublier des pages de mauvais résultats !

Maintes fois, par rancœur et malveillance, le Parisien fut tenté de dénoncer les projets d'Armand concernant la Tour. « J'irai voir Eiffel ! Le devoir me l'impose », se disait Odilon, sans être dupe du mobile secret de son action. La prudence lui conseilla pourtant de s'abstenir : d'une part il ne pouvait avancer aucune preuve de ses allégations ; d'autre part la menace restait vague, telle qu'apparaîtrait aussi son réquisitoire.

Au fond, Odilon traversait une mauvaise passe... Il demeurait l'employé modèle qu'il avait toujours été, l'estime des chefs lui restait acquise, mais un ressort intérieur s'était cassé. À son tour, il perdait goût au travail.

Les conférences passionnantes d'Armand et de M. Backmann au sujet des ascenseurs n'avaient pas leur équivalent entre Odilon et ses collaborateurs. La question électrique de la Tour, qui l'avait d'abord attiré par sa résonance mystique, le concernait de moins en moins. Que lui importaient les vertus secrètes de l'édifice, s'il quittait demain le cercle spirite ? À quoi bon servir les idées d'Apolline qui ne l'aimait plus ?

M. Salles, partisan discret des choses occultes, continuait d'appuyer les projets du cercle — en particulier l'aménagement d'une salle d'évocation dans le soubassement du pilier nord. Chaque fois qu'Eiffel devait arbitrer la chose, il usait de son influence pour obtenir l'aval du constructeur.

« Mais enfin, pourquoi cette salle dans le sabot du pilier 1 ? s'étonnait Eiffel. Et cet escalier percé au ras de l'eau ? Rien ne les prévoit ni ne les défend ! »

Adolphe Salles réfutait hardiment :

« La salle est utile ! Elle servira à entreposer les câbles et le matériel des ascenseurs.

— A-t-on besoin d'une telle surface ?

— Sans doute... Les cabines fonctionneront pour la première fois : des pannes et des incidents sont à prévoir. Nous devons disposer de pièces de rechange en quantité.

— Mais cet escalier sur la Seine, si peu commode en cas d'inondation ?

— Il permet d'acheminer le matériel par voie fluviale sans déranger l'exploitation de la Tour. »

L'entrepreneur réfléchissait. Seul arbitre des solutions d'ensemble, Eiffel s'en remettait volontiers à ses collaborateurs pour ce qui était des détails et des particularités. Ainsi fit-il ce jour-là, en répondant au polytechnicien :

« Faites à votre guise ! Mais ne perdez pas de vue qu'à l'endroit où vous l'avez logée, cette salle voisine avec la prise de terre du paratonnerre. Ne craignez-vous pas pour le matériel entreposé, si survenait un orage ?

— Le problème a été étudié, avançait Salles. L'emplacement de la salle ne comporte aucun risque ! »

Le jour même, il consultait secrètement Odilon en lui rapportant l'objection d'Eiffel.

« Pas de danger ! confirmait le Parisien. Ni pour les spirites dans la salle, ni pour les visiteurs à l'intérieur de l'édifice... Le système est très sûr. Jugez-en plutôt : au sommet de la Tour, surmontant le campanile, un paratonnerre à pointes de cuivre que complètent huit autres, de même modèle, installés sur le balcon de la troisième plate-forme ; au pied, des tuyaux de fonte de vingt mètres de long qui s'enfoncent sous terre. Ce dispositif garantit une totale déperdition de l'électricité atmosphérique. Il protège non seulement le pylône, mais aussi une grande zone alentour... »

Adolphe Salles gardait les sourcils froncés.

« Ce n'est pas l'opinion des Américains ! Ils soutiennent que la Tour, en modifiant les conditions électriques de Paris, va favoriser les orages. Nos adversaires français suggèrent eux d'installer des avertisseurs, pour l'évacuation précipitée des visiteurs en cas de foudre !

— Je l'ai lu quelque part..., souriait Odilon. On prétend aussi que la Tour menace d'électrocution les poissons de la Seine ! Ces assertions sont sans fondement. Elles ne prouvent qu'une chose : la jalousie puérile de nos contradicteurs !

— Et si l'éclair frappait quand même ?

— Si la foudre se déchargeait sur le paratonnerre, il pourrait y avoir projection de métal en fusion — quelques gouttelettes — sur la terrasse sommitale ; la Tour, sans doute, résonnerait tel un diapason pendant quatre ou cinq secondes. Rien de plus, et aucun danger pour les visiteurs. »

Ces paroles confiantes rassuraient Adolphe Salles.

« Pardonnez mon inquiétude... Je me soucie de vos amis spirites. Il me coûterait de ramasser des corps foudroyés dans la salle du pilier nord !

— Cela n'arrivera pas. La prise de terre n'est une menace pour personne. J'ai l'espoir, au contraire, qu'elle créera des conditions spécialement favorables à notre activité. Vous le savez, les Esprits ont des affinités avec l'énergie électrique : songez alors quelle affluence d'Esprits peut amener le passage de la foudre ! Nous assisterons peut-être à des phénomènes inconnus jusqu'alors, à des manifestations inédites...

— Comme je vous envie d'explorer ainsi les confins du savoir ! Auprès d'une œuvre si noble et si novatrice, le travail d'ingénieur me semble routinier, presque sans intérêt. Aurais-je manqué ma vocation ? Ah, monsieur Cheyne ! Mon vœu secret, j'ose le formuler, serait d'assister un jour à l'une de vos séances...

— Pourquoi pas ? lançait le Parisien encourageant. J'en ferai part à Mlle Sérafin. Les auditeurs étrangers sont rarement admis dans notre cercle, mais pour vous, nous ferons exception ! »

Pareils échanges, sur des sujets qui ne présentaient plus pour lui le moindre intérêt, mettaient à rude épreuve les nerfs d'Odilon.

Il n'osait pas confier à Adolphe Salles son détachement du cercle spirite, ni sa tentation de renoncer à la salle du pilier nord. Sans compter qu'il eût risqué sa place, le projet était trop avancé pour faire machine arrière. La prudence conseillait, au rebours, de ne rien laisser paraître, de continuer comme avant. C'est le parti que choisit Odilon, sous l'œil goguenard d'Armand qui devinait l'état d'esprit du Parisien.

Les relations entre les jumeaux allaient de mal en pis depuis leur soirée au restaurant.

Ils restaient camarades, c'est-à-dire qu'ils échangeaient de distraites poignées de main, mais une méfiance était venue, comme le gel insinué dans l'arbre. Odilon surveillait Armand, Armand épiait Odilon. S'ils causaient parfois, c'étaient de sujets anodins et sans importance, jamais des projets subversifs (le sabotage de la Tour, la salle du pilier nord) qu'ils développaient à l'insu d'Eiffel. Chacun jugeait sévèrement l'autre — un traître et un comploteur —, sans admettre ses torts particuliers.

Cette tension n'était jamais si vive que la nuit.

À ce moment, le gros du personnel ayant quitté l'atelier, les jumeaux se retrouvaient seuls, dans un pénible

266

face-à-face. Or, ces heures dormantes étaient les plus propices à fouiller les tiroirs, à dérouler les plans, à feuilleter les livres — toutes choses défendues par le règlement mais utiles à leurs démarches. Hélas ! Comment procéder avec quelqu'un qui lit par-dessus votre épaule ?

« Tiens ! ricanait Odilon. Le plan du premier étage ! C'est là que tu prévois de loger tes explosifs ? »

Armand répliquait du tac au tac.

« Et sur ton bureau, un calcul de structure ! Crains-tu l'effondrement du pilier nord ? »

Ces piques étaient taillées pour blesser. Elles y parvenaient sans peine. Odilon par exemple présentait sa défense :

« La pile s'effondrer ? C'est impossible ! La Tour pèse très peu sur le sol : quatre kilogrammes par centimètre carré — moins qu'un mur de neuf mètres de haut ; moins que toi — qui as grossi — sur cette chaise aux pieds très fins ! »

Le Sanflorin méprisait l'argument.

« Si la Tour s'écroule par ta faute, je promets de te rendre visite en prison !

— Si elle explose, je t'assure de mon soutien devant la guillotine ! »

Ces joutes à la fin devenaient une torture. Les jumeaux conclurent un pacte de non-agression, vestige de leur amitié moribonde. Ils adoptèrent aussi de nouveaux bureaux, dans des ailes opposées du bâtiment.

Si l'entente était médiocre entre les jumeaux de la gomme, elle était radieuse au sein du personnel.

Une saine émulation régnait dans les bureaux d'Eiffel,

dont semblait profiter, comme d'un élan repris par tout le chantier, l'élévation de la Tour elle-même. Le monstre de fer avait désormais un cœur — cette grosse machine à vapeur, chauffée jour et nuit pour fournir l'énergie des monte-charges — et des mains préhensiles — de hautes grues suivant la voie des ascenseurs, par quoi s'enlevaient les pièces destinées au sommet. Il en résultait un net progrès dans la marche du travail. La moyenne mensuelle des mètres montés, qui avait été d'environ dix dans les premiers temps de la construction, s'établissait désormais à treize ; elle ferait bientôt un bond prodigieux pour atteindre vingt-deux. La Tour en grandissant semblait accélérer.

Une heureuse nouvelle fut bientôt apportée aux ingénieurs, qui suivait de près celle de la « cote 100 » (les cent mètres) atteinte par l'édifice : il s'agissait du prochain achèvement du deuxième étage.

« Vous verrez comme ma Tour sera belle, complétée de cette nouvelle plate-forme ! exultait l'architecte Sauvestre. Bientôt ses quatre piliers ne seront plus seulement reliés, mais rejoints et unis... Une seule hampe de métal s'élancera dans l'axe du pylône, défi au ciel et aux dieux mêmes ! »

La conquête du deuxième étage vint à point nommé pour célébrer la fête nationale, le 14 juillet 1888.

On avait prévu de tirer un feu d'artifice depuis la Tour, chose encore jamais vue : jusqu'alors le pylône était apparu nu et sombre, sauf les gerbes d'étincelles qui jaillissaient la nuit du marteau des ramoneurs. Un dépouillement austère — telle était l'impression donnée par sa grosse membrure de fer qu'habillait la résille d'un métal plus fin. On pouvait y voir l'os et le muscle, sorte d'écorché vertical d'un immense cadavre, mais non la peau qui recouvre et prête forme.

Avec la lumière, ce serait tout différent : les foyers de clarté allumés par la pyrotechnie donneraient corps à l'édifice. Ils empliraient ses volumes, combleraient ses creux et ses percées que l'ingénieur, pour faire moins lourd et moins prenant au vent, avait ménagés partout dans la construction de fer.

Une foule immense s'était déplacée à l'annonce du spectacle. Les milliers de maires qu'avaient réunis un banquet géant sur le Champ-de-Mars, le personnel d'Eiffel au complet, et tout ce que la colline du Trocadéro pouvait supporter de badauds coude à coude attendaient impatients l'embrasement de la Tour.

Dès les premières crépitations, ces cœurs innombrables prirent ensemble le galop — la plupart d'excitation, certains de terreur à l'aspect des orages lumineux qui rappelaient la guerre et les canonnades prussiennes. Troublante esthétique qu'atteignent parfois les inventions meurtrières de l'homme, comme ses créations les plus inoffensives.

La clarté jaillissait de partout, belle et impétueuse : chandelles romaines de la deuxième plate-forme, fusées partant des angles de l'édifice, bombes tricolores et saucissons détonants... La chaleur dégagée était si forte que le fer de la Tour brûlait au toucher. Les artificiers constataient ahuris l'échauffement du pylône, celui d'un corps dont le sang commence à circuler, dont le teint s'anime et les lèvres palpitent — celui d'un être qui prend vie.

En leur qualité d'ingénieurs, les jumeaux de la gomme jouissaient d'une place de choix, dans les premiers rangs des spectateurs. Odilon applaudissait des deux mains mais Armand restait bizarrement en retrait, regardant à peine et appréciant moins encore.

À un certain moment, le Parisien ne vit plus son ami à ses côtés. « Tant mieux ! réagit Odilon. Il me gâtait le spectacle avec sa grise mine ! » L'ingénieur rejoignit Salles qui buvait le champagne en compagnie du personnel.

Armand marchait vers la Tour, un gros paquet sous le bras.

Il était parti d'un pas vif et ralentissait, pensant qu'une allure naturelle serait moins remarquée. À deux reprises déjà, un des forgerons costauds qui surveillait les abords du pylône était venu à sa rencontre :

« Monsieur, c'est défendu d'aller par là ! »

Le premier l'avait reconnu et s'était confondu en excuses. Au second il avait décliné son identité. Les deux l'avaient laissé passer sans faire de difficultés.

« Comme c'est facile ! » se réjouit Armand qui atteignait les barrières du pilier nord.

Un troisième gardien était posté à cet endroit. C'était un homme imposant dont le torse en trapèze étirait le chandail, démaillé aux épaules. Sous sa casquette à visière de cuir, une cigarette échevelée brûlait par intermittence — pet de fumée, point de braise d'un effet dérisoire sous le feu d'artifice.

Il avisa d'assez loin la redingote d'Armand, les souliers vernis qui évitaient les flaques. Quel était ce monsieur bien mis qui allait droit à lui ? Et si c'était un chef ? Ou bien Eiffel en personne, qu'il n'avait jamais approché ? Craignant d'être mal noté, l'ouvrier déplaça la barrière et s'effaça.

Cet obstacle tombé de lui-même contraria l'ingénieur. À la fin, que valait son exploit si personne ne lui opposait de résistance ? Le Sanflorin consulta sa montre et le ciel, zébré de flèches orangées. Le bouquet final semblait encore loin... Il avait bien le temps d'échanger quelques mots !

« Bonsoir ! » fit Armand avec une espèce de salut militaire, trois doigts unis et le pouce en dedans.

L'ouvrier rendit la politesse.

« Je suis Armand Boissier, collaborateur d'Eiffel à Levallois. Un ingénieur... »

La casquette du gardien atterrit dans ses mains.

« M. Eiffel m'a demandé d'enquêter sur l'état d'échauffement de la Tour. Il paraît que les feux de Bengale cuisent les fers. Certaines pièces seraient même portées au rouge... »

La sueur tirait des lignes sur le front de l'ouvrier, sans qu'on sût si c'était d'émotion ou parce qu'il faisait très chaud.

« Désirez-vous fouiller mon sac ? reprit Armand la main sur les sangles. J'ai apporté des instruments de mesure...

— Vous pouvez passer ! » fit l'ouvrier en reculant d'au moins trois pas.

Armand renouvela son salut et franchit la grille, fier d'avoir bravé le danger. Quelles auraient été les suites, si le gardien avait regardé à l'intérieur du sac ? Funestes, certainement !

En quelques instants, il eut rejoint l'énorme sabot de maçonnerie qui chaussait la pile numéro 1, orientée au nord. Il avait choisi d'entamer là son ascension parce que la première pile était du côté de la Seine, dos au public massé sur la colline du Trocadéro. Le feu d'artifice allumé sur la face opposée ménageait à cet endroit une ombre propice.

Une sorte d'apesanteur joyeuse gagnait Armand dans ce moment décisif, celui du passage à l'acte. Les criminels ont, paraît-il, de ces euphories qui lèvent passagèrement toute inhibition. Il se sentait l'esprit dispos et les idées nettes, de même qu'une grande agilité dans le corps, certes utile pour ce qu'il allait entreprendre.

D'un bond, Armand s'engagea dans l'escalier métallique qui remontait la jambe de fer. La Tour possédait déjà ses voies d'accès, qu'on installait à mesure pour faciliter la montée des ouvriers. Seuls les derniers mètres de la construction n'étaient pas encore équipés : dans cette partie haute, les ramoneurs se déplaçaient au moyen d'échelles et de passerelles en bois.

L'ombre régnait à l'intérieur du pilier nord comme dans une cheminée d'usine. Malgré les éclats jetés de temps à autre par le feu d'artifice qui allumait des aubes trompeuses sur la Seine, l'escalier restait sombre et aveuglé. C'était comme explorer la toile d'une araignée — une toile ourdie à plusieurs épaisseurs.

Armand escaladait sans effort, d'une foulée souple et régulière. Sa main gauche retenait la sangle du sac, l'autre suivait le garde-corps. Les conseils de Gustave Eiffel lui revinrent en mémoire : « Monter très lentement, le bras droit à la rampe, en balançant le corps d'un côté puis de l'autre pour donner de l'élan. » Il faisait tout le contraire, avalant les marches deux à deux, franchissant les paliers d'un bond athlétique.

Les ouvriers mettaient six minutes pour atteindre la première plate-forme. Armand améliora ce temps. Il fut bientôt à l'endroit où un escalier à vis relayait l'escalier droit, au-dessus du premier étage. C'était là qu'il devait quitter la voie normale pour descendre dans la toile de fer.

L'ingénieur se sonda dans cet instant où son aventure devenait périlleuse en même temps qu'illicite — mais son pouls restait lent et sa respiration normale. La rampe fut enjambée.

Sur dix mètres encore, Armand put suivre un plancher volant comme en posaient les riveurs à la base des grosses pièces. Ensuite, ce fut le vide... Du gouffre sous ses pieds, rayé de métal comme une crevasse l'est de troncs abattus, montait cette qualité particulière de vertige qui tapisse les abîmes. Paris se dessinait, lointain déjà, à travers les croix de Saint-André. À cette hauteur, la ville avait pris l'immobilité d'un panorama.

Le temps lui était compté. Exécutant les gestes qu'il avait répétés, Armand sortit du sac un chapeau, une bougie creuse et des allumettes au phosphore. Il éveilla la seconde au feu des troisièmes et, coulant quelques gouttes de cire, créa un mortier pour la planter sur le premier. Ce couvre-chef éclairant, déclinaison modeste du casque de mineur, donnait une lumière jaune à quelques mètres. C'était assez pour avancer si l'on connaissait les lieux. En outre, ce champ de vision limité réduisait la peur du vide. L'ingénieur se félicita de son invention.

Armand s'engagea sur une poutrelle modérément inclinée qui avançait dans la bonne direction. Depuis son extrémité, il risqua un enjambement vers une autre pièce, de section plus étroite, qu'il suivit en funambule — un pied devant l'autre. Son calme dans cette position mortelle ne laissait pas de l'étonner : le devait-il à un excès d'optimisme, ou s'était-il déjà résigné à mourir ? Derechef il écouta son cœur, tranquille et lent.

En arpentant le treillage de la Tour, l'ingénieur s'aperçut qu'elle était équipée pour recevoir des grimpeurs. Il faudrait un jour inspecter les poutrelles menacées de rouille, les remplacer ou les repeindre : à cet effet, on avait prévu des poignées, des câbles, des trous d'homme en garantie des passages difficiles. Armand n'était donc pas le seul à faire la traversée, mais seulement l'un des premiers... Cette pensée l'encouragea.

Le point repéré sur les plans — une clef de charpente où se rencontraient quatre vaisseaux majeurs de l'édifice — fut bientôt atteint. Sans s'accorder le moindre répit, Armand sortit du sac un faisceau de bâtons rouges terminés chacun d'une mèche. À l'intérieur des bâtons, une forte dose de dynamite-gomme, puissant explosif employé dans les carrières contre les roches dures. Se les procurer avait été facile : le magasin du chantier en possédait des caisses entières, sans doute à l'usage des terrassiers.

Les huit mèches tressées ensemble formaient un toron, enroulé sur une grosse bobine. Après avoir lié les bâtons de dynamite à la charpente, Armand commença de dérouler la mèche en tournant le cylindre. Il s'agissait de la partie la plus exposée de l'opération, un véritable défi : en effet tout le chemin de l'aller — les progressions vertigineuses, les sauts au-dessus du vide — devait être fait à rebours, la bobine à la main.

Trois minutes furent nécessaires au Sanflorin pour atteindre l'escalier, puis la plate-forme du premier étage — trois minutes en équilibre sur des barres de fer, à la merci d'un coup de vent ou d'un mauvais pas... Il y perdit tout son sang-froid : en un instant la douleur qui

274

couvait dans ses muscles s'alluma et fulgura comme en plein effort. Un gros pétard explosant dans son dos lui arracha un hoquet de peur. Il se retourna et vit le ciel criblé de feux multicolores.

« Le bouquet final... Je n'aurai pas le temps ! »

Ayant coincé le bout de mèche sous une brique, Armand se précipita vers le pilier ouest pour installer la deuxième charge. En chemin il croisa des artificiers, les bras chargés de bonbonnes, et même deux ou trois visiteurs qui préféraient ce point de vue élevé à celui du Champ-de-Mars. Un coin de la plate-forme lui parut populeux et animé : peut-être qu'une réception s'y donnait ? Personne en tout cas ne prit attention à lui, silhouette courbée sous le poids d'un gros sac à dos ; sauf un monsieur élégant qui s'exclama :

« Voilà le commis des artificiers, venu livrer la comète finale ! Il est en retard ! »

Le parcours à l'intérieur de la pile ouest était exactement le même que celui dans la pile nord : en cinq minutes, Armand avait fait l'aller-retour et nouait ensemble les deux mèches.

« Le pilier est, à présent ! Vite, vite ! »

Armer la troisième pile fut facile, grâce au feu d'artifice qui l'éclairait. En revanche, une difficulté imprévue se présenta sur la pile sud : cette face de la Tour d'où venaient de partir des chandelles romaines baignait dans les fumées et les cendres en suspension. Le risque était réel de perdre son chemin ou d'être aveuglé. Le Sanflorin jugea prudent de renoncer.

« Tant pis pour la pile sud ! Elle restera debout ! »

À la place, la quatrième charge fut placée en renfort de la première mais plus près de l'escalier. De cette façon, prédisait l'ingénieur, la Tour en basculant s'inclinerait du côté de la Seine — alors bien des vies seraient épargnées...

Les quatre mèches étaient déroulées, groupées dans la main d'Armand qui brandissait une allumette.

« Pas d'hésitation ! Fais-le ! Tout de suite ! »

Il craqua l'allumette au phosphore qui prit feu lentement et comme à contrecœur. Sa paume était noire de poudre fusante échappée des bouts de mèche.

Ce fut à cet instant, tandis qu'il amenait la flamme sur l'amorce, qu'une lueur attira son attention. Il leva la tête, craignant de voir approcher la lanterne d'un gardien, et rencontra la chose...

Trente mètres au-dessus de lui, dans les hauteurs de la Tour, flottait une forme lumineuse.

Tout autre qu'Armand aurait vu un lambeau de fumée, une mèche de nuage échappée du feu d'artifice ; tout autre s'en serait détourné comme d'une distraction malvenue. N'avait-il pas plus urgent à faire ? Or l'ingénieur non seulement continua de regarder mais encore s'attacha à cette vapeur d'une façon intime et mystérieuse.

L'allumette entièrement consumée lui brûlait les doigts. Armand la jeta loin de lui et déposa les mèches qu'il avait dans la main.

L'objet était de forme oblongue, étirée aux extrémités. Dans les tableaux du Jugement dernier, le Christ en majesté apparaît entouré d'une gloire — la mandorle — assez ressemblante : même substance, claire et radieuse ; mêmes contours nébuleux où l'œil habitué peut discerner des enveloppes se renfermant les unes les autres, comme à l'intérieur d'un oignon. Sans que la chose s'animât d'elle-même, le vent ou peut-être la friction d'objets solides lui imprimait un faible mouve-

276

ment. Elle dérivait avec lenteur vers le sommet de la Tour.

« Un nuage, une fumée », énonça Armand sans y croire.

Il voulut observer la forme de plus près. Mais comment l'atteindre, dans les hauteurs où elle voguait ? L'ingénieur considéra son matériel — les quatre mèches, le paquet d'allumettes — et jeta un sac par-dessus.

« Je reviendrai ! » se promit-il.

Il courut vers l'escalier en hélice qui menait au deuxième étage.

Tout en montant, Armand guettait la silhouette, visible à travers les mailles de fer. Toujours distante, inapprochable... Elle semblait avoir cette qualité des objets lointains — le soleil, une chaîne de montagnes — que le déplacement de l'observateur n'affecte pas ; qui présentent un profil unique à tous les points de vue. Loin de rebuter Armand, ce nouveau mystère l'excita davantage.

Sur la deuxième plate-forme, les artificiers s'activaient auprès des rampes de fusées. On tirait le bouquet final, un déluge invraisemblable de feu et de lumière.

« Tant pis ! regretta l'ingénieur. Je n'aurai pas fait le clou du spectacle ! »

Un des artificiers l'aperçut et fit à son adresse un geste équivoque, qui pouvait signifier « Gardez-vous ! C'est dangereux ici ! » aussi bien que « Comment êtes-vous monté ? Qui vous l'a permis ? ».

Le Sanflorin n'en tint pas compte et chercha la voie d'accès au sommet. Quand les échelles de bois relayèrent l'escalier en fer, Armand poursuivit son ascension sans ralentir ; il monta encore sur les planches et les frêles échafaudages.

À un certain moment, sa tête perça un écran de

fumée et fut en plein ciel. Il avait atteint le point culminant de la Tour... Au-dessus, le firmament clouté d'étoiles. Les vapeurs dont il venait d'émerger fulguraient d'éclairs rouges et bleus.

Ses yeux se portèrent avidement sur la chose : elle était là, suspendue au néant. Une partie de la voûte céleste transparaissait en elle, trouble et estompée. On eût dit un voile de mariée chassé par le vent, et qui danse sans témoins dans la haute atmosphère.

Armand choisit une planche confortable pour s'asseoir. À présent qu'il avait rejoint la chose, un bien-être se faisait en lui — ce délassement qui suit l'effort. Le nuage dont il sortait retenait toutes ses pensées mauvaises et toutes ses peurs. Au-dessus, c'était la paix jamais troublée du firmament. Comme il se sentait bien ! Pourquoi redescendre ?

Le Sanflorin ne quittait pas la forme des yeux. Venait-elle à dériver, vers l'est ou vers l'ouest, sa tête s'inclinait du même côté ; s'élevait-elle, il bondissait sur ses pieds, inquiet soudain à l'idée de la perdre — mais la forme revenait toujours, fidèle à son coin de ciel comme un balancier l'est à la position d'équilibre.

Un temps s'écoula, des minutes qui lui parurent des heures. Alors, distinctement, l'objet s'approcha... Armand se frotta les yeux, les ferma puis les rouvrit : sans doute possible, l'objet venait à lui.

Et tandis qu'elle avançait, la forme semblait faiblir, perdre de son éclat et de sa substance. À mi-chemin, ce n'était plus qu'un médaillon pâle, un tourbillon de vapeur chahuté par le vent. Ensuite cela s'effaça tout à fait : à l'endroit de la forme ne flottait plus qu'un signe, un dernier rond de fumée bientôt dissipé.

À cet instant, il sembla au jeune homme que l'air

troublé modelait un visage, une figure humaine qui lui souriait. Ce visage fantôme rencontra le sien et s'y accola par un long baiser.

« Roseline ! » murmura l'ingénieur à l'épreuve des lèvres douces et chaudes.

Une volupté inouïe l'envahit, qui fit couler le plaisir entre ses jambes. Ses bras se refermèrent sur le néant, étreint comme la chair même.

Peu après Armand céda au sommeil. On le ramassa endormi sur une planche, au sommet de la Tour.

TROISIÈME ÉTAGE

12

Une fois percée l'énigme de Salomé la ventriloque, le personnel de l'Hôtel Britannique chercha un nouvel aliment à sa curiosité. Quel client présentait le profil le plus singulier ? Lequel avait des **extravagances**, des manies curieuses ?

On compulsa le registre des entrées. Les candidats manquaient un peu de consistance : tel dresseur d'otaries installé dans la suite nuptiale avec ses animaux, dont les soins d'hygiène requéraient par jour cinq baignoires d'eau salée et le repas trente bourriches de sardines fraîches ; tel Indien peau-rouge en visite officielle, qui avait incendié sa chambre en dressant un foyer de pieds de table au milieu du tapis...

Ces cas n'étaient originaux qu'en apparence. Une fois grattée la surface, on dégageait des personnalités fort communes, des vies dans la ligne — certes insuffisantes à fixer l'intérêt des hôteliers.

Ce fut alors qu'un garçon d'ascenseur prononça le nom de Gordon Hole, le client américain du deuxième étage.

« Pas à dire, un personnage ! développa l'employé pour faire sa réclame. Méfiant, revêche, ne laissant

jamais de pourboire et préférant l'escalier aux cabines...
Il possède un revolver qu'il tâte à tout instant dans sa
poche. D'après une fille qui le fréquente, lui et son
compère — un gros Français — seraient un couple d'in-
vertis. Ils font une drôle de paire en tout cas, vous pouvez me croire ! »

La proposition fut mise au vote et recueillit une majorité de suffrages. Dans la théière en argent qui servait
d'urne au scrutin — legs précieux de M. Baxter, fondateur de l'hôtel en 1861 —, on dénombra douze bulletins *pour* et trois bulletins *contre*. L'employé qui remplis-
sait le rôle de greffier déclara ouverte l'information sur
Gordon Hole.

Quant à la méthode, les enquêtes conduites à l'Hôtel
Britannique s'inspiraient du modèle policier.

Il s'agissait d'abord de constituer un dossier — c'est-
à-dire, au propre, d'épaissir un tas de papiers où voisinaient pêle-mêle documents, témoignages et indiscrétions variées concernant le suspect. Cette tâche était
dévolue au comptable de l'établissement, connu pour
sa minutie autant que pour son goût du persiflage. Il
convoquait chaque membre du personnel dans la buan-
derie, en vue d'un entretien dont il tenait procès-verbal.

Dans le cas de Gordon Hole, les dépositions furent
nombreuses et substantielles. Pas un des vingt-huit
employés de l'hôtel ne manquait d'une anecdote sur
l'Américain, qui se révéla dès ce moment un sujet très
prometteur.

Les mieux informés étaient les réceptionnistes, portés
par leur fonction et par les longues journées désœuvrées
à surveiller les pensionnaires. Que M. Hole reçût une
prostituée baptisée la Maréchale (cent huit fois au cours
de l'année), qu'il donnât l'hospitalité à un retraité pré-

nommé Gaspard (deux cent treize fois), pouvait être établi d'après leurs notes. Ils avaient enregistré chaque allée et venue de l'Américain et mis en évidence, par de soigneux recoupements, d'intéressantes anomalies.

« Lesquelles, par exemple ? » demanda l'investigateur. Le réceptionniste feuilleta son cahier.

« Le 7 décembre 1887, une femme est entrée chez lui qui n'est pas ressortie...

— Voilà du sérieux ! Êtes-vous formel ?

— Hélas ! non. Cet après-midi-là, par exception, j'ai dû m'absenter un quart d'heure pendant mon service. Personne ne m'a remplacé au guichet. Il est possible, quoique peu vraisemblable, que la visiteuse ait quitté l'hôtel dans cet intervalle.

— Qu'en dit le portier ?

— Il ne se rappelle rien, ni non plus les chasseurs... L'un d'eux prétend que M. Hole s'est absenté en compagnie de M. Louchon vers treize heures. Quant à moi, j'ai vu les deux hommes rentrer au milieu de l'après-midi avec une malle de grande dimension.

— Merci en tout cas pour cette information, j'en prends bonne note... Au suivant ! »

La seconde phase de l'enquête consistait a décrire, aussi précisément que possible, les faits et gestes de l'Américain à l'intérieur de l'hôtel. Consigne fut passée à chaque employé d'investir l'appartement numéro 16 : de blanchisseuse en cuisinier, de groom en garçon d'étage, on se répéta ce chiffre comme on chuchote un mot de passe. Un guet permanent fut dressé à l'angle du couloir, dans un recoin commode qui permettait d'épier sans attirer l'attention.

Ce fut ainsi qu'on découvrit l'étrange circulation qui régnait entre les chambres 11 et 16.

Chaque jour, en fin d'après-midi, Salomé (chambre 11) quittait ses appartements dans un costume insolite, qualifié par le guetteur d'« accoutrement de bohémienne ». Elle suivait le couloir quelques mètres et frappait à une autre porte, celle de Gordon Hole (chambre 16). L'Américain la faisait entrer. Un moment plus tard, un jeune homme enregistré à la réception sous le nom d'Armand Boissier toquait à son tour. Les trois demeuraient enfermés environ une heure, puis chacun se retirait dans le même ordre que tantôt.

Rapport fut fait au comptable, promu inspecteur en chef. Il commit un garçon d'étage pour écouter à la porte. Le garçon fut choisi intelligemment parmi les moins bien notés du personnel : de la sorte, s'il était surpris, son renvoi ne priverait pas l'hôtel d'un bon élément.

Voici donc ce qu'entendit Frédéric Volle, garçon d'étage, lorsqu'il colla son oreille à la porte de la chambre 16, le 15 juillet 1888 :

« Mademoiselle Salomé, je suis porteur d'une triste nouvelle...

— Laquelle, monsieur Hole ?

— Nos séances vont finir. Vous recevrez bientôt votre congé. »

Un silence tendu succéda aux paroles de l'Américain.

« Pour quelle raison ? Ne vous ai-je pas donné satisfaction ?

— Entièrement ! Il s'agit d'autre chose...

— De quoi d'autre ? insista la ventriloque.

— La faute revient au jeune homme qui nous a réunis

— Armand, ce propre à rien... Comme je regrette de l'avoir choisi ! Mieux aurait valu que j'achète le premier venu, un crieur de journaux ou un cireur de chaussures ! »

Les fluctuations de la voix permettaient à l'espion d'imaginer Gordon Hole : debout, faisant les cent pas à l'intérieur de la chambre. Salomé semblait immobile.

« Mais enfin... qu'a-t-il fait ?

— Ce qu'il a fait ? éclata l'Américain. Il a sapé mon plan, des mois d'efforts et de démarches ! Sa mission était pourtant simple : dynamiter la Tour. N'importe quel homme résolu pouvait réussir. Or, pour une raison que j'ignore, Armand a renoncé au dernier moment...

— Peut-être a-t-il eu des scrupules ? » hasarda la ventriloque.

Un reniflement dédaigneux s'entendit à travers la porte.

« Ils sont venus bien tard, dans ce cas ! D'ailleurs non, je n'y crois pas. Le poisson était bien ferré... Sous l'empire de Roseline, Armand devait aller jusqu'au bout ! »

Une pause advint dans la conversation. Prudent, le garçon d'étage s'écarta de la porte. La voix de Salomé l'y ramena.

« D'où tenez-vous ces informations ? Des journaux ?

— Ce serait une consolation... Mais non, les journalistes ne savent rien, on les tient à l'écart ! J'ai tout appris d'un bardeur du chantier, autour d'un pot de cidre. »

L'Américain s'assit dans un fauteuil dont les ressorts protestèrent. Il développa :

« Ce matin, en déménageant le matériel qui a servi aux illuminations, les artificiers ont découvert des mèches, qu'ils ont prises d'abord pour les amorces de leurs propres engins. Lors d'un tir, deux ou trois fusées peuvent rester au sol — c'est paraît-il un accident commun... Cependant ces lignes ne conduisaient pas à de banals pétards, mais à de gros bouquets de dynamite ficelés aux piliers de la Tour ! Que pensez-vous qu'ont fait les artificiers ? Ils ont alerté Jean Compagnon, le chef du chantier. Eiffel a été prévenu dans la matinée.

— Et Armand ?

— De forts soupçons pèsent sur lui. Certes, personne ne l'a vu installer l'explosif, mais plusieurs témoignent qu'il arpentait la Tour, un gros sac sur le dos... À l'aube, un riveur l'a trouvé endormi sur la deuxième plateforme. Jugez de cela : un criminel qui s'assoupit sur les lieux de son forfait ! Bah ! cet étourdi obtiendra ce qu'il mérite... Il aura son congé des établissements Eiffel, pour commencer. Ensuite, l'enquête établira ses torts. La prison ou le bagne nous en soulagera pour longtemps ! »

Le garçon d'étage perçut de l'indignation dans la réponse de Salomé.

« Comme vous y allez ! Parler ainsi d'un homme qui vous a servi, en exposant sa carrière et même sa vie !

— Il m'aurait servi s'il avait culbuté la Tour... Puisqu'elle est toujours debout, il m'a nui plutôt ! J'ai perdu mon temps et beaucoup d'argent ! »

Un mouvement se fit derrière la porte. L'espion comprit que Gordon Hole reprenait ses allées et venues dans la chambre.

« Si Armand se présente, il faudra, par le truchement de Roseline, lui signifier son congé. Improvisez quelque chose... En somme, sa fiancée a des raisons d'être en colère. N'a-t-il pas trahi sa promesse en épargnant la Tour ? Qu'elle lui en fasse reproche, qu'elle l'accable d'injures ! Il n'osera pas y revenir : cette séance sera la dernière.

— Je ne peux obéir ! s'insurgea la ventriloque. Cela le tuerait !

— Bah ! À son âge, on se relève de tout... »

Au même instant, le garçon d'étage dont une oreille restait aux bruits du couloir entendit le cliquetis de la grille d'ascenseur. Il se retira promptement vers un placard à balais. L'entretien fut suspendu.

Odilon fit un pas à l'intérieur de la pièce. Il avait gardé son chapeau sur la tête, en homme pressé qui rompt les convenances. La canne à dent de phacochère se balançait au pli de son coude. Sans doute avait-il couru depuis l'omnibus, car ses veines enflaient dans le tuyau du faux col. Il sortit un mouchoir de sa manche et s'épongea les tempes.

Gordon et Salomé restaient debout, statufiés de surprise. Ce fut l'Américain qui s'ébroua le premier :

« Nous n'attendions pas votre visite !

— Armand est-il avec vous ? » demanda l'ingénieur en jetant un regard circulaire sur la pièce.

Gordon interposa ses larges épaules.

« Il n'est pas ici.

— J'ai soif. »

Avec un ferme sans-gêne, Odilon passa l'Américain et prit un fauteuil. Gordon considéra l'intrus, balançant de l'accueillir ou de le mettre à la porte. Mais sa main avancée vers la sonnette dévia vers le minibar. Un apéritif fut servi.

Ce simple geste changea l'orientation de la rencontre. De même qu'un plateau tournant renouvelle un décor de théâtre, remplaçant meubles et accessoires, la cellule spirite se convertit en salon parisien : on souffla les chandelles, on dévoila les miroirs, on ouvrit les rideaux des fenêtres... Même Salomé, trouvant l'occasion d'alléger son costume, déposa le fichu à médailles qui couvrait ses cheveux. En un instant tout mystère fut dissipé.

« Nous n'évoquerons pas les morts, n'est-ce pas ? » ironisa Gordon Hole devant l'étonnement d'Odilon.

Ces paroles étaient l'aveu d'une supercherie. Par bonheur, la nuance échappa à l'ingénieur qui n'y prêtait pas l'oreille.

« Il n'y a plus trace d'Armand ! commença le Parisien. Cette nuit...

— Allez au fait, nous connaissons les événements ! » La surprise se marqua derechef sur la physionomie du visiteur. Salomé dévisagea son partenaire, troublée de cette négligence.

« Oui, la rumeur a circulé, compléta Gordon très à l'aise. On en parle au Club des constructeurs métalliques. »

Cette explication parut fiable à Odilon, qui enchaîna :

« Vous savez donc qu'un riveur a ramassé notre ami au sommet de la Tour. À ce moment, la dynamite n'avait pas été découverte. Le chef de chantier a donné de son geste une version bénigne : l'escapade d'un homme ivre après le banquet du feu d'artifice... Plus d'un buveur s'était vanté, sous l'influence du champagne, d'escalader la Tour à cloche-pied ou sur des échasses. On a mis Armand dans un fiacre qui l'a déposé chez lui.

— Je suppose qu'il ne s'est pas présenté au travail, ce matin ? avança la ventriloque.

— Si, mais très en retard... Quoi de plus naturel, après une nuit passée là-haut ? C'était pour nous sujet à plaisanter ; d'ailleurs, Armand lui-même semblait de bonne humeur. Hélas ! Il n'avait pas plus tôt pendu son chapeau qu'Eiffel débouchait furieux du couloir. À deux reprises, son index a pointé Armand et la porte de son bureau. Notre ami a obtempéré. Une minute plus tard, il est ressorti une lettre à la main — sa lettre de renvoi... »

L'Américain s'en réjouit intérieurement.

« Quelles sont les intentions d'Eiffel ? Va-t-il porter plainte ?

— Il s'en réserve le droit, c'est ce qu'il a répondu à M. Salles. En vérité, je crois le patron très ennuyé de cette affaire. Les apparences sont assurément contre Armand — d'où son congé — mais l'on manque de preuves... Quel scandale si l'enquête confirmait les soupçons ! Eiffel trahi par l'un de ses ingénieurs ! »

L'air affligé de Gordon Hole mentait sur son état d'esprit.

« Vous dites qu'Armand était de bonne humeur... C'est inattendu !

— Je ne me l'explique pas. Après l'entretien, tandis qu'il rangeait calmement ses affaires, je suis venu le voir. Il souriait toujours. Cette figure si peu au diapason des événements m'a fait craindre pour la santé de son esprit : il advient — n'est-ce pas ? — qu'une violente commotion dérange la cervelle. "Comment te portes-tu ?" lui ai-je demandé. Alors, roulant vers moi des yeux vagues, des yeux de mystique, il a déclaré : "Le mieux du monde ! Je l'ai vue, *elle* est venue à moi, *elle* m'a embrassée ! Comprends-tu, Odilon ? Je n'ai plus besoin des séances. Nous sommes *reliés*, désormais."

— Il parlait de Roseline ? supposa Salomé.

— Sans doute... Mais Armand n'a rien dit de plus. Il a coiffé son chapeau et franchi la porte, son carton plein sous le bras. J'aurais dû le suivre à ce moment, mais M. Pluot m'a fait signe de rester — passer outre, c'était risquer ma place ! Plus tard, j'ai couru chez son oncle Jules, rue de Bruxelles : Armand n'y était pas ; ni chez Roseline, ni sur le chantier, ni à la morgue, ni dans aucun des cafés que nous fréquentions. En dernière ressource, je me présente ici...

— Inutilement ! jeta Gordon Hole. Armand a boudé notre rendez-vous. Je suppose qu'il déclinera aussi les suivants. Alors, c'en est terminé des séances ? Tant mieux ! Un père n'entend pas sans tourment la voix de sa fille morte. À la longue, ce remède devient un poison. Un deuil a besoin de silence... »

Le Parisien exprima son désaccord, d'une voix d'abord ténue qui s'affirma peu à peu :

« Sauf votre respect, monsieur, j'ai une autre opinion ! Armand a disparu. Il est à craindre qu'il ne mette fin à ses jours, dans l'état d'esprit où il est — si ce n'est de détresse ce sera d'égarement, pour retrouver sa bien-aimée ! Nous n'avons qu'un recours : surveiller les endroits où il peut reparaître.

— Bien parlé ! approuva Salomé. Maintenons les séances, sans changer l'heure ni le lieu ! Je propose à Odilon de nous rejoindre... »

Gordon Hole eut un geste d'humeur qui renversa son verre. L'alcool tendit sa langue cuivrée vers le bord de la table, coula en rideau puis s'épancha sur la moquette. L'Américain tapa du pied comme on piétine un feu qui prend.

« À votre guise ! Continuez les évocations ! Pour moi, j'y renonce... Roseline est morte, Armand a perdu la raison : il faut en prendre son parti, voilà tout ! Madame, monsieur, j'ai bien l'honneur ! »

L'Américain quitta vivement son siège, prit son manteau à la volée et marcha vers la porte. Il avait déjà la main sur la poignée quand il réalisa qu'il était dans sa chambre : c'était à eux de sortir ! Gordon Hole s'écarta ostensiblement. Les deux comprirent et s'exécutèrent.

Comme Salomé passait le seuil, l'architecte la retint par le bras et lui siffla à l'oreille : « N'espérez aucun salaire pour cette comédie ! Notre contrat est rompu ! » La ventriloque sortit sans répondre. La porte claqua dans son dos.

« M. Hole ne voudra plus nous recevoir..., soupira Odilon. Où nous réunir désormais ? »

Salomé eut un regard vers sa chambre, détourné aussitôt.

« Je vais louer un appartement dans cet hôtel, à cet étage même. La réception nous préviendra si Armand se présente. »

Ils s'accordèrent sur cette solution. Rendez-vous fut fixé au lendemain vers la fin d'après-midi.

Depuis une heure qu'il avait quitté la gare, le train cheminait déjà en pleine campagne.

D'est en ouest, du nord au sud, une même étoffe vêtait les collines, tissée par l'homme au fil de la nature : toison profonde des champs de blé, pelisse bouclée des forêts, moire émue des rivières — le tout cousu de sentiers au fil d'or, ravaudé de villages dont les clochers pointaient sur l'horizon telles des aiguilles à tricoter.

Malgré le bruit, malgré la puanteur du charbon brûlé, le train qui passait ajoutait d'une façon personnelle à la paix rurale. Ça ne marchait pas bien vite : les vaches avaient tout le temps d'étirer leur long cou vers les passagers saluant aux fenêtres ; elles pouvaient humer, mufle au vent, la vapeur envolée des tuyaux de tôle vernie.

À l'entrée des villages, des enfants accouraient pour faire la fête à la grande dame de fer. C'étaient des sauts et des cabrioles tout le long du convoi, au grand effroi du garde-barrière. Des fruits cueillis dans les vergers voisins étaient offerts aux passagers qui cédaient en retour des poignées de nougats ou de berlingots. Comme on se régalait, comme on riait fort ! On était heureux — heureux comme avant la guerre...

Le front collé à la vitre, Armand confiait ses rêves au défilé du paysage.

Sous les ponts nombreux qu'empruntaient la ligne, éteignant longuement les fenêtres, l'ingénieur roulait de la mie de pain sur sa jambe. Ces miettes d'un casse-croûte avalé à la gare, c'était tout ce qu'il emportait de la capitale, avec ses chaussures richelieus et la chemise sur ses épaules. Il avait laissé sur un banc le carton d'affaires rempli à Levallois.

L'humeur du jeune homme était contrastée, à l'image des fenêtres où alternaient l'ombre et la lumière. Content d'une part d'échapper à la capitale, impatient de retrouver la maison de Saint-Flour ; il était amer, d'autre part, en considérant le temps passé à l'ombre de la Tour.

Comme il semblait loin ce jour où, descendant d'une voiture de louage, il avait toqué à la porte de Gustave Eiffel ! Depuis lors, Armand avait appris un métier, il avait aimé une femme et s'était même initié, par faveur spéciale, aux arcanes de l'au-delà — cette science spirituelle que peu d'hommes approchent avant de mourir. Le solde était plutôt flatteur !

Au revers, rien de tout cela n'avait abouti. Le Sanflorin quittait Paris sans s'être fait de position, sans avoir contracté mariage, plus pauvre qu'à l'aller puisqu'il rentrait sans valise... Bah ! Quel jeune homme de vingt-quatre ans peut se targuer d'être pleinement heureux ? Lequel, même, éprouve des joies durables ?

La marche du monde veut qu'aucune chose ne s'accomplisse tout à fait dans la jeunesse ; elle conserve pour chacun l'amertume décevante du fruit vert. Cet âge est celui des élans, donc des faux pas. On tombe, on peine, on se relève... Cela paraît sans fin. Mais le cercle est secrètement spirale, et culmine un jour dans la lumière de la maturité.

Armand descendit du train à la station de Neussargues. La nuit venteuse battait comme un océan aux portes de la gare. Sans hésitation, il traversa la place et prit le chemin de cailloux qui conduisait à son village.

13

Le retour d'Armand à Saint-Flour fut fêté comme la visite inopinée d'un prince. Tout au long de son histoire, la citadelle avait ouvert ses portes à de puissants personnages, venus là reposer leur escorte sur le chemin de l'Espagne : Charles VII, entre autres, s'y était abrité.

Or un fils est un roi quand il revient de loin et qu'on a craint pour lui. Quand le père Boissier ouvrit la porte de la petite maison familiale, rue du Thuile-Haut, il manqua défaillir à l'aspect d'Armand debout dans l'encadrement.

« Par les cloches du ciel ! » s'exclama Hippolyte qui jurait comme un vicaire.

La nouvelle proclamée d'une voix forte épargna le premier choc à Bertille, la mère. Elle laissa son tambour de broderie et courut au visiteur, charriant derrière elle toute la maisonnée. Ce furent des pleurs et des embrassades, coupés aussi d'actions de grâces car les Boissier, bons chrétiens, n'omettaient jamais de louer le Seigneur quand ils sentaient l'effet de sa Providence.

Seule la petite sœur Hortense demeurait à l'écart des effusions, moitié par crainte d'être broyée dans cette mêlée de grandes personnes, moitié par effarement de ce frère rentré sans prévenir. Comme les chats, les enfants n'aiment pas qu'on dérange leur univers. Elle remarqua aussi, cette fois à voix haute, qu'Armand allait sans bagage. Hortense écopa d'une gifle mais fut entendue.

« C'est vrai, dis donc... Où est ta valise ? » s'informa Hippolyte qui avait payé de sa poche le bel objet en cuir de Russie, « une trousse de prélat », selon son expression.

Armand improvisa un mensonge qui faisait un sort définitif au bagage : tombé accidentellement du train en marche, puis lacéré sous ses yeux par des chiens errants qui suivaient le convoi.

« Est-ce Dieu possible ? s'étonna Bertille en tortillant un mouchoir. Des chiens après une valise ? Ah ! pour rien au monde je n'irai à Paris ! »

Hippolyte secoua une épaule, car Paris ne faisait rien à la question. On ne s'en recueillit pas moins sur la méchanceté du monde.

La perte de la valise, au sein d'une famille modeste qui s'éclairait encore à l'esprit-de-vin, jeta une note dissonante dans l'accord des retrouvailles. Pour commencer, la porte béante fut fermée, en garde des voisins qui pourraient médire s'ils avaient vent du malheur. Ce point aussi fut soulevé par Bertille : Armand avait-il fait des rencontres dans les rues de Saint-Flour ?

« Il ne faudrait pas qu'on t'ait vu ! ajouta la mère en stratège domestique. L'aîné rentrant à pied, toquant à la porte comme un mendiant... Ça non, par exemple ! »

Armand s'esclaffa.

« Encore les voisins ! Vous parlez comme l'oncle Jules ! C'est donc de famille ! »

L'insolence de cette remarque n'échappa point à Hippolyte. Il constata tristement l'émancipation de son fils, amenée sans doute par le mauvais air de Paris.

On avait soupé depuis longtemps. Bertille n'en remit pas moins le couvert, pour faire honneur à Armand et lui montrer qu'on n'était pas chiche sur les victuailles. Le père commanda de cuire le rôti du dimanche.

« Le rôti de porc ? » gloussa l'épouse qui n'en croyait pas ses oreilles.

Hippolyte l'envoya aux fourneaux d'un regard courroucé.

Pendant qu'on allumait le poêle, Armand respira le bon air de la salle, composé du fumet des plats qui avaient mijoté là et d'émanations plus secrètes, celles d'objets familiers du ménage : le balai en crin rangé derrière la porte ; le moulin à café mural de la grand-mère ; les casseroles en cuivre suspendues, dans l'ordre des tailles, à leur rangée de clous... Cela sentait bon le vernis et l'encaustique, le charbon de terre et le bleu à linge — une quiète odeur de *chez-soi*, évocatrice moins du temps passé que du temps suspendu ; car rien ne change jamais dans la maison familiale, sauf les êtres qui, un à un, s'absentent...

Or, même cet environnement rustique voyait poindre le progrès : c'était sous la forme rutilante d'une lessiveuse en tôle galvanisée, flambant neuve, que Bertille avait dressée sur une table à part, tel un tabernacle du culte nouveau. L'ingénieur releva aussi, avec quelque émotion, une gravure de la Tour découpée dans un journal, chevauchant sa propre photographie en uniforme d'étudiant.

« Bienheureux Saint-Flour ! » songea Armand en goûtant le petit blanc que son père venait de verser.

La viande fut servie sans garniture de légumes : accompagner la pièce noble, c'eût été rabaisser l'air de fête et marquer peu de considération pour leur hôte. Néanmoins, la cuisinière qui connaissait les goûts d'Armand remplit une assiette à part de lentilles blondes, spécialité locale prisée du jeune homme.

Le moment était venu des solennités. Hippolyte alluma sa pipe, emblème du patriarche, et ouvrit cet entretien où personne ne devait parler que le père et le fils.

« Armand, nous nous réjouissons de te voir... Jules a dû te l'apprendre, je suis venu à Paris ces derniers temps. Tu ne donnais plus de nouvelles et nous prenions souci.

— Jules me l'a dit, oui... Il m'a confié aussi que vous étiez reparti très peiné, croyant que je vous boudais. Or c'est un malentendu. À la vérité... »

Le père l'interrompit d'un geste vers l'arrière, façon de dire : « N'en parlons plus. C'est du passé ! » Il enchaîna.

« Ta visite est une joie pour nous. Cependant, j'aimerais en connaître le motif... Ce n'est pas ta manière d'accourir ainsi par le premier train, sans prévenir personne. Si quelque chose est arrivé, parle ! Tu peux compter sur ma bienveillance... »

Un instant, Armand fut tenté d'avouer la vérité. Mais la franchise était un choix trop risqué. Comment expliquer Roseline, le spiritisme, tout le reste ? Le moindre aveu amènerait de longues discussions, le forcerait à entrer dans de pesants détails, sans certitude même d'être compris. Il préféra mentir.

« Comment ? feignit donc l'ingénieur. Vous n'avez pas reçu ma lettre ? J'ai pourtant écrit tantôt ! Oh ! ma visite est tout ce qu'il y a d'ordinaire, mis à part cet incident de valise... Gustave Eiffel m'a confié une mission autour des ascenseurs : elle est terminée à présent, je reviens donc parmi vous en attendant d'être affecté à un nouveau poste. C'est l'affaire d'un ou deux mois ! »

Hippolyte eut un soupir où le fils crut entendre une nuance de désappointement. Le temps pour le rôti de tiédir, le charpentier téta sa pipe et ne parla plus. Ce fut Bertille qui reprit les questions.

« Es-tu certain d'avoir donné satisfaction ? Je ne connais rien au métier d'ingénieur mais enfin, quand un patron vous apprécie, il ne vous laisse pas chômer ! Ton père s'en souvient, qui ne pouvait lâcher le manche sans qu'on l'appelât aussitôt sur un autre chantier.

— La Tour, c'est différent ! précisa l'ingénieur. Nous sommes trois cents dessus, et bien peu verront le fruit de leur labeur ! Chacun a sa partie ; il en est qui s'appliquent à des riens : le prisme du phare qui coiffera la Tour, les plans des restaurants du premier étage ! Quand on a fini et qu'on cède sa chaise, de nouveaux venus prennent aussitôt la place... Le temps est révolu du plein travail, d'un bout à l'autre de l'année. Désormais, les journées sont seulement de dix heures, et l'on relâche parfois le samedi !

— C'est fâcheux, s'il en est ainsi ! jeta soudain le père. Comment nourrir sa famille avec un demi-salaire ? Bah ! Je ne comprends rien aux fantaisies du gouvernement ! »

Un gargouillement de pipe traduisit l'ire du père Boissier. Ayant curé l'objet à la pointe de son couteau, il le garnit d'un tabac neuf et reprit, parlant fort dans les volutes d'une fumée rajeunie :

« Mais toi, que vas-tu faire jusqu'à la Toussaint ? Tu n'entends pas, j'espère, allonger les pieds sous la table ?

— Bien sûr que non ! protesta Armand un peu chahuté. Je trouverai à m'employer ici ! L'été dernier, vous m'écriviez que la mairie cherchait un secrétaire...

— Il est nommé !

— Alors autre chose ! Si ma cervelle est inutile, je proposerai mes bras : faucher l'avoine, tailler les vignes, brosser le cuivre... n'importe quoi ! Un peu d'exercice me fera du bien, du reste, après toute une année en ville. Là-bas, on ne fait que monter des escaliers ! »

Hippolyte voulut bien sourire à la boutade. Sa pipe lâcha un nuage amical, bleuté et rond, qui drapa ces paroles de réconciliation :

« Allons, rien ne presse... Prends un peu de repos, tu l'as bien mérité. Pardi, nous avons de quoi te servir la soupe, un mois ou deux ! »

Le bonhomme Hippolyte refaisait surface. Du coup, toute la tablée se détendit : Bertille servit le café pleine d'entrain, Armand dépeignit longuement la capitale, jusqu'aux petits frères et sœurs — huit chenapans qu'il est superflu de nommer — dont le rire s'empara comme le feu vient à la poudre.

La soirée termina fort douillettement, au milieu des bouteilles et des pâtes de fruits.

Le temps de la campagne diffère du temps de la ville. Il paraît ensemble plus long, car les journées durent, et plus court, car les semaines, les mois et les années comptent pour rien. Les hivers se ressemblent, les étés se répètent. Sans rien pour fixer le souvenir, sans piquet pour amarrer la barque, on fuit sur le courant en suivant la berge qui défile, l'âge qui avance, la vie qui passe irrémédiablement...

Le séjour d'Armand à Saint-Flour dura neuf mois, qui lui parurent moins qu'une saison parisienne.

Les premières semaines avaient été les plus actives : complaisamment répandue par Hippolyte, la nouvelle de son retour lui avait attiré des honneurs, des discours et même une médaille. On apprenait, stupéfait, qu'un Sanflorin avait pris part à l'entreprise du siècle, l'érection de ce monument dont parlaient les journaux parisiens, et, par rebond, ceux de province. Le maire en personne s'était porté au devant du jeune homme que la rumeur qualifiait déjà d'« inventeur de la Tour ».

« Il en a dessiné les plans ! » admiraient les villageois en guettant dans les yeux d'Armand, souvent atones et las, l'étincelle fugace du génie.

Il s'en fallut de peu alors que son renom n'occultât celui de l'édifice : les Sanflorins préféraient ce héros familier qu'ils avaient sous la main au lointain pylône de métal. Peu importait si Armand avait conduit le projet ou s'il avait été un simple exécutant. Aux yeux de tous, la Tour... c'était lui !

Des villageois parmi les plus échauffés plaçaient le fils Boissier au rang des figures historiques, voulaient lui ériger une statue : Armand debout, le regard au ciel, pointant de la main gauche le plan de la Tour tandis que la droite ajustait des lorgnons d'ingénieur. Le conseil municipal vota le projet à l'unanimité. Seule la dépense de bronze, excessive en effet, contraria sa mise en œuvre.

Le malentendu eût peut-être duré, et la farce essaimé dans tout le pays, sans le malheur qui frappa, cet automne-là, les fermes du plateau. Il s'agissait d'une épidémie de fièvre dont les bovins mouraient par centaines. Cette calamité fit aussitôt les gros titres, aux dépens d'Armand qui tomba subitement dans l'oubli.

L'ingénieur n'intéressa plus personne, sauf de rares plaisantins qui l'abordaient dans la rue en lui lançant :
« Alors, la Tour ? Des nouvelles ? »

Et le bon Armand de répondre :
« Elle monte toujours ! »

C'était sa hantise : croiser un jour quelqu'un d'assez renseigné pour le confondre et faire éclater la vérité...

Voilà pourquoi Armand se tenait informé des péripéties du montage, à travers les nombreux journaux dont c'était le filon. Il n'en manquait pas : de bulletin villageois en gazette boulevardière, d'illustré pour dames en revue pour messieurs, toutes les feuilles ou presque s'étaient prononcées sur l'entreprise formidable de Gustave Eiffel. En composant les articles lus ici ou là, on pouvait dégager un portrait complet du pylône, dresser en quelque sorte son calque de papier.

Ce fut comme lecteur qu'Armand suivit l'avancement du chantier, de l'été 1888 au printemps 1889.

La deuxième plate-forme dépassée, un esprit nouveau souffla sur les bâtisseurs de la Tour. À présent que les difficultés majeures étaient vaincues, que les piliers en grand écart s'étaient rejoints dans une flèche unique, personne ne doutait plus qu'on irait au sommet. La cadence de montage s'accélérait, les équipes bien rodées donnaient leur maximum pour tenir, et devancer si possible, le rendez-vous des 300 mètres. Cette verticale élémentaire dans laquelle s'engageait le chantier semblait à beaucoup la dernière ligne droite.

« La Tour, c'est une bouteille de champagne ! plaisantaient les ouvriers. Et nous, on se dépêche d'arriver en haut pour faire sauter le bouchon ! »

Au moment où la Tour acquérait sa silhouette piriforme, non plus à plat sur une feuille de papier mais en volume et dans l'espace, les Parisiens commencèrent à lui trouver des ressemblances, donc des surnoms.

Pour le peuple, elle restait la « tour de Babel ». Mais les poètes, les écrivains, maîtres d'éloquence, entendaient forger des comparaisons plus raffinées. Elles furent tantôt bienveillantes — cas rares —, tantôt inamicales — cas fréquents.

La Tour représentait pour les uns un « flacon clissé de paille peinte », une « géante chaudronnerie », un « squelette de beffroi », une « quincaillerie superbe », une « toile d'araignée où vont se prendre les soleils » ; elle campait pour les autres un « puits à pétrole », un « monstrueux bibelot d'étagère », un « suppositoire solitaire criblé de trous », un « mât ridicule sur le navire de Paris », un « tuyau d'usine en construction » ; enfin les plus caustiques, visant à travers elle l'outrecuidance bourgeoise, fustigeaient une « nouvelle église dans laquelle se célèbre le service divin de la haute Banque », une « grande drague pouvant extraire les boues aurifères des Bourses ».

Certains, tel François Coppée qui en avait fait l'ascension au milieu de l'été, lui dédiait des poèmes désenchantés : le panorama de la Tour transformait selon lui

Palais de l'histoire,
Riches quartiers, faubourgs sans pain,
En jouets de la Forêt Noire
Sortis de leur boîte en sapin.

Quand on ne blaguait pas la Tour, on la redoutait...

À croire les journaux, rien d'aussi vulnérable ni paradoxalement d'aussi menaçant que le monstre de métal. L'homme orgueilleux encourait la vengeance du ciel pour avoir fiché cette épine dans l'azur. Seule la nature du châtiment partageait encore les augures : la Tour serait-elle pliée par le vent, brisée par la foudre ou désarticulée par les variations de température ?

Au début de 1888, le journal *Le Matin* faisait sensation en titrant : « La Tour s'affaisse ! » Ni plus ni moins, l'article sommait Eiffel d'interrompre les travaux. D'autres feuilles signalaient l'inclinaison dangereuse du pylône, sans s'accorder toutefois sur le sens de cette défaillance : « La Tour ploie vers la Seine ! » soutenaient les uns ; « Non, c'est vers l'avenue de Suffren qu'elle penche ! » affirmaient les autres. Personne, en revanche, ne la voyait s'infléchir du côté du Champ-de-Mars et de l'École militaire — sans doute parce que personne n'habitait là.

Ces attaques verbales se doublaient, chez les artistes encore, de démonstrations variées d'hostilité : Verlaine passager d'un fiacre lui commandait un détour pour ne pas rencontrer l'odieux pylône de métal ; Maupassant avait accoutumé de dîner dans un restaurant du premier étage — non pour jouir du point de vue, mais parce que c'était le seul endroit à Paris d'où l'on n'aperçût pas la Tour...

Qu'on malmenât ainsi son œuvre irritait Gustave Eiffel, mais au fond ne lui déplaisait pas.

Il en est des nouveautés comme des maladies : le corps réagit d'autant plus que l'atteinte est sérieuse. Une œuvre de valeur se reconnaît au scandale qui l'entoure, aux railleries qui l'accueillent. Ces injures, ces brocards, ces pétitions prouvaient en somme que la Tour entrait dans les mœurs parisiennes. À sa manière froide et butée, celle d'un clou enfoncé sous la masse, elle forçait peu à peu le paysage mental après s'être imposée au paysage concret.

Des premiers signes en furent donnés au début de 1888, qui allèrent s'affirmant tout au long de l'année. Si les artistes officiels boudaient encore le pylône, les dilettantes de la plume ou de l'archet ne dédaignaient plus d'y puiser leur inspiration.

Ainsi ce mécanicien aux forges du Havre, qui répliqua d'une épigramme au poème de François Coppée :

> *Adieu ! va, remonte au Parnasse !*
> *Tout est fini pour l'Immortel !*
> *Car l'Ouvrier brandit sa masse*
> *Au sommet de la Tour Eiffel.*

Ou cette vieille dame dont les poèmes sans orthographe avaient Eiffel pour dédicataire :

> *La Tour est très agitée, elle me fait signe !*
> *J'aperçois mon ingénieur,*
> *D'un seul regard je le comprends.*
> *Quand je le vois il m'électrise,*
> *Il fait vibrer toutes mes machines et*
> *Met tout mon corps en mouvement*
> *Pour faire honneur au président !*

La Tour parlait aussi aux peintres, avec les tableaux de Georges Seurat et du Douanier Rousseau ; et même aux créateurs de mode, avec ce manteau l'« Eiffel ascensionniste », à collets superposés, de la maison Paris-Londres.

Ce fut toutefois dans la musique que l'immense diapason de la Tour résonna le plus fidèlement. Plusieurs cantates lui furent dédiées, ainsi *Babel Eiffel* du Choral-Club valenciennois. Adolphe David composa en son honneur une symphonie dont les périodes retraçaient la marche du chantier :

> *Lento* — arrivée des ingénieurs et des ouvriers au Champ-de-Mars ;
> *Moderato* — commencement des travaux et fondation de la Tour ;
> *Allegro* et gaiement — les travailleurs du fer ;
> 1re montée, *andante cantabile* — 1re plate-forme ;
> 2e montée — la Tour s'élève ;
> *Andante cantabile* — plus haut que les sommets ;
> *Moderato accelerando e crescendo* jusqu'à la fin — la foule monte ;
> *Lento e grandioso* — hymne au drapeau français.

Ces œuvres sérieuses avaient leur pendant frivole dans une profusion d'objets et de souvenirs, depuis le coupe-cigare jusqu'à l'étiquette de camembert, depuis la truelle jusqu'au moulin à poivre. On déclinait sur tous les supports le profil bien connu de la Dame de Fer.

Certains bibelots étaient mieux cotés que d'autres : c'étaient les pièces produites avec le matériau de construction. Par un traité signé dès le début des travaux, Eiffel s'était engagé à livrer à MM. Jaluzot & Cie, propriétaires des magasins du Printemps, toutes les « chutes, rognures et débouchures de métal » provenant du chantier de la Tour. Avec le fer ainsi collecté, on fondit d'admirables réductions du monument — « certifiées authentiques par l'Usine métallurgique parisienne » — qui purent, au gré de l'acheteur, servir de vase, de pied de lampe ou de cure-pipes, sinon trôner élégamment sur la cheminée familiale. N'avait-on pas, un siècle plus tôt, vendu des presse-papiers taillés dans les moellons de la Bastille ?

La partie de la Tour semblait donc bien engagée... Qu'en était-il du pylône de 300 mètres ? Déjà illustre, déjà copié, il n'était pas fini encore.

À l'été optimiste de 1888 succédèrent un automne et un hiver éprouvants, qui devaient rester dans le souvenir d'Eiffel comme les pires saisons du chantier.

Dès septembre, voyant leur paie diminuer avec les jours, les ouvriers entamèrent une grève.

« Nos journées sont de douze heures en été, mais de neuf en hiver ! arguaient les ramoneurs. Comment s'y retrouver ? D'ailleurs, le salaire devrait profiter de l'altitude : plus on monte haut, plus le risque est grand !

— Le péril est le même à 200 mètres qu'à 40 ! objectait Eiffel. Dans tous les cas, c'est la mort assurée ! »

Ce que démontra bientôt l'accident d'un ouvrier italien, tué dans sa chute du premier étage... Grâce à l'assurance contractée par Eiffel, sa veuve fut discrètement indemnisée. En échange, elle prit l'engagement de retourner dans son pays. Deux autres malheurs devaient endeuiller le chantier : un homme qui succomberait à de sévères blessures, un autre qui demeurerait estropié. C'était peu, au regard des dizaines de victimes que ferait l'élévation contemporaine du pont du firth of Forth, en Écosse. On citait le chantier de la Tour en exemple, et Gustave Eiffel comme un patron modèle.

Cependant, la grève s'installait. Solidaires, les ouvriers exigeaient une augmentation uniforme de vingt centimes par heure payée. Eiffel proposa cinq centimes, au bénéfice des seuls ouvriers spécialisés. Trois jours de pourparlers aboutirent à un compromis : le salaire horaire serait majoré chaque mois de cinq centimes, jusqu'à atteindre le cinquième de franc espéré. Le montage put reprendre. C'était, hélas ! pour peu de temps.

Avec la venue de l'hiver, rigoureux cette année-là, les conditions de travail des manœuvres se dégradèrent rapidement : malgré leurs épais tricots de laine et leurs casquettes en peau de loutre, le froid les mordait telle une bête féroce. Cet ennemi redoutable, fortifié par l'altitude, menait contre les hommes des assauts enragés. Il fallait s'en défendre comme d'une meute de loups, en allumant des brasiers pour repousser l'attaque. Mais cela même ne servait guère, si l'on travaillait au sommet de la Tour...

Ceux de là-haut livraient des combats héroïques contre l'engourdissement et la mort. Dans les tourmentes du vent glacé, par des températures de dix degrés sous zéro, leurs doigts transis collaient au fer. Il devenait impossible d'enfoncer les rivets, durcis dès que sortis du feu — ce feu qui s'éreintait lui-même, agonisant entre les griffes des rafales.

De fait, on plaignait surtout les équipes de rivetage : le « mousse » chauffant les clous dans sa forge mobile, le « teneur de tas » les enfonçant dans les trous en les maintenant par la tête, le « riveur » cognant l'autre extrémité pour l'écraser, le « frappeur » achevant le travail à coups de masse. Ces malheureux n'étaient-ils pas toujours sur le front, là où soufflait le vent le plus fort ?

Ne risquaient-ils pas la chute à chaque instant, perchés sur une charpente encore instable ?

À la mi-décembre 1888, les augmentations atteignant leur plafond, une nouvelle grève se déclencha sur le chantier.

Cette fois, Eiffel refusa de céder. Fidèle à sa stratégie de payer le mérite, il promit une prime spéciale de cent francs aux ramoneurs qui poursuivraient le travail jusqu'à l'achèvement de la Tour. Une condition était posée : se présenter le lendemain à son poste. Les absents seraient renvoyés...

Une majorité d'ouvriers acceptèrent le marché et reprirent une activité normale. À l'inverse, les meneurs furent exclus des travaux d'assemblage. On leur confia une tâche humiliante qui leur valut le sobriquet d'« indispensables » de la part de leurs camarades : la pose des arcades décoratives de la première plate-forme... L'accès au deuxième étage leur était défendu. Cet affront poussa plusieurs à la démission.

Eiffel prit des mesures efficaces pour conjurer un nouvel arrêt de travail : entre autres la création d'une cantine d'altitude qui épargnait la descente aux ouvriers — et accessoirement les détournait des marchands de vin du voisinage. Les prix compétitifs et la bonne chaleur des deux poêles garantissaient la clientèle. En contrepartie, une certaine discipline était appliquée : pause d'une heure seulement, alcool prohibé, accès interdit en dehors des repas...

Une dernière épreuve marqua cet hiver difficile : en février 1889, la Seine déborda de son lit et envahit le chantier de l'Exposition universelle. Les ouvriers accostaient la Tour en barque, tels les gardiens d'un phare immense au milieu de Paris. Par bonheur, l'inondation ne tarda pas à refluer. Le travail put reprendre.

Désormais, le temps et l'espace était comptés, avant le sommet...

Cette chronique de la Tour, dont Armand suivait les épisodes semaine après semaine, lui devenait précieuse en même temps qu'odieuse.

Précieuse, par la nostalgie qu'elle emportait d'un temps révolu : sans bien se l'avouer, Armand regrettait son poste d'ingénieur aidant à construire la Tour ; mais aussi, tout autant, sa mission d'agent chargé de la détruire.

Il eût voulu s'entretenir avec ses camarades de particularités techniques dont les journaux n'informaient pas — la question des ascenseurs, par exemple, encore suspendue lors de son départ : l'avait-on tranchée ? D'autres fois, ses pensées allaient plutôt à l'instant où l'allumette enflammée avait épargné les mèches. Quelle décision prendrait-il, si c'était à refaire ? Il allumerait, certainement...

En somme, l'important n'était pas de bien agir mais de *finir*, à tout prix : finir par un drapeau planté au sommet de la Tour ou par l'odeur de poudre flottant sur ses décombres. Il convenait à l'homme d'imprimer son propre terme à ses œuvres.

La chronique de la Tour procurait à Armand bien d'autres émotions.

De fait, la suture était difficile entre la vie parisienne qu'il avait quittée, mais dont ses lectures ravivaient le souvenir, et la vie à Saint-Flour — autant dire aux antipodes... Quand il levait les yeux de son journal et admirait le paysage, son esprit se troublait comme à l'entrée d'un rêve.

Toute sa jeune vie, il l'avait dédiée à la Tour. Or, quelle importance avait-elle ? Celle, exagérée, que lui conférait sur un terrain plat le rapport d'autres bâtisses humaines ? Ou bien celle, dérisoire, à quoi la ramenait le rapprochement d'un pli quelconque de la Terre ? Armand admirait les monts de la Margeride, leur modeste élévation qui valait déjà cinq fois la hauteur du pylône de métal. La Tour, piquée sur ses flancs ? Un rien ! Un cure-dent ! Une épine ! Voilà, philosophait l'ingénieur, l'objet insignifiant auquel j'ai voué tous mes efforts, et pour quoi j'étais prêt à mourir...

Le doute suscité chez Armand par ses lectures n'épargnait pas sa fiancée.

Un moment avait existé, celui du baiser au sommet de la Tour, où leur amour avait culminé. Parfois Armand s'interrogeait sur la nature de cette manifestation : était-ce une hallucination produite par sa cervelle échauffée ? Ou bien ses talents de médium s'étaient-ils éveillés, lui offrant d'évoquer Roseline sans intermédiaire ? Impossible de le savoir...

Ce que sentait Armand, c'était la perfection de cet instant où leurs lèvres s'étaient rejointes, par-delà le vide et par-delà la mort. Le jeune homme ne concevait pas de volupté plus haute que cette étreinte vaporeuse, fugace, peut-être imaginaire ; il niait la possibilité d'une intimité plus totale et plus réussie.

Or, que fait l'ascensionniste parvenu au sommet de la montagne ? Il redescend... Dès son réveil, le lendemain, Armand s'était senti dégagé des liens malsains qui l'attachaient à la comédienne. Ses sentiments restaient les mêmes ; en revanche, le besoin impérieux d'entendre sa fiancée, d'appeler son Esprit chaque jour l'avait quitté.

Il ignorait ce qu'elle deviendrait pour lui : soit le spectre adoré, aux caresses intactiles, sous la forme duquel elle s'était montrée une fois ; soit, comme pour tant de jeunes gens leur première maîtresse, un charmant souvenir, un recoin douillet de sa mémoire. Quoi que serait l'avenir, une page était résolument tournée...

Roseline n'avait pas sa place à Saint-Flour. De même que la Tour rapetissait ridiculement dans le paysage, la jeune femme s'atténuait comme un rêve qui va finir. Les premiers temps, Armand songea à elle ; ensuite il la perdit de vue. Seul demeura l'amour qu'il avait conçu — car l'amour, une énergie du monde (ni plus ni moins que l'électricité de la pile, la force du levier), se transmet mais ne disparaît pas. L'amour d'Armand flottait quelque part, jeune et irrésolu, bientôt disponible à une autre...

Au même moment, des soucis matériels saisissaient l'ingénieur.

La promesse faite à son père de reprendre un travail s'avérait difficile à tenir. Personne n'osait confier au brillant scientifique, honneur du pays, le tri des lentilles ou le curetage des fosses.

« Pardi ! Ça n'est pas pour vous ! Vous méritez mieux », disaient les patrons de ferme.

Jusqu'à la mi-août, Armand ne trouva nulle part où s'employer.

À la fin, ce fut un ami de la famille qui lui procura un emploi. Le jeune homme n'aurait pu en rêver de plus reposant, une vraie sinécure : il s'agissait de faire les commissions des moniales du carmel Saint-Joseph, un monastère agrippé au flanc du rocher sanflorin, et d'acheminer leur correspondance dans la citadelle.

Facile et bien payé, son travail lui permit en outre de lier connaissance avec le facteur qui portait le courrier de Paris. Ce fut ainsi qu'il intercepta les lettres adressées par son oncle Jules à son père Hippolyte — lesquelles, bien entendu, s'inquiétaient d'Armand et faisaient état de recherches actives pour le retrouver.

« Si nous n'avons pas de nouvelles avant l'automne, j'alerterai la police ! » annonçait le retraité dans une récente missive.

Armand écrivit un billet pour informer son oncle que tout allait bien, qu'il était à Saint-Flour, dans sa famille — dont il lui transmettait à cette occasion l'affectueux bonjour. « Gardez ma valise, je l'enverrai chercher », précisait encore l'ingénieur, qui ajouta en post-scriptum : « Merci de ne rien confier à mon père de mes déboires parisiens... Il est un peu souffrant, pareil choc ne pourrait que l'affaiblir davantage. Je me réserve de tout lui dire moi-même, à son rythme et en son temps. » Obéissant, l'oncle Jules n'aborda plus le sujet. L'ingénieur cessa de détourner son courrier.

Armand envoya des lettres de même teneur à Odilon, à Salomé, à Apolline, à Gordon Hole et même à Gustave Eiffel — pour ne pas être accusé de fuite, si une plainte venait à être déposée contre lui —, et, dès lors, se crut quitte envers la loi et envers sa conscience. En revanche, son exil ainsi publié lui parut moins sûr : la terrasse des Roches, qui avait pendant des siècles reçu les guetteurs de la citadelle, reprit du service, accueillant ce jeune homme inquiet de l'irruption de la maréchaussée.

Armand ne fut tout à fait rassuré qu'un mois plus

tard, lorsqu'il reçut les réponses bienveillantes de ses correspondants, hormis de Gordon Hole et de Gustave Eiffel. Mais il devenait peu probable, à cette date, qu'on entreprît rien contre lui. Il cessa alors de scruter la plaine.

Ce dernier souci retiré comme l'épine du talon blessé, le quotidien d'Armand devint très paisible.

Son office auprès des carmélites était d'une rare commodité. Un messager sachant les raccourcis pouvait s'acquitter de la distribution des lettres avant midi : cela laissait les heures jusqu'au coucher du soleil pour flâner dans la campagne. Armand faisait de longues siestes adossé aux rochers des planèzes ou bien rendait visite à ses amis, tous employés de ferme, pour leur prêter main-forte dans les travaux des champs.

Un tourment d'ordre mineur lui échut encore au seuil de l'automne. C'était son manque de vêtements (surtout de vêtements chauds), les siens ayant censément disparu avec la valise. Or, là encore, le destin lui fut bienveillant.

Il advint en effet qu'un de ses frères cadets, Alphonse, fit à dix-neuf ans une soudaine poussée de croissance : d'un mois au suivant, l'adolescent se trouva à ne plus pouvoir passer son tricot dont il étirait les mailles, ni chausser ses sabots qui lui forgeaient des cors. Même son crâne avait forci et rejoignait les bords du béret, naguère large à sa tête.

Par chance, ses anciennes mesures étaient à peu près celles d'Armand : chose amusante, l'ingénieur hérita alors des affaires de son puîné. Il prit la blouse, le pantalon et le reste, en alternance avec ses vêtements parisiens qu'il continuait de porter. On le voyait aller tantôt dans son costume d'employé et en souliers de ville, tantôt dans son habit campagnard avec des galoches en bois. C'était drôle à voir, et ses frères et sœurs ne se privaient pas de rire.

Du jour où il eut un travail et put s'habiller, Armand se sentit heureux à Saint-Flour. Il ne prévoyait pas de retourner à Paris mais s'habituait lentement à l'idée que sa place était là, qu'il allait faire son sillon dans quelque office de notaire ou d'avocat, à dresser des actes et à couler la cire.

La virtuosité acquise dans le maniement de la gomme lui paraissait son meilleur atout pour aborder cette nouvelle carrière. Il n'y voyait pas un détail mais un point essentiel et se félicitait d'avoir développé, à côté des savoirs inutiles qu'étaient le calcul des logarithmes ou la science hydraulique, cette compétence hautement précieuse, applicable en tout lieu et à toute fonction.

« Je serai un maître de la gomme ! » prophétisait le jeune homme, en croyant son destin scellé.

Or la Tour, comme la malédiction des pharaons ou le papier tue-mouches, ne relâche plus ceux qui l'approchent. Tandis qu'Armand s'éloignait d'elle, elle pourchassait l'ingénieur de son ombre, chaque jour plus longue et plus étalée. Il en serait bientôt rejoint...

14

À Paris, le départ d'Armand inaugura une période troublée.

De Gordon à Salomé, d'Odilon à Apolline, tous s'avisèrent que le foyer de leur histoire commune n'était pas la Tour comme ils l'avaient cru, mais bien ce jeune ingénieur sur qui convergeaient tous les enjeux, tous les espoirs et toutes les intrigues.

Armand en allé, il semblait qu'une jambe eût perdu son articulation : le marcheur devait s'armer de béquilles pour ne pas chuter.

Le premier à perdre l'équilibre fut Gordon Hole. À l'instant où il avait fermé la porte sur Salomé, ce jour d'été 1888, une conscience nette lui était venue des implications, nombreuses et néfastes : l'espoir lui était refusé, désormais, de tremper quiconque dans ses machinations ; pire, il laissait en liberté quelqu'un qui savait tout — la ventriloque —, et dont leur différend faisait une ennemie en puissance. Une seule issue possible... opérer seul, à découvert. Pour commencer, l'Américain chargea six balles dans son Remington.

La dernière visite de Gordon à son homme de main, le 15 juillet vers minuit, fut sombre et tourmentée.

Gaspard n'eut pas besoin d'entendre son patron pour deviner qu'il y avait du neuf. Sa physionomie parlait seule.

« De mauvaises nouvelles, monsieur ? »

Pour toute réponse, l'Américain tira de sa poche un pistolet, modèle Perrin 1859, calibre 11 mm, à crosse de noyer quadrillé. Il le mit dans la main de son acolyte.

« Sais-tu t'en servir ?

— Comme d'un télégraphe ! pouffa Gaspard dont l'humour n'était jamais désarmé.

— Pour commencer, tiens-le par la crosse ! La gâchette, c'est cette virgule de métal. Non, n'appuie pas dessus ! Il est chargé... Tu peux tuer un homme rien qu'en poussant la détente. Une crispation nerveuse, et le coup part !

— Comme c'est simple, une arme à feu ! admira le Français. Même un imbécile peut s'en servir !

— C'est inventé pour les imbéciles, justement... Allons, ne restons pas sur le seuil ! J'ai beaucoup à t'apprendre. »

Le récit de Gordon Hole, livré comme un feuilleton policier, jeta Gaspard dans des transes mortelles.

« Mais alors, monsieur, tout est perdu ! » fit-il en saisissant le pistolet.

L'architecte détourna le canon pointé sur lui.

« Considérons plutôt que nous sommes en état de siège... Demain, peut-être, la police frappera à cette porte, on te sommera d'ouvrir. Que feras-tu alors ?

— Je tirerai à travers le judas !

— Mais non, bêta, tu prendras la fuite ! Tu escaladeras cette gouttière pour t'évader par les toits.

— Et Roseline ?

— Voilà le hic ! Nous l'avons épargnée jusqu'à présent mais en telle circonstance, lui laisser la vie serait nous livrer. Tire dessus ! »

Gaspard soupesa le revolver, considéra le mur derrière lequel dormait la captive, enfin poussa un long soupir.

« S'il le faut !

— C'est bien, Gaspard. Tu fais preuve de courage et de discipline. Je t'en sais gré... »

Gordon voulut marquer sa faveur à l'homme de main. Il feignit de s'intéresser à son sort :

« Comment te portes-tu ?

— Roseline me fait une vie impossible, monsieur ! Ce n'est du matin au soir que caprices et jérémiades, pour me faire enrager. Tenez, hier, elle m'a demandé le journal... Je suis descendu l'acheter. Or celui que j'ai pris ne convenait pas. Il a fallu retourner au kiosque et obtenir un échange. Du nouveau, elle n'a pas voulu non plus : la page de mode était froissée, soi-disant ! J'ai fait cinq fois l'aller-retour. Il y avait toujours un problème — tel exemplaire puait l'encre, tel autre lui tachait les doigts, tel encore était marqué des ongles d'un client... Vous n'avez pas idée de ce qu'elle inventait pour m'envoyer en courses. C'était son amusement ! »

L'Américain sourit de bonne grâce.

« Tu es trop bon, mon cher Gaspard !

— Je ne le suis plus ! Désormais, c'est le bâillon au moindre soupir, à la moindre plainte, si même elle fait du bruit en mâchant ! J'ai instauré ce régime pour ma tranquillité. Roseline sait ce qu'elle peut faire et ce qui lui est défendu : elle connaît les bornes de ma patience. Non, mais ! Qui est ici le maître ?

— C'est toi, Gaspard, et je loue ta fermeté ! Atten-

319

tion quand même à ne pas l'abîmer... Comment supporte-t-elle l'enfermement ?

— Fort bien, monsieur... On peut dire qu'elle jouit d'une solide santé, celle-là ! Certes, la privation d'exercice a un peu fondu ses muscles, et depuis peu elle souffre d'escarres — c'est à cause qu'elle est allongée tout le jour. Mais j'y veille : chaque soir et chaque matin, je l'autorise à tourner dix minutes autour de son lit, qui est tiré au milieu de la chambre. Allez ! Je sais des prisonnières moins bien loties ! »

Gordon Hole approuva en coiffant son chapeau. Le Français saisit tout étonné la main qu'on lui tendait.

« L'heure est venue de nous saluer, Gaspard, et sans doute de nous dire adieu... C'est ma dernière visite ! Revenir après l'incident de cet après-midi, à présent que peut-être la police est sur nos traces, serait une folie et presque un suicide. Je te laisse ce pistolet, ton seul compagnon dans l'épreuve qui t'attend. Le mien me protégera aussi longtemps que Dieu m'accordera de vivre. »

Ces paroles solennelles ranimèrent les craintes du Français, un moment diverties par la conversation. Il ne put s'empêcher d'accrocher la manche de l'Américain tourné vers la porte.

« Allons, du cran ! » lança Gordon qu'irritait cet élan puéril.

Mais Gaspard restait pendu à son bras, en versant maintenant de grosses larmes.

« Ah, monsieur ! Ce n'est pas de faiblesse que je vous retiens, mais d'affection ! J'ai grand pitié de vous ! Vous avez défendu votre bon droit, vous avez cherché vengeance de l'affront que vous faisait Eiffel. Pour quel profit, hélas ? On vous accuse, on vous poursuit, demain peut-être on vous emprisonnera ! Quelle injustice !

— Garde ta pitié ! siffla l'Américain en se dégageant sèchement. Je n'ai pas chuté encore, je n'ai que trébuché ! Mon tort a été de déléguer, quand j'aurais dû agir seul, dès le commencement... Patience, Gaspard ! Ne quitte pas la Tour des yeux le jour de l'inauguration ! Il se pourrait bien que cette jolie fleur soit fauchée à peine éclose... »

Sur ces mots, Gordon se détourna et prit la porte.

Après sa visite à Gaspard Louchon, l'Américain choisit une réclusion volontaire qui n'était pas moins rude que celle, subie, de Roseline Page.

Il restait cloîtré dans sa chambre le jour et la nuit, faisait servir ses repas à l'intérieur et dans la pénombre, car il tenait ses volets fermés. Le garçon d'étage préposé à sa surveillance n'entendait plus aucun bruit à travers la porte, ni ne discernait dessous le moindre rai de lumière. Il semblait que Gordon Hole se fût absenté du monde.

Cette nouveauté contrariait l'enquête ouverte sur lui par le personnel de l'hôtel. Elle durait depuis de longs mois sans guère de résultat, sauf le matériau troublant recueilli dans les premières semaines. Le comptable en fit reproche au garçon d'ascenseur, accusé d'avoir recommandé ce client qui s'avérait très ordinaire, ou singulier seulement par son effacement.

« Vous nous avez trompés ! Votre excentrique est un ermite !

— C'est seulement qu'il a changé ! plaida l'autre.

Nous en sommes tous témoins ! Admettez que les propos recueillis par notre espion, lors de cette réunion à trois dans la chambre 16, ne manquaient pas de relief ! L'évocation des morts, le sabotage de la Tour...

— Je vous le concède. Mais ça n'est arrivé qu'une fois ! Tant d'efforts pour si peu ! Au demeurant, nous ne sommes ni journalistes ni policiers. Ces enquêtes ont un seul but : nous distraire. Si elles n'y réussissent pas, alors... nous les suspendons. »

Un vote aussi net que le premier mit fin à l'investigation sur Gordon Hole.

Par hasard, le soir même, le susnommé faisait une sortie hors de sa chambre, la première depuis six mois : il se dirigea droit vers les cuisines, là même où s'était tenue la conférence secrète du personnel et où son sort venait d'être débattu. Le maître queux eut un sursaut à l'aspect de cet homme pâle et mal rasé qui pénétrait son fief.

« Monsieur, je veux apprendre à cuisiner ! déclara Gordon Hole.

— Plaît-il ?

— Enseignez-moi votre art, du moins son alphabet : éplucher les légumes, composer les sauces, monter les blancs en neige... Je vous paierai bien. »

Et, joignant le geste à la parole, l'Américain fit voir des billets qui tombaient de sa poche comme des pelures de pomme.

« Mais pour quoi faire ? s'étonna le cuisinier.

— Ça n'est pas votre affaire ! »

Les scrupules du maître queux s'effeuillaient en même temps que la liasse. Quand le carrelage fut presque entièrement couvert de billets, il invita Gordon Hole derrière les fourneaux.

Quatre mois durant, les cuisines de l'Hôtel Britannique bénéficièrent de cet extra, qu'on ne payait pas mais qui déboursait pour apprendre. Les dîneurs constatèrent une sensible accélération du service, compensée, hélas ! par une dégradation tout aussi patente de la cuisine.

« Serveur, c'est une honte ! protestaient les clients en brandissant une feuille de salade terreuse ou une tranche de gigot brûlé. Voilà ce qu'on décroche, à recruter des marmitons sur le trottoir !

— Vous vous méprenez, monsieur. Notre aide de cuisine est un riche architecte américain... »

Tandis que Gordon Hole s'initiait laborieusement à la cuisine française, Salomé et Odilon faisaient salon, chaque jour à heure fixe, dans une chambre du deuxième étage de l'Hôtel Britannique.

Les deux avaient longtemps médité la forme et le fond de leur rendez-vous.

On s'accorda vite sur la forme qui devait rester celle d'une évocation spirite, avec les costumes adoptés pour les séances de Gordon Hole : de la sorte, si Armand venait à paraître, il trouverait un environnement familier, certes préférable à un nouveau décor.

Le fond fut davantage débattu. Sans en donner clairement les raisons, Salomé ne voulait pas reprendre les évocations de Roseline. Ces séances, alléguait-elle, concernaient au premier chef Armand et Gordon : en l'absence des deux parents de la comédienne, elles n'avaient plus d'objet. Odilon soutenait qu'il fallait les continuer, non pour eux mais pour la morte elle-même :

« Les Esprits ne sont pas des êtres à part, dépouillés de leur sensibilité. Ils aiment comme nous, souffrent et jouissent tout pareillement... C'est un devoir solidaire d'assister notre amie dans les épreuves qu'elle traverse. N'en feriez-vous pas autant si elle était vivante ? »

De tels propos, leur évidente générosité posaient un cas de conscience à la ventriloque. Pourrait-elle jouer longtemps la comédie ? Dix fois, elle fut sur le point d'avouer la vérité à Odilon ; dix fois elle recula, non par crainte du châtiment mais par scrupule d'épargner l'Américain.

« En somme, il m'a aidée ! raisonnait Salomé. J'ai vécu près d'un an avec son argent ! Si nous avons mal agi, j'en ai ma part ! »

Ces considérations la firent céder. Elle accepta d'entrer en communication avec l'Esprit de Roseline.

Or ce fut un désastre : privée des consignes de Gordon Hole, sans texte à apprendre qu'elle se fût bornée à réciter en y mettant le ton, Salomé accumula les maladresses. La nouvelle Roseline était timide, bafouilleuse, empruntée. Aux questions les plus simples, elle répondait de travers, se contredisant à chaque phrase ou perdant le fil à force de digressions. La voix même n'était plus si ressemblante, l'enjeu du contenu détournant Salomé du contenant.

« Elle est troublée..., analysa l'ingénieur. Nous la dérangeons peut-être ! Vous aviez raison. Cessons ces entretiens. »

D'un commun accord cette fois, il fut décidé de suspendre les évocations.

Ce choix concernant les séances privées devait naturellement s'étendre aux séances publiques, qui continuaient de se tenir dans le sous-sol de la morgue. Un jour où le groupe était réuni au complet, Salomé annonça l'arrêt des évocations de Roseline et, du même coup, sa démission du cercle.

« D'autres travaux m'appellent en Amérique, mentit la ventriloque. Je dois prendre mes nouvelles fonctions cet hiver... »

La décision de Salomé était légitime et ne fut pas contestée. En revanche, on lui reprocha sa façon de prendre congé sans avoir préparé le groupe. Abritée derrière les battements furieux d'un éventail noir, Apolline se montrait la plus virulente.

« Votre attitude est indigne d'une médium professionnelle.

— Je n'ai jamais été parmi vous qu'une invitée, rappela la ventriloque.

— Vous avez acquis au sein du cercle une position qui vous confère des devoirs. Cette question doit être soumise au vote de l'assemblée !

— Quelle qu'en soit l'issue, je partirai ! N'en doutez point !

— Ce n'est pas ainsi que nous fonctionnons. Lisez le règlement ! »

Apolline fit signe au commissaire de discipline : il se leva avec deux autres membres du groupe qui prirent position sur l'escalier. La sortie était barrée.

Heureusement pour Salomé, les suffrages s'exprimèrent en faveur de son départ, d'une seule voix il est vrai. Elle s'était rendue assez antipathique pour que l'opinion versatile des spirites fût désormais contre elle. La ventriloque formula ses adieux, avec les mots de circonstance pour remercier chacun de son accueil et de son assiduité. Compte tenu des événements, la séance fut aussitôt levée.

Comme Salomé prenait l'escalier vers la salle des morts, Apolline la rejoignit et monta quelques marches à côté d'elle.

« Mademoiselle, je vais beaucoup vous regretter ! Vous m'étiez très chère... »

Ce compliment inattendu troubla la ventriloque. Elle comprit qu'Apolline n'avait aucune rancœur, mais seulement du chagrin de leur séparation.

« Je vous regretterai aussi ! fit Salomé par correction. Puissent nos Esprits demeurer amis dans l'au-delà ! »

Dans un passage sombre de l'escalier, Apolline eut un élan fou : elle enlaça Salomé et ficha un baiser au coin de ses lèvres. La ventriloque manqua en perdre l'équilibre. Quand ensuite elle chercha la médium autour d'elle, elle ne vit personne : Apolline avait fui derrière cet aveu.

Le cercle spirite se dispersa en silence à la grille du square. Odilon et Salomé retournèrent ensemble.

Salomé sortie du cercle spirite, elle n'en demeura pas moins assidue aux rendez-vous quotidiens d'Odilon.

C'était une situation peu ordinaire que celle des deux jeunes gens, réunis chaque jour à même heure sans y être portés ni par l'inclination ni par le devoir, mais par une vague espérance qu'ils s'étaient eux-mêmes donnée.

La chose était difficile à présenter à leurs entourages respectifs, du côté d'Odilon surtout. Ses collègues de

Levallois avaient leur idée sur le motif de ces rencontres et n'en démordaient pas.

« Allons, ça crève les yeux : vous en pincez l'un pour l'autre !

— Pas du tout ! protestait Odilon de bonne foi.

— Comment ? Tu rejoins cette femme tous les soirs dans une chambre d'hôtel, et vous restez sages ? À d'autres ! »

L'ingénieur se récriait d'indignation.

« Je vous dis qu'il n'y a rien !

— Mais à quoi passez-vous le temps ? insistaient ses camarades. Vous comptez les fleurs de la tapisserie ?

— Nous conversons, voilà tout !

— Écoute, Odilon... Il est facile de voir que cette fille te veut du bien. C'est une occasion à saisir ! Séduis-la ! Ou alors, si tu n'y vas pas, crains que d'autres ne prennent la place ! J'en sais plusieurs qui rêveraient d'avoir une maîtresse comme la tienne — libre, assidue et qui paie la chambre ! »

Ces entretiens laissaient Odilon troublé et pensif. Il n'avait jamais envisagé Salomé sous l'angle d'une femme désirable. Dans les premiers temps, c'était son amour pour Apolline qui l'en avait détourné ; ensuite, c'était sa préoccupation d'Armand.

Or, maintenant qu'il ouvrait les yeux, Salomé lui apparaissait une demoiselle tout à fait séduisante, dotée d'une silhouette, d'une allure, d'un visage sur lesquels bien des hommes — lui compris — pouvaient se retourner dans la rue.

Ne l'ayant jamais connue que sous l'habit de la médium, il brûlait de la voir dans une robe de ville, montée sur des bottines en chevreau glacé dont les talons auraient cambré sa taille et arrondi sa croupe. Et quels cheveux cachait-elle, sous ces voiles pesants qu'elle n'avait soulevés qu'une fois ? De longues mèches rousses, d'après son souvenir... Comme elles devaient rutiler, sur le fond blanc d'un oreiller ! Ah oui, une belle fille !

Ce début d'inclination chez Odilon changea complètement la tournure de leurs tête-à-tête.

Pendant tout l'été, les rendez-vous des deux jeunes gens avaient fourni l'exemple d'une innocente camaraderie, celle qui peut lier un cousin à sa cousine impubère. Les longues conversations qu'ils avaient ensemble, sur des sujets aussi bénins que la saison théâtrale ou la préparation de l'Exposition universelle, s'inscrivaient dans le pré étroit, défendu de hauts murs et de rideaux de ronces, d'une scrupuleuse bienséance. Rien ne s'y disait que d'honnête et de poli — à croire que ces deux-là n'avaient, à l'instar des anges, ni corps ni moyen de volupté.

Puis, un jour, sans crier gare, l'ingénieur se présenta au rendez-vous avec un bouquet de fleurs. La surprise de Salomé fut telle qu'on l'imagine. Elle en donna même des signes si véhéments — battements effrénés de cils, asthme nerveux —, qu'Odilon prit peur. Il rusa lâchement :

« J'ai apporté ce bouquet pour égayer la chambre. Ce pot vide, à la fin, c'était triste ! »

Mais Salomé n'était pas dupe et, douée comme toute femme d'une grande bravoure dans les sentiments, elle déclara en prenant le bouquet des mains de l'ingénieur :

« Ne mentez pas, Odilon, vous comptiez me l'offrir ! C'est gentil, j'y suis sensible. Cependant, je ne peux accepter... »

Le jeune homme n'était pas si épris qu'il souffrît beaucoup de ce camouflet. Sa repartie fut d'orgueil.

« Hélas ! Je ne suis pas à votre goût !

— Si, vous l'êtes..., lâcha Salomé avec son premier regard tendre. Il s'agit d'autre chose.

— Alors, vous êtes engagée ? Vous avez un époux, un amant quelque part ? »

Dans l'esprit du garçon, rien ne pouvait s'opposer à leur liaison que l'indifférence ou un autre homme. « Voilà bien l'ineptie masculine ! » songea la ventriloque.

Elle pesa le pour et le contre — d'un côté, l'abjection de séduire un homme à qui l'on mentait ; de l'autre, le droit reconnu à chacun de faire des erreurs et de s'amender. Rien ne justifiait de laisser perdre l'amour qui s'offrait. Salomé prit son parti et se jeta dans les bras d'Odilon.

Ce rendez-vous fut sans conteste le plus beau dans leur souvenir. Les draps que la femme de chambre n'avait presque pas besoin d'ordonner, si peu les dérangeait le chaste sommeil de Salomé, volèrent ce jour-là dans toute la pièce. Une couverture resta pendue aux fenêtres, tel un voile de mariée après la noce.

Les amants lassés prirent un long repos dans les bras l'un de l'autre.

« Odilon, j'ai un aveu à te faire ! chuchota la jeune femme au moment qu'elle choisit.

— Moi aussi ! Ce bouquet, je le destinais vraiment au vase... »

L'ingénieur reçut une tapette pour punition de sa muflerie.

« C'est sérieux, mon chéri. C'est grave, même... Tu me détesteras quand tu sauras.

— Te détester ? fredonna le jeune homme avec un regard tendre. Impossible !

— Tu promets d'être gentil, même si tu es fâché ? »
Odilon se redressa sur le coude, méfiant tout à coup.
« Où veux-tu en venir ? Tu m'inquiètes. Parle ! »
Alors Salomé livra ses secrets. Elle confia tout, sans détours ni ménagements : son métier de ventriloque, l'alliance avec Gordon Hole, les séances de spiritisme truquées, Roseline dont elle empruntait la voix... À mesure les traits d'Odilon fondaient comme de la cire.
« Tu m'en veux ? » conclut timidement Salomé.
Odilon la dévisagea comme une étrangère. Mais bientôt sa physionomie reprit sa douceur naturelle ; il accueillit la jeune femme dans le pli de son bras. Un baiser les réconcilia.
« Ce n'est pas ta faute. Tu exécutais les ordres, en somme... Tu ne pouvais savoir à quelle fin ignoble on t'employait ! Tout de même, j'aurais préféré l'apprendre plus tôt !
— Plus tôt ? Avant d'entrer dans ce lit ?
— Ne dis pas de bêtises ! »
Les mots venaient difficilement à l'ingénieur, encore ravagé d'émotion. Tant de souvenirs se pressaient à son esprit, cagneux et faussés, qu'il fallait douloureusement retordre pour les conformer à la vérité. C'était une année de sa vie, l'une des plus remuantes, qui s'éclairait soudain d'un jour entièrement neuf, tel un paysage ensoleillé sur lequel passe l'éclipse.
Peut-être serait-il demeuré dans ce silence hébété, à regarder sa veste pendue au portemanteau, si Salomé n'avait repris d'une voix affermie :
« Je connais les projets de Gordon Hole.
— Il te les a confiés ? réagit Odilon après un moment. Cela m'étonne. Brrr ! Je frémis à l'idée qu'il loge dans cet hôtel, à cinq portes de la tienne ! »

Salomé retint le bras de son amant qui s'était dressé en formant le poing.

« Ne tente rien. Il est armé !

— J'ignore ce qu'il faut faire ! fit le Parisien d'une voix fluctuante. Tout se brouille dans mon esprit... J'ai besoin de réfléchir. »

Odilon serra Salomé contre lui. Ce n'était pas pour la réconforter mais pour s'apaiser lui-même.

« L'Américain t'a révélé ses projets, dis-tu ?

— Il n'en avait pas l'intention, précisa la jeune femme. Mais c'est un fat qui ne peut s'empêcher d'ébruiter ses succès... Il est incapable de discrétion. Son autre défaut est de formuler ses pensées à voix haute.

— Fâcheux, en effet, quand on tient un rôle comme le sien ! Bref, qu'as-tu appris ? »

La ventriloque avança un briquet à amadou pour rallumer la lampe de chevet.

« Je sais où loge son homme de main, prénommé Gaspard. C'est au même endroit sans doute que Roseline est séquestrée.

— Il n'y a pas un instant à perdre ! » lança l'ingénieur en sortant du lit.

Salomé lui tendit sa chemise qui traînait par terre.

« Je suis de ton avis. Alertons la police !

— Certainement pas ! jeta Odilon en boutonnant hâtivement son gilet, un rond sur deux. Roseline deviendrait leur otage ! Il faut agir seuls ! »

Salomé contourna le lit pour enlacer son amant en train d'enfiler un pantalon.

« Toi et moi ?

— Avec le renfort d'un troisième... Celui-là sera bien content d'apprendre que Roseline est vivante. J'ai reçu ce matin une lettre de lui. Il séjourne à Saint-Flour, dans sa famille. Alors je prends le train, sans plus tarder !

— Qui est-ce ? demanda Salomé en aidant l'ingénieur à fixer une épingle de cravate.

— Armand Boissier. »

Un jour d'avril 1889, Armand qui achetait le journal rencontra un titre énorme sur la première page : « La Tour est achevée ! » Son cœur tonna comme s'il avait lu son nom sous un avis de recherche.

« C'est vrai, dis donc ! L'Exposition va ouvrir bientôt ! » s'écria le jeune homme qui perdait la notion du temps.

Il fit une moisson des revues en boutique et emporta le gros rouleau sous son bras. Or il lui tardait trop : en chemin, Armand s'adossa contre un mur et lut debout, indifférent aux mouches qui le pourchassaient.

Le magazine entre ses mains était *L'Illustration*. Sous le titre « L'achèvement de la tour Eiffel » partaient deux longues colonnes dont il prit des extraits :

« Dès une heure et demie, à la tête de deux cents invités [...], M. Eiffel avait commencé l'ascension. Trois quarts d'heure après seulement le cortège débouchait, à 273 mètres de hauteur, sur ce que l'on peut appeler la quatrième plate-forme [...] Mais l'ascension n'est pas terminée. Un étage encore, et l'on se trouve sous la coupole ronde [...] Au-dessus de la coupole, un phare. Ici, déjà, plus d'escaliers. Un énorme mât de fer creux [...] conduit au sommet. C'est par là qu'une dizaine de personnages officiels, seuls admis dans cette partie de la Tour, ont accédé à la dernière plate-forme, une étroite terrasse circulaire d'où l'œil se perd, émerveillé, aux quatre coins de l'horizon. Notre gravure [*ici, Armand jeta un coup d'œil à l'eau-forte contre l'article*] représente cette terrasse au moment même où M. Eiffel hissait au sommet de la Tour le drapeau national. À cet instant vingt et un coups de canon sont tirés sur la troisième plate-forme [...] Quelques minutes après, le groupe officiel [...] toastait au champagne en l'honneur de M. Eiffel et regagnait bientôt le pied de la Tour où les ouvriers étaient réunis pour le lunch. »

« J'ai manqué ça ! » glapit l'ingénieur en se claquant le front.

Des viscères d'insectes lui poissèrent les doigts.

« Tu n'as rien manqué. C'était pompeux et rasoir ! D'ailleurs, il a plu tout le temps... »

La tête d'Armand se leva à cette voix essoufflée qui lui donnait la réplique. Il tressaillit en reconnaissant Odilon.

« Ma parole, j'ai la berlue ! Toi, à Saint-Flour ?

— Comme tu as changé..., observa le Parisien en prenant la main de son ami. Minci un peu, hâlé comme un Peau-Rouge ! Et des muscles, avec ça ! La campagne fortifie les corps, c'est bien vrai. »

Armand à son tour considéra le nouveau venu. Il était tel que dans son souvenir, d'une élégance bohème qui cadrait mal avec la rue paysanne jonchée de paille. Seulement, ce jour-là, un voile de poussière ternissait ses souliers au cirage clair et ses précieux boutons de manchette. Il portait aussi un paquet sous le bras — non pas une valise mais quelques affaires emballées dans du papier fort, à la mode des citadins qui voyagent rarement. Le paquet semblait petit, même pour un court séjour. Le Sanflorin s'en étonna.

« Tu n'as pas de malle ? À la campagne, on se salit... Il faut souvent changer d'affaires.

— J'ai apporté de quoi prendre le train, pas de quoi rester ! En fait, je retourne dès ce soir.

— Ça ne prend pas ! riposta Armand qui s'égayait. Pour commencer, tu viens à la maison boire un rafraîchissement ! Je te présenterai à mon père, un brave homme qui a été autrefois un charpentier de Gustave Eiffel. Ensuite, nous irons faire une excursion dans la campagne... J'ignore ce qui t'amène, mais tu es le bienvenu. Vois-tu, je me languissais un peu de la capitale ! »

Odilon faisait non de la tête. Il déposa son ballot par terre et saisit le Sanflorin aux épaules.

« Je pars ce soir, Armand, et tu viens avec moi ! Roseline est vivante, aux mains de scélérats qui la tiennent enfermée ! Il faut lui porter secours ! »

L'expression formée à cet instant sur les traits d'Armand est impossible à dépeindre. C'était la même apparue tantôt sur le visage d'Odilon, mais plus intense et plus tourmentée.

« Hélas, mon ami ! soupira le Parisien. Tu n'en as pas fini de perdre la mâchoire ! C'est un complot que je vais te découvrir ! Nous avons bien été joués ! »

Armand voulait tout entendre sans délai. Alors ils s'assirent devant la porte d'une grange, sur des bottes de paille. Le Parisien commença son récit.

« Tu as raison ! lança Armand quand ce fut terminé. Nous devons agir ! Reste où tu es... Je vais monter dans ma chambre en escaladant le mur et prendre quelques affaires. Personne ne me verra, ça évitera bien des dis-

334

cussions... Je laisserai un mot à mon père sur le lit.
Attends-moi ! Je suis de retour dans un instant ! »

Ainsi fut fait. Se jetant dans la diligence de
Neussargues, les ingénieurs purent attraper le train
express de 17 h 36. Ils furent à Paris le lendemain
matin.

15

L'apparition du revolver avait bouleversé le ménage que formaient, bien contre leur gré, Gaspard Louchon et Roseline Page.

Quand l'homme de main s'était montré pour la première fois avec cette arme, la comédienne avait cru sa dernière heure venue : elle avait poussé un hurlement.

« Qu'est-ce qui vous prend ? » avait grogné Gaspard qui détestait le tapage.

Comprenant enfin ce qui terrorisait la jeune femme, il bredouilla des excuses et rempocha le revolver.

Ce n'était rien de commode que d'emporter avec soi — sans le quitter des yeux, avait prescrit Gordon Hole — ce pistolet dont la petite languette, si tentante, si facile, pouvait déclencher un feu destructeur et, selon le cas, briser un vase, percer un mur ou tuer quelqu'un...

Gaspard jugeait l'arme mal conçue. Il était normal qu'un briquet, par exemple, ou une paire de ciseaux se conformât à la main de l'homme ; n'en avait-on pas l'usage quotidien ? En revanche, faire un objet maniable de ce dangereux revolver dont le fonctionnement causait au mieux blessures, dégâts matériels et

plaintes en justice ; au pire décès d'un être humain —
ce choix lui semblait d'une rare inconséquence.

Puisque le pistolet occasionnait des drames, il eût
fallu créer la plus compliquée, la plus savante des
machines : des boutons partout, des écrous, des vis,
enfin un logement protégé pour la gâchette avec cinq
serrures à cinq clefs différentes. Au lieu de cela, on
avait une sorte de jouet qu'un enfant même, sans le
comprendre, pouvait transformer en engin de mort et,
s'agissant de lui, en billet pour l'échafaud. Qui avait
jamais manié offensivement un revolver sans le regretter plus tard, sans le payer de sa vie ou de sa liberté ? Le
monde était mal fait...

Armé du pistolet, Gaspard perdit son habituelle
insouciance.

Il se sentait à la fois protégé et menacé, lui comme les
autres, d'une fatale étourderie. On ne pouvait dénier à
l'objet une puissance d'exaltation virile : tel un garçon
pubère qui découvre les vertus nouvelles de son pénis,
Gaspard se sentait plus fort et plus important d'avoir
cette arme à la main. Quel mal peut-on infliger sans pistolet ? De simples meurtrissures, celles des coups de
poing... En revanche, disposer d'un revolver vous met
en condition de donner la mort — un pouvoir qui vaut
aux hommes plus d'honneur et de prestige qu'aux
femmes, celui de transmettre la vie. Les avenues portent
des noms de généraux, jamais ceux de mères à la nombreuse progéniture.

« Il faudra qu'elle se tienne tranquille, désormais !
songeait parfois Gaspard en soupesant le pistolet.
Sinon, je la tue ! »

En vérité, l'homme de main se montrait avec Roseline le plus doux et le plus prévenant des gardiens.

Depuis l'incident, il n'entrait jamais plus dans sa chambre l'arme à la main, mais la mettait dans sa poche ou la tenait inutilement par le canon, preuve qu'il n'avait pas d'intention méchante. En revanche, dans la cuisine contiguë et dans les autres pièces, la méfiance de Gaspard était réactivée : alors le pistolet reparaissait à son poing, prêt à servir contre un éventuel agresseur.

Depuis qu'il possédait un revolver, la vie du gardien s'était beaucoup compliquée. N'admettant pas de poser l'arme sur la table, mais voulant l'avoir toujours en main (la senestre, car il était gaucher), Gaspard était devenu une sorte de manchot à qui les tâches quotidiennes causaient d'inconcevables tracas. C'était d'une seule main qu'il cuisinait, qu'il feuilletait le journal, qu'il découpait son bifteck — un handicap dont Roseline s'amusait à ses dépens, en le priant de services difficiles à rendre dans cet état : « Gaspard, seriez-vous assez aimable pour rincer mon assiette ? Je n'aime pas manger un dessert qui a le goût de vermicelle. »

Sauf ses visites à Roseline, de rares courses dans le quartier et autres « patrouilles » dans l'immeuble, Gaspard restait assis sur la chaise de la cuisine du matin au soir.

Il avait trouvé une position assez commode pour s'épargner trop de fatigue : son coude gauche était posé sur une pile de journaux, elle-même maintenue dans son alignement par de gros livres dressés de part et d'autre ; la table supportant la pile était calée au moyen de cuvettes remplies de sable, dans lequel plongeaient les pieds.

De cette manière, le canon du revolver pointait la porte d'entrée en face de Gaspard, mais plus précisément un repère situé au-dessus du judas — hauteur correspondant au « troisième œil » d'un homme de taille moyenne. Ce dispositif ne prévoyait pas que l'agresseur fût un nain ou un géant, mais enfin... c'était une éventualité douteuse, et d'ailleurs imparable.

S'étant ainsi préparé à la visite des policiers, l'homme de main attendit son heure avec sérénité.

Un soir qu'il lisait le compte rendu des courses hippiques dans un journal sorti de la pile — concession mineure à son besoin de distraction —, Gaspard entendit un violent tapage de l'autre côté de la porte.

On frappait non pour s'annoncer mais pour forcer le passage, avec l'énergie d'hommes résolus prenant un donjon. Des coups d'épaule, des coups de poing roulaient en tonnerre sur le bois, et bientôt Gaspard vit l'extrémité biseautée d'un pied-de-biche surgir au niveau de la serrure. Comme de raison, Roseline à côté poussait des cris de goret qu'on égorge, ajoutant au vacarme déjà considérable.

Bien qu'il eût attendu et même espéré cette irruption, Gaspard perdit tous ses moyens devant l'imminence du conflit. Son doigt fit sur la détente une poussée plus nerveuse qu'assumée, dont la première des six balles prit une trajectoire parfaitement inoffensive — plusieurs centimètres au-dessus du vantail. Les hurlements de Roseline redoublèrent.

« La paix ! » tonitrua Gaspard en fermant un œil pour ajuster son deuxième tir.

À présent la porte était plus qu'à moitié défoncée. La serrure emportée, les visiteurs s'attaquaient au verrou supérieur. Une brèche était faite le long du chambranle, par laquelle on voyait des bras s'agiter, des figures grimacer farouchement.

« Ce ne sont pas des policiers..., analysa l'homme de main. Sinon, ils auraient utilisé ce trou pour faufiler leur pistolet et faire feu à l'intérieur ! »

Ce constat pouvait l'inciter à la clémence : pourquoi tirer sur des gens désarmés ? Au contraire, Gaspard prit peur de ces inconnus et poussa furieusement la gâchette.

Le second coup fut plus désastreux encore que le premier. En effet la main de Gaspard, moite d'avoir serré la crosse **toute** la journée, laissa échapper le pistolet qui se cabra et **fit** feu au petit bonheur — en l'espèce dans une bouteille pleine rangée sur le dressoir.

« Quel gâchis ! » pesta le Français, plus ennuyé de la perte du clos Vougeot que des dégâts faits à sa porte.

Ce fut à cet instant que Gaspard se remémora la consigne de Gordon Hole : « Tuer Roseline et s'enfuir. » Il se rua dans la pièce d'à côté. La comédienne en le voyant vociféra des injures.

« Vas-tu te taire, à la fin ? Tu me compliques la tâche ! »

Il pointa son revolver et tira.

« Damnée machine ! » fulmina l'homme de main en constatant qu'il avait encore manqué son coup. L'oreiller éventré crachait des plumes dans toute la pièce. Quant à Roseline, elle s'était évanouie de peur.

Le quatrième essai fut ravi à Gaspard par un plaquage qui lui faucha les jambes. Il perdit l'équilibre et tomba sur le lit. Le pistolet vola contre le mur.

« Je le tiens ! » s'écria Odilon tandis qu'Armand ramassait le revolver.

Gaspard fut assommé avec la crosse.

Il faisait nuit quand Gaspard revint à la conscience.

Une lampe à pétrole posée sur le sol répandait sa clarté fumeuse dans la pièce. La première chose dont il s'avisa, non par ses yeux mais par ses membres fulgurant de douleur, fut son étroit ligotage. Une corde serrée plus que nécessaire, avec l'intention de faire mal, lui immobilisait les jambes, les bras, la poitrine et même le cou. Le gros nœud contre sa mâchoire l'obligeait à tenir la tête en arrière, sous peine de manquer d'air.

« J'étouffe ! » geignit l'homme de main.

Au claquement de langue venu en réponse, Gaspard comprit qu'il n'était pas seul dans la chambre. Deux hommes debout l'encadraient, dont la lumière rampante ne permettait pas de voir les visages. Roseline était assise dans le fauteuil — il en déduisit qu'il avait pris sa place sur le lit.

« Tu reviens à toi, crapule ! » siffla entre ses dents l'un des visiteurs, celui qui tenait le revolver.

Cette voix pénétra le crâne de Gaspard telle une mèche de vilebrequin. Il sentit un violent assaut de migraine et serra les dents. Dans le même temps sa mémoire reflua, nette et précise. Il se rappela l'enfoncement de la porte, les trois coups de feu, enfin l'agression d'un des hommes et sa chute. Gaspard eut un regard de côté. La cuisine était plongée dans l'ombre, ce qui restait du vantail pendait aux gonds à moitié descellés.

« Tes voisins ne se sont pas dérangés ! ironisa l'autre homme. Ni le concierge ! Voilà une drôle de maison où l'on peut rouler tambour sans éveiller personne ! C'est égal, nous préviendrons nous-mêmes la police ! »

Cette déclaration amena un court aparté entre les deux hommes. Gaspard aspirait l'air à courtes prises pour dissiper son mal de crâne.

« Mon ami va se charger d'alerter le commissaire, reprit l'inconnu. Dès cette nuit ! À moins que...

— À moins ? articula péniblement Gaspard.

— À moins que tu ne révèles les projets de ton patron concernant la Tour ! Dans ce cas, tu auras la vie sauve et même la liberté. »

Gaspard n'hésita qu'un instant. Sa fidélité n'allait pas jusqu'à se sacrifier pour l'Américain.

« M. Hole a projeté de dynamiter la Tour. Il le tentera le jour de l'inauguration. Je ne sais rien de plus... »

Cet aveu spontané surprit les visiteurs. Ils s'étaient attendus à de la résistance et résigné aux méthodes par lesquelles on la vainc : chantage, pression psychologique, voire en dernière extrémité la torture, sous la forme atténuée de chatouillements de la plante des pieds.

« Le jour de l'inauguration de la Tour ? Quand est-ce ? demanda l'homme armé à son compagnon. Je croyais la construction achevée !

— Eiffel a fait l'ascension du pylône avec quelques ministres, mais l'inauguration officielle n'a pas encore eu lieu. Elle est prévue le 15 mai, peu de temps après l'ouverture de l'Exposition universelle... Nous disposons d'un mois !

— Un mois, pour quoi faire ?

— Pardi ! Pour faire pièce à Gordon Hole ! Je ne laisserai pas dynamiter la Tour une seconde fois ! »

Gaspard perçut un différend entre les deux hommes,

et jugea prudent de l'ignorer. Il n'ouvrit la bouche que pour réclamer sa part du marché.

« N'oubliez pas votre promesse !

— C'est entendu, canaille... Nous allons t'élargir ! annonça l'homme au pistolet. Mais ne t'avise pas de rejoindre ton patron ! Nous connaissons ton visage, nous détenons tes papiers. Tu seras livré au moindre faux pas !

— Ah ! vous ne risquez rien de ce côté ! glapit l'homme de main. Car monsieur me tuerait, s'il apprenait ce qui s'est passé ici. Laissez-moi aller, je fuirais comme la vapeur ! »

Un des visiteurs prit un couteau avec lequel il trancha, fort gauchement, la corde de Gaspard. Ce dernier put alors choisir son issue sous la menace du revolver : soit la porte, soit la fenêtre. Il opta pour la fenêtre qui offrait de meilleures ressources en cas de poursuite.

Avant d'enjamber la balustrade, l'homme de main eut un dernier regard pour Roseline qui gisait toujours, avachie et peut-être pâmée, dans le fauteuil crapaud de la chambre.

« Mademoiselle, je voudrais m'excuser pour tout ce que j'ai fait. C'étaient les ordres, vous comprenez ! Mais au fond, je vous aimais bien...

— Dehors, gredin ! Dehors ou je fais feu ! » rugit Armand.

Gaspard saisit la gouttière et disparut dans la nuit.

Un mois, ce n'était pas trop long pour acclimater les jeunes gens aux changements survenus dans leurs vies : Odilon séparé d'Apolline puis lié à Salomé,

Salomé affranchie de Gordon Hole et unie à Odilon ; enfin Armand qui retrouvait sa fiancée, après l'avoir crue morte.

Ces quatre semaines furent de convalescence pour la comédienne mais pour les autres, de grand remue-ménage. L'état de leurs relations appelait certains ajustements qu'ils opérèrent dès le début d'avril. Salomé quitta sa chambre d'hôtel pour déposer ses valises chez Odilon ; Roseline réintégra son appartement en compagnie de son fiancé, malgré la réticence du garçon à renouer si tôt leur vie d'avant — une réticence levée dès leur nuit de retrouvailles.

« Ah, Roseline ! confia le jeune homme soûlé de baisers. Je me plaisais à fréquenter ton Esprit, mais il faut bien admettre qu'enveloppé de ton corps, il est de meilleure compagnie ! Embrasse-moi encore, que je sente mon bonheur ! »

L'actrice se donnait de bonne grâce.

« T'ai-je manqué, au moins ?

— Comme une femme partie en voyage qui vous écrit chaque jour... Cependant, je dois bien l'avouer, à la fin tu n'intéressais plus mes sens. On n'est pas longtemps épris d'un souvenir. Dame ! les filles sont jolies à Saint-Flour ! »

Cette confidence ouverte éteignit la comédienne. Armand dut dépenser beaucoup de feu pour rallumer cette mèche soufflée par sa faute.

« Pardon ! J'ai été sot de parler ainsi ! Mais à la fin, c'est vrai ! Toi aussi tu m'oublierais si j'étais fauché par un tramway ! »

Roseline l'enlaça maternellement.

« Oh, non ! Mon chou ! Je ne t'oublierais pas ! Vois-tu, la mémoire se fortifie quand on fait métier d'apprendre des tirades. Et puis, tu n'es pas comme les autres...

— Un baiser pour cette bonne parole !

— Quel enfant ! » sourit l'actrice en lui prenant la bouche.

Ils passèrent encore toute une journée au lit, occupés à ce qui occupe les amants longtemps désunis. Ensuite Roseline parla de rendre visite aux directeurs de théâtre : la saison des engagements venait, il était temps de faire des démarches.

« Tu devrais plutôt prendre du repos ! conseilla l'ingénieur.

— Je n'ai pas quitté le lit de seize mois. Voilà qui comblerait les plus paresseux ! »

Les entretiens furent décevants. On recevait la comédienne par égard envers une jolie femme, mais son nom semblait partout oublié — ou alors, ce qui est pis, rappelé comme celui d'une étoile du temps jadis, d'une vedette passée de mode.

« Roseline Page, Roseline Page..., réfléchissaient les directeurs. Oui, cela me revient ! Vous avez tenu l'affiche à l'Opéra-Comique, avant le grand incendie de 1887. Une belle voix, de l'expression... Hélas ! Une époque révolue ! Aujourd'hui, le goût du public, ce sont les gamines qui lèvent haut la jambe ! Les chansonnières de rue avec, comme on dit, "un joli talent de poitrine" ! Regardez leur Moulin-Rouge, qui va ouvrir bientôt : on annonce du champagne, des flonflons, de l'humour à ras de jarretière ! »

Roseline essuya cinq refus dans la matinée. Enfin le directeur d'un petit théâtre, spécialisé dans le genre historique, voulut bien lui promettre un rôle. C'était moins pour Roseline — de qui, affirma-t-il sans ver-

gogne, « on trouvait à Paris des centaines de pareilles »
— que pour Armand dont le passé d'ingénieur l'intriguait.

« Ainsi vous avez collaboré à la Tour ? releva le directeur. Mes félicitations pour cette grande réussite ! Nous préparons justement une pièce sur l'Exposition universelle. Votre compagne y jouera l'allégorie de la Science. Mais vous-même, vous plairait-il d'essayer le rôle du contremaître ? Vous n'aurez pas à quêter bien loin votre inspiration !

— Moi ? fit Armand interloqué. Ma foi, je n'avais jamais songé à faire l'acteur !

— Vous en avez la tournure, pourtant ! D'ailleurs ce nez un peu vif plaira aux caricaturistes. Je vous prends à l'essai... »

L'ingénieur battit des mains comme un enfant gâté.

« Merci, monsieur !

— En contrepartie, ajouta le directeur qui ne donnait jamais d'une main sans reprendre de l'autre, nous vous serions très reconnaissants, mon épouse et moi, de recevoir quelques billets pour l'Exposition universelle...

— Hélas ! personne n'en délivre, sauf les cartes gratuites de presse et d'exposants. C'est afin de tenir le budget !

— Je comprends, je comprends..., fit le directeur refroidi. Ainsi donc, je vous convoquerai bientôt pour signer votre contrat. Les répétitions se déroulent du mardi au vendredi, à 8 h 30. Les retards sont punis d'amendes. »

Ce fut de cette manière inopinée que le couple à la ville devint couple à la scène. Armand s'en réjouit, qui était dispensé de chercher un travail. On fêta la bonne nouvelle autour d'un seau à champagne, puis l'ingénieur proposa une visite à la Tour.

« Voilà neuf mois que je n'ai pris ses mesures ! insista le jeune homme. Il me tarde comme à un père de voir son enfant ! »

La promenade les conduisit d'abord au pont d'Iéna où un forain louait une lunette astronomique. Pour dix centimes, on pouvait contempler les ouvriers de la Tour au travail. Mais Armand préféra pointer l'instrument sur le drapeau qui battait au sommet, un immense étendard de sept mètres de long sur quatre mètres de large.

« Fichtre ! Il a souffert ! On dirait la bannière de l'Empereur à Waterloo !

— Pardi ! C'est à cause du vent..., commenta le loueur. Des bourrasques terribles, trois fois plus fortes qu'au sol ! Depuis que j'ai braqué ma lunette, ils l'ont changé toutes les semaines !

— Eiffel a bien raison de dire que le drapeau français sera le seul à avoir une hampe de trois cents mètres de haut ! »

Puis le Sanflorin inclina la lunette vers le premier étage où des peintres suspendus étaient en train d'écrire, en lettres dorées, les noms de soixante-douze savants émérites.

« Regarde, Roseline ! Ça vaut le coup d'œil !

— Je ne lis ton nom nulle part..., ironisa l'actrice.

— Attends quelques années ! J'ai mes chances : "Boissier" est un nom court. Faute de place, on a renoncé à honorer Geoffroy Saint-Hilaire !

— Sur quels détails se joue parfois la destinée », philosopha Roseline.

Ils payèrent le loueur et rejoignirent le quai à pied.

Armand eut moins d'émotion à revoir la Tour qu'il

ne l'avait escompté. Était-ce de l'avoir fréquentée long-temps sur plan, d'avoir accoutumé son œil à sa sil-houette ? L'impact de cette rencontre semblait amorti.

Roseline en revanche n'avait connu que les débuts du chantier, ce temps déjà lointain où le bois prévalait sur le fer. Elle fut devant le pylône comme une enfant au castelet de guignol : « Que c'est beau ! Que c'est grand ! » ; à quoi elle ajouta, mutine : « Plus je consi-dère la Tour, plus m'apparaît l'inutilité décourageante des hauts talons ! »

Dans son dernier essor en effet, la Tour avait pris beaucoup de hauteur et doublé en trois mois les mètres conquis en deux ans. Or c'était tant mieux si l'on consi-dérait, à l'entour du pylône, le progrès antagoniste des bâtiments de l'Exposition universelle qui entravaient sa base et coupaient ses perspectives. À mesure qu'ils s'éle-vaient, le niveau du sol semblait gagner aussi, menaçant d'engloutir une partie de la construction dans un fatras de toits et de verrières. Le Palais des Machines attei-gnait déjà la première plate-forme.

« C'est dommage qu'on ait construit près de la Tour, regretta Armand. Elle se suffisait à elle-même ! »

Pour beaucoup d'ingénieurs d'Eiffel, le chantier de l'Exposition n'avait qu'un intérêt secondaire au regard du leur. Ces hectares de terrain où l'on avait terrassé, fondé, bâti en même temps qu'eux suscitaient au mieux leur indifférence, au pis leur hostilité. Ils blaguaient souvent l'insignifiance des galeries et des pavillons, humblement agenouillés dans l'ombre de la Tour. Que l'œuvre nouvelle dût partager son aire avec la brasserie Tourtel ou le chalet norvégien leur semblait une offense et presque une trahison. À l'instar de ses col-lègues, Armand méprisait ces échafaudages de peintre en bâtiment où des ouvriers sans gloire empilaient briques et moellons comme pour bâtir la maison d'un rentier de province.

« Au moins la Tour a son style propre ! dissertait le jeune homme. Tandis que ces *hideurs*-là... Des pastiches de Grèce ou d'Italie, des copies de la Normandie gothique ou la Touraine Renaissance, du Versailles de Louis XIV ou du Paris de Louis XVI ! Partout du déjà-vu ! »

Roseline l'appuyait, contente de prendre part à une discussion de spécialistes.

« Il paraît qu'on n'a trouvé aucun architecte pour dessiner les palais tunisien et algérien...

— Je ne m'en étonne guère ! grinça l'ingénieur. Ces messieurs des Beaux-Arts honnissent tout ce qui n'est pas antique. Même le pavillon Eiffel, paraît-il, est d'inspiration Renaissance... Et cependant il est couronné d'une coupole d'observatoire ! Quel assortiment curieux doit offrir ce chapeau à la mode sur une tête chenue ? »

Il fallut tout le talent de la comédienne, et des sourires parmi ses plus câlins, pour persuader son fiancé de franchir en simple visiteur les portes de l'Exposition universelle.

Encore s'y plia-t-il de mauvais gré : il refusa par exemple d'acquitter le billet d'entrée, répliquant fièrement à la caissière qu'il était l'associé de Gustave Eiffel, et à ce titre, dispensé des « obligations du vulgaire ». Comme l'employée tenait tête et que la queue s'allongeait, Armand finit quand même par payer les dix francs — lesquels, affirmait-il, lui seraient remboursés le jour même avec « réparation morale et pécuniaire » du préjudice.

Or ce n'était pas la fin des embêtements : à peine avaient-ils franchi la caisse qu'un *pisteur* vint à leur rencontre.

Impossible à l'étranger ou au provincial de mettre les pieds à l'Exposition sans croiser un de ces messieurs bien mis, néanmoins loquaces comme des commis voyageurs et crampons tels des mendiants. Leurs services, rétribués toujours au prix fort, s'étendaient de la vente de dépliants à la conférence-promenade. Ils possédaient un boniment à toute épreuve dans plusieurs langues du monde civilisé.

À la tournure de Roseline — la Parisienne modèle —, le pisteur devina aussitôt l'origine de ses clients. Il les interpella en français.

« Parcourir l'Exposition sans guide, sans cicérone... mais vous n'y pensez pas, cher monsieur ! Il vous faudra huit jours avant de vous y reconnaître, et vous n'aurez rien vu ! Tandis que, conduit à travers les galeries par un représentant de la grande Agence du Centenaire, en cinq heures vous aurez fait le tour !

— Ainsi, vous prétendez nous guider ? fit Armand d'une voix rogue, car son humeur gardait un mauvais pli de l'incident de la caisse.

— C'est indispensable... Songez que nous accueillons cette année trente mille exposants français et vingt-cinq mille étrangers ! Des millions de visiteurs afflueront bientôt par les vingt-deux portes de l'Exposition. À propos, connaissez-vous l'entrée monumentale des Invalides, flanquée de ses deux grands pylônes orientaux ? C'est à voir absolument ! Je vous y conduis...

— Une minute ! lança Armand comme le pisteur faisait mine de les entraîner. Nous n'avons rien décidé... Êtes-vous seulement compétent ? »

Le pisteur s'inclina avec raideur. Il n'avait pas pensé, sans doute, avoir affaire à si forte partie.

« Mettez-moi à l'épreuve, monsieur ! L'Exposition n'a pas de secret pour moi.

— Au deuxième étage de la tour Eiffel est installé le pavillon du *Figaro*. C'est là que sera rédigé, imprimé et vendu une édition spéciale du grand quotidien : le *Figaro de la Tour*. Chaque visiteur pourra demander un exemplaire du numéro du jour, avec son nom manuscrit en souvenir. Or, ce matin, au moment de mettre sous presse, le compositeur du journal s'est avisé qu'un caractère de plomb manquait à sa collection. De quelle lettre s'agissait-il ?

— Quelle lettre ? gloussa le pisteur. Ma foi... Qui peut savoir ? »

Le Sanflorin lui fit rudement la leçon.

« C'est la lettre "B" qui est perdue... "B" comme benêt, borné, babillard. Tous épithètes qui vous qualifient, monsieur, et commencent aussi le mot "bâton" dont vous allez tantôt prendre des nouvelles, si vous ne débarrassez ma vue sur-le-champ ! »

Le poing tendu d'Armand eut tôt fait d'écarter le pisteur. Il aurait volontiers vidé les lieux sans demander son reste, mais Roseline, compatissante, lui acheta un guide.

« Tu es trop bonne..., grommela l'ingénieur. Ces coquins-là, il faudrait les brûler avec leurs livres !

— Et cependant, le sien nous sera bien utile ! L'Exposition est un dédale. On s'y perdrait sans la Tour ! »

L'Exposition universelle des produits industriels ne manquait pas d'arguments pour séduire deux jeunes gens en promenade.

Cette foire géante qui prenait possession du Champ-de-Mars pour six mois, offrait mieux qu'un déballage ordonné des productions du monde civilisé ; c'était une réduction fidèle de la planète, du moins de celui des hémisphères qui connaissait le télégraphe et la pile voltaïque.

Des deux thèmes ayant inspiré l'Exposition, le premier — le centenaire des états généraux réunis à Versailles — demeurait discret : quelques cocardes ici ou là, à peine plus de drapeaux, et la consigne passée aux colonies d'organiser des concours littéraires pour célébrer la gloire de la mère patrie.

C'était surtout le second thème — l'avènement du machinisme — qui imprégnait le riche décor de l'Exposition. Le legs de 1789 semblait, pour une majorité, non l'abolition de l'Ancien Régime, mais celui du système médiéval des corporations qui avait ouvert l'ère industrielle. De ce jour, croyait-on, les peuples figés dans la tradition s'en étaient dépris pour marcher vers un nouvel horizon, le *progrès*. Ils avaient mis au point des machines, dompté dans leurs chaudières la vitalité farouche de la vapeur — en cela si actifs et si déterminés qu'un journaliste de *L'Illustration* pouvait écrire : « Vouloir s'opposer à la marche de l'humanité, c'est tenter d'arrêter une locomotive avec un cure-dents. »

Or, nulle part mieux qu'à l'Exposition ne semblait investie la formule d'Auguste Comte, devise de l'ère nouvelle : « Ordre et progrès ».

Le progrès s'étalait d'abord sous la forme radieuse, allègre et profuse de l'électricité. Pour la première fois dans une Exposition universelle, la lampe à incandescence éclairait palais et monuments, jardins et pavillons, aussi bien qu'omnibus et bateaux sur la Seine. Ce n'était déjà plus une curiosité mais la norme nouvelle, qui réalisait là ses derniers perfectionnements avant d'envahir les rues. Les arcs et les étages de la Tour étaient électrifiés, sauf quelques becs de gaz pudiquement enfermés dans des globes de verre. L'énergie blanche éveillait encore, au faîte du pylône, une puissante lanterne comme en brandissent les phares de pleine mer.

Ce fluide impétueux s'accordait bien avec l'autre innovation du Centenaire : l'architecture de métal. L'Exposition affirmait son triomphe. Elle était partout : sur les façades, dans les charpentes, sous les coupoles, le long des rampes et des balustrades ; partout si prodigue et si conquérante qu'on croyait l'humanité entrée dans un second âge du fer.

Tantôt le métal s'affichait nu, pure projection du calcul — c'étaient la Tour et la Galerie des Machines ; tantôt, par concession et presque par pudeur, on l'affublait de matériaux qui en couvraient les parties honteuses — c'étaient les grands palais. Ces derniers avaient une charpente de fer mais une chemise de lave émaillée, de verre, de brique ou de stuc. Le bleu oriental des faïences et le rose des terres cuites dominaient leur savante polychromie.

Avec leurs mâts dorés, leurs oriflammes, leurs velums roses et blancs, l'ensemble des bâtiments produisait une impression de gaieté et de fraîcheur fort appréciée du public. Le « monstrueux trompe-l'œil » dénigré par certains séduisait quand même le plus grand nombre.

Armand, lui, se rangea d'emblée dans le camp des sceptiques.

« Voilà bien le goût de Charles Garnier ! railla le jeune homme. Monsieur l'architecte conseil applique ses idées : du verre à s'en éblouir, du marbre à s'en étouffer, de la crème de staff coulant comme d'une pâtisserie sur des arcades boiteuses... C'est tout son opéra qu'on retrouve ici ! »

Déniant toute primeur au palais de Formigé, aux galeries de Bouvard, l'ingénieur n'y voyait que laborieux décalques du passé. Jamais, constatait Armand, on n'avait tant commémoré qu'entre ces murs nouveaux, ni célébré autant la tradition qu'au nom du progrès.

« Il n'est que de feuilleter ce guide ! s'esclaffait Armand en prenant le livre des mains de sa fiancée. Que propose le palais des Beaux-Arts ? Une galerie centennale d'art français, enrichie d'expositions décennale et internationale des Beaux-Arts. Elles sont si étendues, paraît-il, qu'on s'y déplace en fauteuil roulant ! Le programme du palais des Arts libéraux ? Une revue complète de l'histoire du travail, des métiers et des transports... L'affiche du Trocadéro ? Un inventaire de sculpture comparée... Des rétrospectives, encore et toujours des rétrospectives ! L'heure du Jugement dernier a-t-elle sonné ? On croirait que l'homme va comparaître devant le Tribunal suprême — alors il fait, en toute hâte, le bilan de sa courte histoire.

— Un bilan peut-être, admit la comédienne, mais optimiste ! Le grand bal des exposants, la grande fête coloniale, le banquet des maires... Partout l'on s'amuse !

— S'amuse-t-on de bon cœur ? Ou n'est-ce pas plutôt qu'on cherche une diversion à l'angoisse, dans la débauche et dans les plaisirs ? Il n'y a pas loin du rire à la grimace. Si je croyais en Dieu, je redouterais l'Apocalypse imminente. Jamais fin de siècle n'a paru à ce point une fin du monde... »

Tout en conversant, les amants avaient rejoint les bassins de la tour Eiffel. Leur visite débutait sous ce toit familier. Roseline prit aussitôt les choses en main.

« J'aimerais avoir une vue d'ensemble avant d'entrer dans les bâtiments. Qu'en dis-tu ? Il faut choisir entre le train et la montgolfière... »

Les visiteurs méthodiques pouvaient en effet commencer leur parcours, soit par un baptême de l'air en ballon, soit par un circuit à bord d'un train miniature. Armand se prononça pour le chemin de fer, à cause du vertige dont il disait souffrir dans les nacelles d'aérostats. Ils se dirigèrent vers la petite gare.

Une foule dense piétinait déjà sous les vélums du quai de départ. Ce qui frappa l'ingénieur au premier coup d'œil fut la dissemblance de cette population avec celle qui cernait ordinairement les cafés-chantants et les champs de courses. Elle était d'une part moins homogène — le bourgeois avec l'homme du peuple, le curé avec la cocotte — et d'autre part cosmopolite : sur le tapis familier des gibus européens perçaient des fez turcs, des chapkas russes, des turbans indiens...

Armand sentit alors ce que représentait l'Exposition : rien de moins qu'un large contact de la nation française avec le reste du monde. Ce n'était pas l'élite mais le peuple qui découvrait ces visiteurs étrangers, renouvelés chaque instant par plusieurs voies de chemin de fer, deux lignes de bateaux, vingt réseaux d'omnibus et de tramways, plus d'innombrables services de voitures de louage. Comme l'écrivait pertinemment un chroniqueur de *La Famille* : « Toute l'Europe est en France, toute la France est à Paris, tout Paris à l'Exposition. »

Leur tour venu, les fiancés prirent place à bord du petit train Decauville. On était un peu à l'étroit dans cet engin conçu pour les soldats, et qui avait servi au

Tonkin à transporter les troupes coloniales. La profondeur du siège permettait à peine de loger les jambes, sans parler de sa largeur qui imposait aux occupants une fâcheuse promiscuité. Par chance, Armand et Roseline goûtaient la leur : ils se serrèrent bien près sur la banquette de bois. Un coup de sifflet mit le train en branle.

La petite locomotive à vapeur, réduction exacte d'une grande, tractait le convoi à la vitesse prudente de dix kilomètres à l'heure. C'était moins un voyage qu'un bercement, cadencé par le défilement des petites traverses entre les rails. La voie serrée longeait les arbres du quai d'Orsay, entrait sous les tunnels d'Alma et d'Iéna avant d'emprunter la courbe à petit rayon de l'avenue de Suffren. Des palissades montaient de part et d'autre, couvertes d'affichettes bienveillantes : « Attention ! Prenez garde aux arbres ! Ne sortez ni jambes ni tête ! » L'Imprimerie nationale avait prêté ses caractères pour publier l'avertissement en vingt-huit langues, dont le malais, le sanscrit, le volapük, le provençal, le latin et même la sténographie.

Cependant Roseline était plongée dans une autre lecture, celle du guide de l'Exposition.

« Nous n'avons pas choisi notre destination ! Où veux-tu aller ?

— Je n'en ai pas la moindre idée. Que suggères-tu ?

— Charles Garnier propose sur le Champ-de-Mars une histoire de l'habitation humaine : "Jules Verne a rêvé le tour du monde en quatre-vingts jours, on peut désormais le réaliser en six heures !" annonce le guide.

— Garnier encore ! Est-il en vue, celui-là ! Inutile de me décrire ce morceau d'architecture, on peut l'imaginer ! Ici une caverne primitive, là un bâtiment égyp-

356

tien ; ailleurs encore un château médiéval ou un hôtel Louis XV... Très peu pour moi ! »

L'actrice humecta son doigt pour tourner la page.

« On a beaucoup vanté la rue du Caire. C'est une vraie petite ruelle arabe, avec des portes sculptées et des moucharabiehs dont les matériaux proviennent d'anciennes démolitions. Les bâtiments sont des copies de mosquée, d'école ou de palais. Dans le café, de vrais mahométans servent les consommations. On a fait venir d'Égypte une centaine d'indigènes. Ils animent de petites échoppes en bordure de rue : un tisserand, un orfèvre, un bourrelier, un ciseleur... et des âniers avec leurs montures. Oh ! veux-tu que nous y allions ? Ce serait drôle de voir la danseuse du ventre ! »

L'ingénieur roula une cigarette d'un air ennuyé. Roseline chercha une autre cause à défendre.

« Les fontaines lumineuses, sur le Champ-de-Mars : des jeux d'eau et de lumière produits par l'électricité...

— Ça n'amuse que les badauds !

— Alors la villa japonaise ! On y donne chaque jour des spectacles dans le goût local : scène de brigandage, exécution d'un condamné à mort et *hara-kiri*. Sinon, j'ai encore le pavillon des forêts, construit avec toutes les essences de bois croissant en France. Des hêtres et des érables entiers en dressent la colonnade. Non ? Alors, les panoramas peints... "L'histoire du siècle" fait défiler un millier de personnages célèbres ; "Les transatlantiques" simule un voyage en pleine mer ; "Les ports de France" est un trompe-l'œil géographique qui rapproche une rade bretonne d'un quai méditerranéen... Toujours pas ? Préfères-tu le globe terrestre au millionième, avec sa galerie spirale qu'on peut emprunter ? »

Armand disait non chaque fois, d'un battement régulier de la tête comme pour marquer la mesure. Dépitée, sa fiancée ferma le guide et croisa les bras. Le jeune homme reconnut ses torts.

« Pardon, chérie, je suis mauvais coucheur... Ce n'est pas pourtant ma faute si les attractions où les foules se pressent me semblent à moi triviales et ennuyeuses ! Allons, prête-moi ce guide, il y en a sans doute pour mon goût ! »

Les suggestions de son fiancé furent agréées par Roseline. Ils descendirent du train et prirent deux pousse-pousse à l'enseigne du Dragon vert. Les mollets athlétiques des Tonkinois les portèrent rapidement au pavillon de Thomas Edison ; au même instant s'y présentait une conférence-promenade de la Société internationale des électriciens.

« C'est bien notre chance ! Il va falloir attendre ! » pesta l'ingénieur.

La file ici était encore plus longue qu'à l'embarcadère du train miniature. Chacun voulait essayer les perfectionnements apportés aux machines américaines, déjà vedettes de l'Exposition de 1878. On espérait beaucoup des nouveaux phonographes d'Edison dont la mécanique savait scander sans erreur, d'une voix claire et distincte, le millier de mots enregistrés sur un rouleau de cire. Cette invention faisait pièce à une autre, le *théâtrophone,* qui transmettait en direct les spectacles de l'Opéra-Comique.

En attendant de porter les récepteurs à leurs oreilles, les visiteurs se désennuyaient en « prenant le jus » de la clôture métallique : un courant d'une centaine de volts l'irradiait par intervalles, qu'on recevait avec un frisson de plaisir. Les enfants surtout aimaient s'électrocuter.

Roseline connaissait déjà le phonographe, expérimenté chez Gordon Hole. Elle porta moins d'intérêt à ses rouages horlogers qu'à ceux, puissants et brutaux, des moteurs exposés dans la Galerie des Machines.

À l'orient du Champ-de-Mars, la Galerie était un bâtiment de vastes dimensions qui absorbait une longueur de 420 mètres pour le quart en largeur. Sa démesure en faisait le frère cadet de la Tour : en cas d'effondrement de celle-ci, blaguaient les chansonniers, celui-là pourrait fournir un cercueil convenable. De fait, les deux monuments avaient beaucoup en commun : entre eux le poids du fer était sensiblement le même, les coûts de montage s'équilibraient. C'était un défi à peine moins fou qu'avait relevé l'ingénieur Dutert en charpentant son édifice d'énormes fermes de métal, lancées d'un pied à l'autre sans point d'appui intermédiaire — sans rien pour supporter la voûte, haute de 45 mètres, qu'un jeu de forces paradoxales.

« Du beau travail ! apprécia Armand en connaisseur.

— C'est joliment fait ! » bissa la comédienne.

La Galerie leur plaisait pour des raisons différentes : Roseline admirait les gracieuses statues de la Vapeur et de l'Électricité qui en flanquaient l'entrée, sinon la décoration Art nouveau en lanières de fouet ; Armand préférait le pont roulant à l'intérieur, dont le parcours élevé offrait un regard plongeant sur les mécaniques.

Ils quittèrent la Galerie très contents, quoiqu'un peu assourdis par le vacarme du progrès.

Armand ne voulait pas quitter l'Exposition sans un coup d'œil aux galeries annexes, les seules un peu boudées du public malgré l'intérêt des pièces présentées. On n'y croisait qu'un filet plus ou moins turbulent de poètes et d'opiomanes, venus là chercher un aliment nouveau à leurs songeries.

Ce fut en telle compagnie que les fiancés visitèrent successivement : l'étal de l'inspecteur de la boucherie, riche de pièces pathologiques conservées dans le formol dont une « tête de porc à coloration noire », un « foie calcifié de cheval », un « jambon ladre » et des « saucissons avariés » ; l'exposition du service des aliénés, qui présentait divers types de chambres et de cellules avec le matériel servant à discipliner les fous ; celle du service du nettoiement où l'on découvrait brouettes, panoplies d'égoutiers et bocaux de produits désinfectants mais aussi les maquettes grandeur nature d'une maison salubre (avec siphons, cabinets d'aisances...) et d'une autre insalubre (sans balcons, aux fenêtres murées...) ; enfin les mornes installations du service des bibliothèques — armoire, catalogue à fiches mobiles... — et du bureau de la comptabilité générale — volumes de budgets primitifs, livres de comptes...

Armand confessa ne s'être jamais autant récréé d'une visite au musée.

« J'ai soif ! lança le Sanflorin comme ils sortaient du palais des Expositions diverses. Où peut-on prendre un bock ici ?

— Quatre-vingt-six buvettes à l'Exposition... lut Roseline dans son guide. Il y a le choix ! On signale le café bambara et le restaurant créole.

— J'ai trouvé plus près : voici le café Volpini. Il a bon air. Entrons ! »

Les deux traversèrent la terrasse du palais des Beaux-Arts jusqu'au grand chapiteau de toile.

Une table venait de se libérer. Armand prit une chaise, Roseline se logea dans une autre, aussi commodément que l'autorisait son ample jupe à coulisses. Les journaux féminins, prescripteurs en d'autres temps de robes pour la plage ou de robes de divorce, avaient dicté ce modèle pour visiter l'Exposition universelle : un ensemble prune orné de fleurettes de passementerie, aux manches voilées de dentelle claire. Sa particularité était de mouler d'assez près les hanches et la taille, fantaisie couturière qu'Armand approuvait sans réserve.

« Que regardes-tu ? » demanda Roseline qui avait surpris, non l'œillade de son fiancé mais celle complice d'autres hommes.

« Ce qu'il serait inconvenant de regarder, à tout autre que moi ! »

Elle eut un sourire qui aligna trente-deux raisons d'en être amoureux. Leurs mains se joignirent sous la loupe de marbre. Bientôt, celles d'Armand reparurent pour manier la carte qu'on venait d'apporter.

« Comment ? Deux francs un potage ! Cinq francs une poire ! Trente sous une part de fromage ! C'est un tarif pour Américains !

— Les prix augmentent pendant le Centenaire...

— Dans ce cas, nous irons souper ailleurs, à moindre frais. Cinq francs, c'est le prix du billet pour le spectacle de Buffalo Bill, à la porte des Ternes ! Je préfère le cheval sur pied au cheval dans l'assiette ! »

Un orchestre venait d'occuper l'estrade : quatre jeunes Russes en uniforme, campés dans leurs bottes cosaques, qui accordaient des instruments ornés d'entrelacs de fleurs. Armand s'intéressa aux tablées voisines dont montaient des ovations. La plupart des clients avaient des tournures d'artistes, les uns faux bourgeois qui devaient sortir du proche pavillon des aquarellistes, les autres en dissidence, venus peut-être admirer les tableaux d'avant-garde exposés dans le café.

En attendant la commande, les fiancés se montrèrent

curieux de cet art mal-aimé, dont les partis pris le mettaient si radicalement à part de l'expression académique. Malgré la location payante, on avait remisé les œuvres des *impressionnistes* et des *synthétistes* au fond de la salle, entre le comptoir et le buffet, tout près des pompes à bière. S'arrêter pour les voir, c'était risquer la bourrade des serveurs dont le trajet vers les cuisines longeait précisément les cadres. Armand tendit le cou pour déchiffrer la signature d'une des toiles : Paul Gauguin.

« Connais pas ! » fit l'ingénieur avec cette variété de dédain qu'inspire l'anonymat artistique.

Roseline s'attardait devant l'œuvre voisine qui représentait un groupe de femmes bretonnes.

« Qui sait ? Cet inconnu est peut-être une gloire de demain... La renommée a ses caprices.

— Crois-tu ? Paul Gauguin deviendrait célèbre tandis qu'Édouard Detaille, couronné l'année dernière au salon, favori aujourd'hui pour le grand prix de l'Exposition, tomberait à jamais dans l'oubli ?

— Pourquoi pas ? Nous avons bien fait justice du Pellerin de Flaubert, l'artiste qui donnait naguère cette belle allégorie du progrès : Jésus-Christ pilotant une locomotive ! Les réputations acquises sont souvent surfaites, et la mémoire meilleure justicière qu'on ne pense.

— Je l'espère... car alors, une chance existerait que la tour *Eiffel* soit un jour rebaptisée Tour *Boissier* ! En somme, le patron n'a jamais connu le pylône qu'à travers ses calculs. Moi, j'ai manqué y perdre la vie ! »

Ils retournèrent s'asseoir pour déguster un grand verre de coco Mariani, renouvelé jusqu'à la fermeture du café.

Après ces réjouissances intimes en compagnie d'Armand, le retour de Roseline — ou, pour ainsi dire, sa résurrection — fut célébré lors d'un grand souper donné chez l'oncle Jules.

La maison de la rue de Bruxelles n'avait jamais reçu une société si nombreuse, ni surtout si jeune : le retraité s'en trouva tout content, et démontra par l'excellence de sa cuisine qu'il savait être aussi bon hôte que digne solitaire.

Après un chaud-froid de volaille en gelée, on se régala d'asperges à la Pompadour et de saumon à la genevoise, deux recettes signées Dumas père que Jules avait copiées dans sa revue favorite. Les conversations furent enlevées, l'ambiance tour à tour joviale et émue.

Puis, s'étant longuement repus de souvenirs, les convives abordèrent au fromage un sujet d'actualité : l'attentat de la Tour.

L'honneur revint au retraité d'ouvrir la discussion.

« Mon grand âge m'autorise à vous parler en père, même si je n'ai pas cette qualité ! entonna vigoureusement l'oncle Jules. J'ai écouté le récit de vos aventures... C'est atterrant ! Vous vous êtes comportés en enfants — que dis-je ? en bêtes stupides et sans cervelle !

— Qu'entendez-vous par là, mon oncle ? fit Armand en essuyant son menton au coin d'une serviette.

— Après les aveux de Salomé, il n'y avait qu'une chose à faire, la seule raisonnable : informer la police !

— Nous l'avons envisagé, monsieur. Le risque était que Roseline fût prise en otage. Dans ces conditions, vous... »

Jules souffla la parole à Odilon.

« Vous lisez trop de feuilletons ! Combattre les méchants, c'est bon pour un héros de roman qui n'a qu'une vie de papier ! Non pour vous, des êtres de chair et de sang ! Vous avez couru de grands risques ! Il suffisait que Gaspard fût un bon tireur plutôt qu'un manchot, et Roseline serait morte ! Armand et Odilon ? Gravement blessés sans doute ! Et que dire de Gordon Hole ? Celui-là sévit toujours ! Il est peut-être sur vos traces ! »

Le sermon dura encore un moment, pendant lequel les jeunes gens gardèrent les yeux baissés sur leur fromage de Montlhéry. Quand l'oncle en eut fini, ce fut au tour de Roseline d'exposer son point de vue :

« Monsieur, je frémis aussi de savoir Gordon Hole en liberté. Dieu sait ce qu'il machine, à l'heure présente ! Toutefois, il serait vain d'entreprendre rien contre lui. Quelles preuves possédons-nous ? Comment démontrer qu'il est coupable, ou même complice ? Cet homme qui parlait beaucoup n'écrivait guère... Je doute qu'il ait laissé la moindre trace de ses forfaits.

— Vous omettez les témoins ! persista l'oncle. Il n'en manque pas, semble-t-il !

— Hélas ! Même sous la foi du serment, des témoignages ne font pas un délit ! Il n'est défendu à personne de fréquenter un cercle spirite, ni même d'y monter un canular : beaucoup, du reste, tiennent l'évocation des morts pour une mystification ! Pas davantage, on ne peut accuser Gordon Hole d'avoir usurpé l'identité de mon père. C'est justiciable de la morale, non de la loi... »

Ces arguments donnèrent à réfléchir au retraité.

« Tout de même... votre empoisonnement ! Votre réclusion !

— Les épisodes les plus scabreux se déroulaient sans doute à l'abri des regards. Quant aux visites que rendait l'Américain à son acolyte, elles étaient tardives et discrètes. Bien sûr, le concierge a pu l'apercevoir dans l'escalier, il lui a tiré le cordon certains soirs... Cela encore ne prouve rien !

— C'est fichu, alors ! » s'exclama Jules avec la familiarité du désespoir.

Odilon attendit pour intervenir que se dissipât l'émotion générale.

« Il nous reste une chance, monsieur... Nous connaissons les intentions de l'Américain : dynamiter la Tour le jour de l'inauguration. Il faut à tout prix contrecarrer ce projet, des milliers de vie sont en jeu.

— Mais comment défendre l'accès du pylône à Gordon Hole ? Tant de visiteurs y seront !

— Qui parle de le refouler ? Nous ne tenterons rien avant qu'il ait placé les explosifs. Alors, nos chances seront maximales de le surprendre en flagrant délit !

— C'est de la folie ! s'étrangla Jules.

— Il n'y a pas d'autre choix !

— J'en vois un, cependant : mettre la police au courant ! Gordon Hole sera appréhendé, jeté en prison et nous serons débarrassés pour longtemps de cet infâme personnage ! »

Le Parisien secouait la tête de droite et de gauche, tel un professeur face au cancre obtus.

« Croyez-vous que Gordon Hole serait demeuré à l'Hôtel Britannique, s'il craignait le moins du monde la visite de la maréchaussée ? Roseline l'a dit : nous ne détenons aucune preuve contre lui... Arrêté, il serait relâché tout aussitôt. La situation empirerait alors — car, informé de notre action, il changerait probablement ses plans, dans une direction impossible à prévoir.

— La Tour serait en péril ! enchérit la comédienne, et nos vies menacées ! »

Le retraité dut en convenir : agir seuls, à l'insu de la police et du personnel de la Tour, était la méthode la plus sûre. On passa la soirée à fixer les détails de l'opération.

Vers minuit, Roseline s'étant par nécessité retirée dans une pièce du premier étage, l'oncle Jules fit en sorte de la croiser au bas de l'escalier. Il l'aborda timidement :

« Mademoiselle Page, puis-je vous parler seule à seul ?

— Naturellement, monsieur Boissier ! »

Le retraité conduisit la jeune femme dans un bureau aux volets clos. Seul mobilier de la pièce : une table habillée d'un drap de velours qui semblait recouvrir un objet. Jules fit la lumière avec deux lampes à huile suspendues, du modèle robuste utilisé par la Compagnie des chemins de fer.

« Je serai bref ! commença Jules resté debout. Lors de vos fiançailles, je n'ai pas fait de cadeau comme le veut la tradition, et l'exige le savoir-vivre le plus élémentaire. Vous comprenez... tout est arrivé si vite ! Il est temps aujourd'hui de réparer cette omission. »

Roseline approuva d'un gracieux tour de menton qui signifiait : « Je ne vous en ai pas tenu rigueur ; tout de même, vous faites bien d'y penser. »

« Mon cadeau..., enchaîna l'oncle en s'appuyant du poing sur la table, mon cadeau est peu ordinaire. D'abord il vous est destiné, à vous seule, et ne peut être d'aucun usage ni d'aucun agrément à votre fiancé — le mieux serait même qu'il ignore que je vous l'ai fait. Ensuite... Bon, vous allez comprendre !

— Vous m'intriguez, monsieur ! »

Sans plus tarder, Jules tira le drap de dessus la table avec le geste ample dont il avait, bien plus jeune, découvert des prototypes de locomotives. Roseline poussa une exclamation.

« Dieu me bénisse ! Quel est cet objet ?

— Je l'ai appelé *porte-poitrine*. Mais *soutien-gorge* irait peut-être mieux, qu'en pensez-vous ? C'est un dispositif de mon invention dont la fonction... Enfin, son nom l'indique assez, il me semble !

— Et... Et c'est pour moi ? bégaya l'actrice partagée entre stupeur et fou rire.

— Ah ! Vous n'aimez pas ? gloussa le retraité. Vous êtes choquée ?

— Pas du tout ! C'est seulement... très inhabituel ! »

L'oncle haussa les mèches des lampes à huile pour forcer l'éclairage.

« Son fonctionnement est des plus simples, affirma Jules en passant lui-même le soutien-gorge. Fini les corsets si longs à lacer ! Regardez... On glisse cette bretelle sur l'épaule, l'autre en miroir, on agrafe derrière... Le tour est joué ! »

Roseline s'était un peu remise de ses émotions. Elle embrassa le retraité sur les deux joues.

« Merci ! Merci beaucoup, oncle Jules ! C'est un beau cadeau !

— Bien vrai ? rayonna l'ingénieur. Vous l'appréciez ?

— J'en suis très contente... Vous n'avez pas idée de ce qu'endurent les femmes avec les corsets, ces engins de torture ! Être enfermée du lever au coucher dans cette grille d'acier, c'est pis que d'être recluse au fond d'une chambre — j'en suis témoin ! Grâce à votre invention, je serai la seule femme de Paris à respirer à l'aise sous mon bustier ! Toutefois... me permettez-vous une remarque anatomique ?

— Je vous écoute !

— Votre machine ne m'est pas proportionnée. Le tour de poitrine, comprenez-vous ? Il faudrait tailler plus large...

— Je n'avais pas de modèle, se justifia le retraité. J'ai travaillé... d'imagination ! »

Jules et Roseline s'entendirent pour fabriquer un nouveau prototype, dessiné d'après nature. « Ce sera entre nous ! » susurra la jeune femme. Étant convenus de garder secrète cette entrevue, ils prirent congé l'un de l'autre à la manière furtive d'un couple adultère.

Un moment plus tôt, Armand et Odilon, inquiets de l'absence prolongée de Roseline, étaient montés au premier étage. Ils ne trouvèrent là-haut que des pièces vides et des portes fermées, ces dernières rappelant au Sanflorin de pénibles souvenirs.

« Odilon, j'ai une question à te poser. Mais promets-moi d'abord de répondre loyalement !

— Juré ! fit l'ingénieur en levant la main droite.

— Naguère, à la foire aux pains d'épice, j'ai voulu ouvrir la porte d'une roulotte, et la porte m'a résisté... Tu t'en rappelles ?

— Comme de mon dépucelage !

— Alors, tu dois me dire... Y avait-il un *truc* ? Est-ce qu'une barre ou autre chose bloquait la porte de l'extérieur ? »

Un instant s'écoula avant que le Parisien déclarât, très solennel :

« Cette porte était ordinaire, Armand, tout à fait ordinaire ! »

À quoi il ajouta pour rassurer son ami :

« Ce qui n'exclut pas qu'un autre eût agi du dehors. Notre visiteur au melon, par exemple ! »

Le Sanflorin réfléchit longuement.

« Et les vitres de la morgue qui ont volé en éclats ?

— Je n'ai pas d'explication. Peut-être une détonation de gaz, comme nous l'avons supposé ?

— Peut-être... mais peut-être non. Le mystère reste entier. Ah, Odilon ! Je voudrais me persuader que tout cela — les médiums, les séances, le spiritisme... — n'est que l'invention d'esprits malades ! La voix de Roseline était une supercherie, pourquoi pas le reste ? Hélas ! Rien ne le démontre, et rien ne l'infirme non plus ! Toujours cet entre-deux où l'homme est relégué ! Que choisir : raison ou croyance ? nature ou surnature ?

— Je n'ai pas de réponse, mon ami... La science ne guérira jamais notre ignorance des causes premières et des fins dernières. Nous ne pouvons qu'étudier les effets...

— C'est désolant ! se lamenta Armand avec l'accent d'un vrai chagrin.

— Pourquoi ? Talleyrand disait : "Nul n'est besoin d'espérer pour entreprendre, ni de réussir pour persévérer." Je complète humblement : "Ni de comprendre pour agir." Crois-tu que les soldats feraient carrière, s'ils méditaient tant soit peu le sens de leurs actes ? Eh bien, je suis en guerre, moi aussi ! Je combats Gordon Hole, son projet insensé d'abattre la Tour ! Voilà une belle cause ! »

La confiance d'Odilon passait à son ami en chaudes bouffées. Comme d'un cordial, Armand en sentait l'effet prompt et tonifiant dans ses veines. Il ne fit pas de commentaire mais serra franchement la main du Parisien.

À cet instant, la voix de Roseline se fit entendre dans le salon du bas. Les deux amis dévalèrent l'escalier.

Par commodité, Jules Boissier proposa à ses invités de passer la nuit sous son toit. Le lendemain matin, les jeunes gens se répartirent les tâches de ménage, car le retraité n'employait personne à l'entretien de sa maison.

Roseline et Salomé furent envoyées faire provision d'eau au puits du quartier, dont la distribution était jugée plus saine que celle de la pompe, tandis qu'Armand et Odilon entamaient l'abondante vaisselle.

Ils étaient loin d'imaginer qu'au même moment, dans une rue voisine, Gordon Hole trempait lui aussi des assiettes devant un jury d'examinateurs. Cette épreuve faisait suite à celle de balayage et à celle de service, et n'était pas la moins exigeante : il fallait en effet, dans le temps imparti d'une minute, rendre leur virginité à cinq grands plats, cinq flûtes plus une casserole au fond culotté de vieille graisse — ceci, bien sûr, sans causer la moindre fêlure à la porcelaine niellée ni au cristal de Bohême. Les instruments fournis au candidat se bornaient à une éponge et à un cube de savon noir.

L'Américain fit le bon choix, en commençant par les verres qui souillaient peu l'eau de trempage, avant de poursuivre par les plats et, en dernier, l'infâme turbotière. Le résultat parut satisfaisant aux jurés dont les mentons s'inclinèrent en signe d'approbation.

« Félicitations, monsieur Swimson ! Vous vous êtes acquitté brillamment de cette troisième épreuve ! »

Personne ne serra la main savonneuse de l'Américain, mais le cœur y était. Le dernier test portait sur les aptitudes culinaires du candidat. Il était théorique et non pratique — préparer une recette aux seules fins de l'examen s'étant avéré trop onéreux.

Appelé en renfort sur cette partie, le cuisinier en chef du restaurant compulsa les certificats d'aptitudes présentés par Gordon Hole. Le premier n'était qu'une soigneuse contrefaçon, portant l'écusson du célèbre restaurant Delmonico sur la 5e Avenue de New York. Le second, émargé du chef de l'Hôtel Britannique, attestait quatre mois de stage comme adjoint cuisinier, au cours desquels M. Swimson avait fait preuve d'une « maîtrise honorable des recettes françaises les plus communes [*suivait une longue liste de plats*] » et d'un « talent supérieur dans la préparation des recettes anglo-saxonnes ».

« Ces témoignages plaident en votre faveur ! estima le cuisinier. Votre spécialisation dans la cuisine américaine est aussi un atout pour notre établissement. Voyons... Pratiquez-vous la recette du homard Newport ?

— Certainement, monsieur.

— Quel champignon a-t-on coutume d'y associer ?

— La truffe. Deux truffes moyennes conviennent pour une pièce de huit cents grammes.

— Exact. À présent, pouvez-vous nous donner les ingrédients d'un shrimps cocktail ? »

L'examen se poursuivit encore un quart d'heure, à l'issue de quoi, sur l'avis positif du cuisinier en chef, le jury se prononça en faveur du recrutement de M. Swimson comme employé de deuxième classe. Il serait bientôt affecté au bar anglo-américain de la Tour de 300 mètres.

Suivirent les félicitations d'usage, et des recommandations particulières du patron :

« Le bar sera l'un des quatre établissements ouverts au premier étage, avec la brasserie lorraine, le restaurant russe et Brébant, le restaurant français. Nous prévoyons une affluence extraordinaire dès avant le déjeuner. Cela va sans dire, vous êtes attendu aux premières heures de la matinée ! Notre caissier vous délivrera une autorisation spéciale pour accéder à la Tour... Soyez ponctuel !

— Je n'y manquerai pas ! » assura Gordon Hole avec un sourire indéchiffrable.

16

L'inauguration de la Tour, sept jours après l'ouverture de l'Exposition universelle, en fut l'attraction majeure et l'écho dominant.

La lente croissance du pylône sous l'œil des Parisiens, mais davantage, à présent, sa torpeur au sein d'une exposition vivante et fréquentée exaspéraient l'attente collective. Telle une friandise exposée dans la vitrine du confiseur, la Tour captait les regards et fouettait les appétits.

On accourait du monde entier pour l'admirer et pour réussir, selon ses aptitudes, l'ascension d'un des trois étages qui graduaient l'échelle du mérite : le premier ouvert aux familles, le second permis aux marcheurs, le troisième réservé aux grimpeurs chevronnés. L'air du sommet était réputé le meilleur : sain, pur, tonifiant, doué même de vertus thérapeutiques contre l'anémie ou la coqueluche — un caractère établi par les expériences du docteur Hénocque. Eiffel y envoyait ses petits-enfants soigner leur coryza.

À l'appel de ce sommet nouveau, comme d'une montagne surgie au cœur de Paris, de valeureux étrangers qui ne pouvaient s'offrir le train tentaient d'épuisantes traversées : on rapportait l'exploit d'Italiens qui avaient franchi les Alpes sur des vélocipèdes, d'Autrichiens passant le même obstacle avec une brouette, d'un Roumain voyageant en litière, d'un Tyrolien passager d'une chaise à porteurs... Tel officier russe s'était acquis du renom en couvrant, sur son cheval, la distance de Varsovie à Paris.

La force qui subjuguait ainsi les foules méritait un autre nom que « curiosité ». Un chroniqueur de *Voguë* l'évoquait par ces mots : « Il y a dans ses sept millions de kilos de fer une aimantation formidable, puisqu'elle va arracher à leurs foyers des gens des deux mondes, puisque dans tous les ports du globe tous les paquebots mettent le cap sur l'affolante merveille. »

Quelques voix s'élevaient néanmoins contre la Tour, en lui reprochant d'éclipser les autres monuments du pays. Des villes souffraient de leur horizon plat, comme infirme depuis l'érection du pylône. Elles se plaignaient qu'on mesurât leurs trésors (des cathédrales aux flèches hardies, des beffrois élancés) à l'aune unique de la performance verticale. On pouvait lire dans des revues américaines cette réclame en forme d'adjuration de l'Office national du tourisme : « Faut-il que chaque ville ait sa tour Eiffel pour que vous appréciiez le reste de la France ? »

C'était peine perdue...

Brandie comme un sceptre au-dessus de Paris, la Tour affirmait la toute-puissance de l'industrie, la souveraineté qu'elle entendait désormais exercer sur les mondes non seulement du *faire* — faire des ponts, faire des routes ou des rails — mais aussi du *penser*.

En ce jour décisif, Armand, Roseline, Odilon, Salomé et Jules ne se préoccupaient guère de tourisme. Ils n'avaient qu'une chose en tête : contrer Gordon Hole et son projet d'attentat. Chacun s'était vu assigner une mission précise, conforme à ses vœux sinon à ses moyens.

La galanterie voulait que les tâches les moins exposées revinssent aux femmes. Roseline et Salomé avaient donc hérité d'une partie facile : épier l'arrivée de Gordon Hole au pied de la Tour.

Or ce n'était pas de tout repos : d'une part, en raison de la grande affluence de visiteurs ; d'autre part, à cause d'un empêchement arithmétique, simple mais insoluble — deux femmes avaient la charge de quatre piliers... Bien qu'on l'eût dispensé de toute besogne au motif de son âge, Jules Boissier insista pour prêter main-forte. Le nombre des veilleurs fut ainsi porté à trois : un progrès certes, mais insuffisant.

Très tôt, il apparut que le guet ne pourrait être assuré convenablement. On n'avait pas prévu une foule si remuante et si mal contenue, qui brisait en éruptions furieuses les cordons d'alignement et noyait sous sa déferlante les guichets de vente. Comment discerner un visage dans cette mêlée de chapeaux, de cannes et d'ombrelles, sans cesse brassée et remuée telle une lave bouillante ?

L'autre difficulté tenait aux voies d'accès. Afin sans doute de répartir les charges entre les quatre appuis de l'édifice, on les avait multipliées : les escaliers montants occupaient les piles nord et sud, qui accueillaient aussi les ascenseurs du deuxième étage ; les piles ouest et est recevaient les escaliers descendants avec les élévateurs de la première plate-forme. Une surveillance efficace était impossible sauf à disposer d'une compagnie de gendarmes postés à tous les angles du monument, et visant les papiers de chaque candidat à l'ascension.

« C'est infaisable ! Nous perdons notre temps ! » soupira l'oncle.

Roseline touchait dans sa poche le petit miroir qui devait servir, par des éclats lumineux, à signaler la présence de Gordon Hole aux garçons montés dans la Tour.

« Ils comptent sur nous ! Nous devons suivre le plan !

— Mais notre guet est une passoire ! » s'écria Jules dont le pessimisme allait croissant.

Salomé prit la défense de son amie.

« Roseline a raison, il faut tenir ! Qui sait ? Avec de la chance...

— Peuh ! Compter sur la chance ! » maugréa le retraité qui n'en prit pas moins son poste sous la pile nord.

Tandis que Jules et les deux femmes faisaient sentinelle au pied du monument, les jumeaux étaient montés dans la Tour à la rencontre de l'Américain.

Odilon pouvait seul se mêler au cortège officiel qui investissait à ce moment l'architecture de fer.

Un groupe d'hommes en queue-de-morue, où figuraient par exception deux ou trois robes émancipées, entamait pompeusement l'ascension du pylône. Les plus hardis choisissaient l'ascenseur, cette nouveauté intimidante — jamais toutefois sans croiser les doigts ou réciter une prière. Parmi les candidats au voyage vertical, les hauts personnages se montraient les plus frileux : ainsi Nasser ed-Din, shah de Perse, qui avait d'abord envoyé ses suivants tester l'étrange invention, puis s'en était détourné pour emprunter les marches ; ou encore le prince Baudouin de Belgique, entré dans la cabine en se signant, après un long entretien téléphonique avec ses parents...

Le plus grand nombre préférait les escaliers. Outre la sécurité, leur atout principal, ils offraient aux puissants soucieux de protocole de s'étager à leur convenance — le roi une marche devant le ministre, le ministre deux marches devant le conseiller —, dans la tradition séculaire des perrons de palais.

Il va sans dire, sa qualité d'ingénieur ne permettait pas à Odilon de marcher en tête avec Gustave Eiffel, le roi de Siam, le bey de Djibouti et d'aussi radieuses personnalités. Lui n'avait droit qu'à piétiner dans la queue du cortège, là où ses pairs, traceurs de plans et accoucheurs d'équations, fêtaient en écoliers bruyants l'achèvement de la Tour.

L'ambiance chez les employés était bien différente de celle, mondaine et pavanée, qui régnait dans les premiers rangs : on dansait, on poussait des vivats, on agitait pour les faire mousser des bouteilles de champagne — escompte sur le buffet à venir. La boisson dorée se buvait à même le goulot, en fraîches rasades dont jaunissaient les plastrons. Forgeant déjà des souvenirs, de jeunes recrues repassaient d'une voix émue les épisodes héroïques du chantier ou, d'une voix plus claire, avec des fusées de rire, ses rares récréations :

« Te rappelles-tu le jour où Pluot a perdu son lorgnon ? Quelle histoire ! Il nous accusait de l'avoir pris voulait fouiller nos poches ! C'était l'amende générale si le voleur ne se dénonçait pas !

— Oui ! Et cette fois où Sauvestre étourdi a trempé sa plume dans son verre de coco ? Il se plaignait d'écrire rouge ! Pardi ! »

Une grande fatigue se lisait pourtant derrière la liesse apparente. Le regard d'Odilon allait en alternance à ces visages hâves, creusés par les veilles studieuses, et aux figures des princes bien nourris — ceux-ci marchant devant, dont le seul mérite était d'avoir quitté leur carrosse pour suivre un tapis rouge ; ceux-là venant derrière, qui avaient construit la Tour... « Le monde est sans justice ! » philosopha l'ingénieur.

Comme ses trois complices au pied du monument, Odilon prenait la mesure des difficultés de sa mission.

Admis au sein du cortège, il s'était proposé d'en faire l'inspection. Rien n'excluait que Gordon Hole eût infiltré la délégation américaine : nombre d'étrangers avaient répondu à l'invitation d'Eiffel dont, bien sûr, des scientifiques dans toutes les disciplines. Hole y trouvait sa place. Quelle tentation alors pour ce mégalomane de déclencher sa bombe au milieu du cortège, sapant du même coup et la Tour, et l'élite du monde civilisé ! Tenterait-il d'échapper à l'explosion ? Ce n'était même pas sûr... L'enjeu semblait assez énorme, et l'homme assez imprévisible pour un attentat suicide.

Pendant la montée, Odilon passa en revue tous les hommes dans son entourage, avec ceux qu'il entrevoyait — au-dessus ou au-dessous, à un croisement quelconque de l'immense résille de métal. Hélas ! le cortège officiel était très accueillant : trois cents personnes au moins jouissaient du billet de faveur, sans compter l'inévitable resquillage. Des intrus s'ajoutaient sans cesse —

employés des restaurants du premier étage, journalistes, ouvriers, garçons d'ascenseur... Bien que la Tour fût encore fermée au public, l'édifice semblait déjà envahi, colonisé d'insectes innombrables qui remontaient ses longues jambes de fer. Comment trier cette multitude ?

Odilon consulta sa montre : 11 h 40.

« À cet instant peut-être, une flamme court sur une mèche ! » soupira l'ingénieur, qui pensa encore, les yeux tournés vers ses camarades : « S'ils savaient ! »

« S'ils savaient ! » Telle était aussi la réflexion que se faisait Armand en considérant la foule autour des piliers, cent mètres en contrebas.

Des cinq missions, il avait choisi la plus téméraire. Elle comportait des risques naturels, liés aux prouesses qu'il fallait réussir, et d'autres extérieurs qui les aggravaient : ceux-là tenaient à son implication personnelle.

Que tentait-il en effet ? Rien de moins que renouveler, pour le bon motif cette fois, son exploit de saboteur... Armand le formulait ainsi : « Racheter une mauvaise action par la même, renversée. » En d'autres termes, il s'était proposé d'explorer la Tour pour trouver la dynamite de Gordon Hole.

Certes, l'Américain pouvait loger ses explosifs ailleurs que dans la structure. Les cachettes dans le pylône achevé étaient innombrables, et beaucoup avaient sur un croisement de poutrelles l'avantage de la discrétion. Mais Armand croyait qu'un architecte, connaissant par métier les points faibles d'un édifice, serait tenté de les exploiter.

« Son objectif est de renverser la Tour, non de l'endommager ! raisonnait l'ingénieur. Or, s'il veut réussir avec une mise raisonnable d'explosif, c'est là qu'il doit placer ses charges ! »

Comme de raison, le projet d'Armand consternait ses camarades :

« C'est un suicide !

— C'est un défi...

— Tu te tueras !

— Je m'exposerai...

— Ah, non ! Te perdre quand je viens de te retrouver ? Je t'interdis cette bêtise ! » s'emporta Roseline.

Le Sanflorin prit la main de sa fiancée qui le repoussa d'un coup d'éventail.

« Allons, Armand, tu n'y penses pas ! insista Odilon. Tes chances de réussir valent zéro ! Si même tu parvenais à entrer dans la Tour — ce qui, considérant le nombre des gardiens, serait déjà inespéré ! —, ton premier pas sur une poutrelle t'exposerait à tous les regards ! Il sera midi, je te le rappelle, une foule de visiteurs arpentera l'édifice en tous sens ! Quelle tête ferait Jean Compagnon ou Adolphe Salles s'il te croisait dans l'escalier ?

— C'est pourquoi je n'emprunterai pas l'escalier, mais l'ascenseur.

— Avec le cortège officiel, sans doute ?

— Non, cependant nous serons passagers de la même cabine... »

Le Sanflorin fut impossible à fléchir.

Aux exhortations de ses amis, puis à leurs prières, sa réponse demeura identique : « J'ai des torts... Je dois les affronter, et les réparer si je peux. »

Cette nuit-là, bien avant l'aube, Armand traversa le Champ-de-Mars et franchit dans l'élan la grille qui ceinturait l'ascenseur Roux-Combaluzier du pilier est.

Le treillage de fer avait grincé sous son poids. Il se plaqua au sol et tendit l'oreille : aucun bruit, sauf l'aboiement lointain des chiens de garde et des coups de marteau d'ouvriers sur la première plate-forme. Il se releva et enjamba le portillon de l'élévateur.

Malgré ses dimensions imposantes — deux cabines superposées capables d'emporter cent personnes à chaque voyage —, l'ascenseur était simple à escalader. Prenant appui sur la rambarde de la galerie puis sur son délicat auvent de tôle, Armand accéda sans effort à la couverture de la cabine inférieure. De là, il n'eut qu'à faire un rétablissement pour atteindre le toit bombé du compartiment supérieur, une dizaine de mètres au-dessus du plancher.

Une question tourmentait Armand. Parvenu sur le toit, il vida son sac et compara le manteau qu'il avait apporté avec la voûte métallique. Au clair de la lune, les teintes semblaient voisines : un brun rouge obtenu par le mélange de minium de fer avec de l'huile de lin. L'ingénieur eut un soupir de soulagement. Il déploya le vêtement et se coucha dessous, ne laissant apparent que le haut de son visage.

La nuit passa sans incident. L'ascenseur fut inspecté avant sa mise en service par le chef d'exploitation, qui ne poussa pas le scrupule jusqu'à contrôler le toit de la seconde cabine. Quant aux ouvriers descendant l'escalier de la pile est, aucun n'avisa ce rouleau de tissu oublié sur le revêtement de tôle. On avait mieux à faire un jour d'inauguration !

Au fil des heures, une foule plus dense se massait aux portes de l'ascenseur. On entendait la rumeur croissante des conversations, mêlée au piaffement des chevaux des gardes républicains et au crissement du chemin de fer Decauville. Ces bruits voisins éprouvaient rudement les nerfs du jeune homme : il se sentait sous son manteau comme un condamné aveugle face au peloton d'exécution. « Quelle folie d'avoir tenté cette aventure ! regretta soudain Armand. C'est un miracle si j'en ressors vivant ! »

« Garde-à-vous ! » : à cet ordre, des talons de bottes s'unirent dans un claquement sec. Armand joignit les siens par réflexe. Un silence contraint s'était fait parmi les spectateurs, peut-être au passage d'une personnalité. Mais soudain la fanfare éclata ; des cuivres en grande formation entonnaient *La Marseillaise*. Cela semblait très près, à quelques pas. Les coups de grosse caisse faisaient trépider le toit de l'ascenseur. L'ingénieur eut un tressaillement nerveux qui chassa son pied hors du manteau. Il le ramena dessous en serrant les dents.

Un discours suivit, dont un interprète faisait la traduction dans une langue étrangère. Derechef : fanfare, garde-à-vous, déploiement de chevaux qui battaient le sabot en cadence. Le temps s'écoulait avec une lenteur irritante, comme le sang sourd d'une simple entaille, mais jusqu'à vider entièrement le corps.

Enfin, au grand soulagement du jeune homme, la cabine s'affaissa sous le poids des passagers qui montaient à bord. Le chargement terminé, deux coups de sifflet signalèrent le départ : l'ascenseur s'ébranla.

Or ce fut un enfer... Armand n'avait pas prévu que le mouvement de la machine serait si brutal et si convulsif. Dès les premières saccades, il manqua rouler hors du toit et ne dut sa sauvegarde qu'au geste réflexe d'agripper le rebord de tôle. Ensuite, il fallut apprivoiser ces secousses vraiment insoutenables, qui jetaient ses mâchoires l'une contre l'autre telles des castagnettes et tendaient douloureusement les muscles de ses bras. Un bruit infernal accompagnait aussi la manœuvre, produit du raclement de chaînes à maillons de fer dans des conduits du même métal.

Heureusement le voyage dura peu : une minute environ après le départ, l'ascenseur s'immobilisa dans un dernier à-coup à hauteur de la plate-forme. Les portes coulissèrent, livrant passage à un flot compact de voyageurs.

C'était le moment délicat : Armand devait proprement enjamber la foule, tendre le pied au-dessus des chapeaux pour atteindre, en face, la structure de fer. Que quelqu'un s'avisât de regarder en l'air et c'était fini ! Conformément à ses calculs, une poutre creuse donnait à un mètre environ de sa tête.

« Ne réfléchis pas, saute ! »

Il retroussa son manteau et bondit en félin à mi-longueur du barreau. La peur inondait ses muscles d'une force nouvelle. Avec une agilité qu'il ne se connaissait pas, il remonta la pièce de fer à la seule force des bras et s'abrita quelques mètres plus loin, derrière une clef d'entretoises qui le dissimulait aux regards. Son pouls tonnait à ses oreilles tel un canon de guerre.

D'un coup d'œil, il vérifia que personne n'avait surpris son déplacement. Or, le pilote de l'ascenseur venait justement d'escalader la deuxième cabine pour inspecter le toit. On avait peut-être entendu le crissement de ses ongles sur la tôle. S'il avait tardé un instant de plus...

« Les dieux sont avec moi ! » jubila Armand en léchant la sueur qui coulait des coins de sa moustache.

Enveloppé dans le manteau, il attendit que l'ascenseur vidé de ses occupants fût redescendu. Alors, ce vêtement dont la couleur le fondait parfaitement au décor habilla sa silhouette fuyante qui rampait sur des poutres, glissait le long d'échelles et passait agenouillée d'anciens échafaudages. Armand progressait vite et sans effort. Il lui semblait faire corps avec la Tour, s'y déplacer tel un globule dans les artères de l'organisme qu'il oxygène.

Il fut bientôt à destination. C'était à cet endroit précis qu'il avait installé naguère la troisième charge de dynamite. Un bout de corde pendait encore à un trou de la charpente. Hélas ! Il ne trouva rien d'autre...

« Ne t'attarde pas ! fit le jeune homme pour surmonter sa déception. Au tour du pilier ouest ! »

Le chemin du retour fut sans difficulté. Quand Armand parvint aux abords de la plate-forme, l'ascenseur peinait encore à mi-chemin de la montée. Prestement, il jeta son manteau dans le sac et bondit sur la passerelle de service. Un instant plus tard, son pied se posait sur la galerie du premier étage.

Sous son camouflage aux couleurs de la Tour, l'ingénieur portait un costume de ville qui devait lui permettre de traverser la plate-forme d'un pilier à l'autre, au travers de la foule, sans attirer l'attention. Cet habit était du type qu'endossent les promeneurs en montagne ; de fait, beaucoup assimilaient la visite de la Tour à une excursion alpestre. Il se composait d'un pantalon, d'un gilet et d'un veston taillés dans un même lainage écossais à croisillons rouges et verts.

Comme d'autre part Armand courait le risque d'être reconnu par Gordon Hole ou par l'un de ses anciens collaborateurs, il avait parfait son déguisement d'un pince-nez et d'une casquette norvégienne assortie à l'habit. Sa jeune moustache, espérait-il, dissiperait les derniers soupçons.

Exposées au même danger, Roseline et Salomé avaient pris des dispositions analogues : la fiancée d'Armand portait le hennin des filles d'Arles et l'amante d'Odilon, le papillon noir des Alsaciennes. Seuls l'oncle Jules, que Gordon Hole n'avait jamais vu et Odilon, admis dans le cortège, se présentaient sous leur aspect familier.

Quand Armand atteignit la première plate-forme, le cortège d'inauguration cheminait déjà vers la seconde. L'étage était désert à l'exception du personnel de la Tour, qui savourait ce répit dans l'intervalle entre la tournée des officiels et l'arrivée du grand public. Ce fut sous leurs regards que l'ingénieur remonta la galerie vers le pilier ouest, jouant l'invité à la traîne.

« Vous cherchez l'escalier de montée, monsieur ? Il se prend ici ! »

Qui lui parlait ? Armand fit un lent volte-face, formant une grimace méconnaissable — la lèvre rétractée sur la gencive, les yeux plissés derrière le binocle. Mais non... Ce n'était qu'un jeune gardien ; sans doute croyait-il rendre service. Ah ! Que ne se mêlait-il plutôt de ses affaires !

Le temps pour sa main d'atteindre sa casquette, pour ses lèvres d'esquisser un sourire reconnaissant, Armand étudia le parti à prendre. Il ne pouvait ignorer le conseil du garçon sans un solide prétexte ; d'autre part, avec le costume sur ses épaules, le rôle d'excursionniste était le seul permis : bref, il était pris au piège...

La rage au ventre, Armand se détourna du pilier ouest. Il ne tarda pas à trouver l'escalier et s'y engagea sans réfléchir, avec l'élan cumulé de la colère et de la peur.

« Échouer si platement ! » soupirait l'ingénieur déjà

résigné. Mais comment parer le coup ? Quelle échappée tenter, à présent qu'il était repéré ? Armand sentait sur lui le regard du gardien. Il se défit de son sac et pressa l'allure.

Un moment plus tard, jetant un œil par-dessus la rampe, Odilon vit ce grimpeur rapide qui avalait les marches deux à deux. Avec toute la discrétion possible, il descendit à sa rencontre.

« Armand ? » fit Odilon en barrant le passage à son ami.

Le Sanflorin s'adossa au garde-corps pour reprendre souffle.

« C'est peine perdue ! On m'a surpris.

— Pourquoi es-tu monté ? » fit le Parisien d'une voix tendue et néanmoins calme — celle qu'on prend avec les fous.

« Il faut bien aller quelque part !

— Pas là-haut ! On va te reconnaître... Tous ceux de Levallois sont venus ! »

Armand eut un long bâillement qui voulait dire : « Peu me chaut ! »

« Reste où tu es ! Sur ce palier, tu risques moins de faire une mauvaise rencontre. Et dans une heure, retrouve-moi à l'endroit convenu. »

Odilon se hâta de rejoindre le cortège. Armand de son côté s'était penché sur ses souliers dont il défaisait les lacets.

« Pour me faire une contenance, si quelqu'un vient ! »

Il attendit le rendez-vous.

La consigne en cas d'incident était de demander le « couvert de M. Guigne » au bar anglo-américain de la première plate-forme. Peu avant midi, les cinq s'annoncèrent par ces mots au maître d'hôtel et prirent place à la même table.

Auprès du restaurant français plus huppé, de la taverne russe plus rustique, de la brasserie lorraine plus pittoresque — là même où Eiffel venait déguster la choucroute, son plat favori —, le bar anglo-américain avait une place marginale. On essayait d'y appliquer le principe d'alimentation contracté par les lointains chercheurs d'or et inoculé aux visiteurs pressés de l'Exposition universelle : des clients vite servis, vite repus, vite renouvelés. Les propos y étaient désinvoltes et volontiers politiques, avec cette emphase mousseuse qu'avait aussi la bière, cette complaisance des sauces trop sucrées. On y chiquait des tabacs dont l'odeur rouillée se tressait au fumet des grillades. Les partisans du progrès venaient y trinquer avec d'ardents laïcs ou de fervents républicains. Dieu se mêlait à toutes les conversations, mais ce n'était ici que le petit nom du billet de banque.

Ce jour-là, le bar recevait la délégation américaine venue « prendre l'air du pays », certes plutôt raréfié au cœur d'une exposition à la gloire de la France. D'un bout à l'autre du comptoir, les enfants du Nouveau Monde partageaient leurs impressions de la Tour.

« Sont-ils bruyants, à la fin ! pesta l'oncle Jules. Pas à dire, on se tient mieux en France ! »

Les quatre jeunes gens, conquis comme tous ceux de leur âge à l'étonnante Amérique, ignorèrent ce trait d'ancien patriotisme. En sa qualité d'aîné, Odilon entama le bilan d'une triste journée :

« Mes amis, je ne sais que dire... L'entreprise que nous avons tentée paraît au-dessus de nos forces. Il serait sage, je crois, de confier l'affaire à messieurs les brigadiers...

— Bien parlé ! » fit Jules dont c'était l'idée première.

Les autres ruminaient leur échec en silence.

« Mais avant d'aller au commissariat, que diriez-vous d'un déjeuner américain ? Ce serait une façon d'honorer Gordon Hole. Quoi que nous en ayons, ce gredin nous a bellement possédés, de bout en bout ! Et tant pis si c'est *dur à avaler* ! »

L'idée plut. On ouvrit les menus. Sans avis formé sur les plats à goûter, les jeunes gens commandèrent les plus chers — un homard Newport et des shrimps cocktail —, dont le faste prévisible s'accordait à l'ampleur de leur défaite.

Quant à Jules, il ne voulut rien d'américain, mais demanda s'il se trouvait aux fourneaux quelqu'un pour lui cuire un bout d'omelette aux cèpes. Le garçon répondit dans un français cahotant :

« Hélas ! monsieur, j'ignore si nous pourrons vous satisfaire. Le cuisinier est positivement débordé, avec la délégation qui vient d'arriver. Alors, une recette neuve... »

Le retraité broncha : quoi ? une « recette neuve », celle dont sa grand-mère s'était fait une spécialité au temps des rois de France ?

Mais ce fut Armand, d'humeur tracassière, qui s'en prit au garçon.

« Une omelette ! Votre homme ne sait pas cuisiner une omelette ? »

Le serveur tortillait son tablier entre ses doigts tachés de sauce barbecue.

« C'est comme je vous dis ! Il ne s'en sort plus ! D'ailleurs, rien ne va aujourd'hui : il manque d'assiettes, nous sommes à court de pain, le fourneau à gaz ne veut pas s'allumer, même le conduit d'ordures est bouché ! »

Par les relais mystérieux du cerveau, cette parole produisit une décharge dans l'esprit du Sanflorin. Son œil s'alluma, non comme tantôt d'ironie — mais d'intérêt. Il se fit répéter.

« Vous dites que le conduit d'ordures est bouché ?

— Il l'est sans espoir ! confirma le garçon, un peu gêné de devoir développer. C'est un gros tuyau qui descend le long du pilier est, avec une trappe pour le fermer. On jette dedans les saletés...

— Où aboutit le tuyau ? » voulut approfondir l'ingénieur, au grand étonnement de ses voisins de table.

« Dans un wagonnet placé exprès, au pied de la Tour. Les services de voirie l'enlèvent quand il est plein. J'ai étudié la chose... C'est moi qui suis chargé des ordures ! Mais tantôt, quand j'y suis allé, j'ai bien senti que ça n'allait pas : les sacs glissaient sur un ou deux mètres, puis se bloquaient. Quelque chose doit gêner. »

Une fièvre nerveuse s'était emparée d'Armand. Il lança un regard à Odilon qui le lui retourna, incrédule, puis déclara fermement :

« Ne pas servir d'omelette à Paris, c'est inadmissible ! J'exige de voir le cuisinier ! »

Le tablier du serveur s'essora de plus belle.

« Soit, je vais lui demander de venir...

— Inutile ! fit le jeune homme en se levant de chaise. Je vous accompagne ! »

Odilon retint son ami d'un clappement de langue.

« Enfin, as-tu perdu la tête ? Toute cette histoire pour une omelette !

— J'ai une intuition ! lui chuchota Armand, une intuition renversante ! Et si, tout bonnement, Gordon était employé au bar anglo-américain ? Et s'il avait placé l'explosif dans le conduit du vide-ordures ?

— Mon pauvre ami, tu déraisonnes ! Les émotions de ce matin t'ont frit la cervelle !

— Allons, rappelle-toi ! Comme il était fier d'avoir installé des vide-ordures dans son gratte-ciel de Chicago : "Une invention qui n'a l'air de rien, mais qui révolutionnera le monde !" disait-il... »

Armand fut dispensé d'autre parole. À cet instant, Gordon Hole en personne déboucha d'un escalier et traversa la salle. Un tablier graisseux ceignait encore ses hanches, qu'il dénoua tout en marchant. L'homme des fourneaux apparut sur ses pas — espèce de fauve à crinière rousse dont le rugissement couvrit le brouhaha du restaurant :

« Où est-il passé, ce gâte-sauce ? Abandonner ainsi des casseroles sur le feu ! »

Mais l'architecte avait franchi la porte.

Les cinq se levèrent d'un même élan. Tous attendaient les directives d'Armand, promu chef de bande.

« D'abord la bombe ! commanda l'ingénieur. Partageons-nous en deux groupes : l'oncle Jules et moi nous chargeons de la dynamite. Toi, Odilon, rattrape Gordon Hole si tu peux !

— Mais nous ? s'insurgèrent en chœur les deux femmes.

— C'est trop risqué, d'un côté ou de l'autre ! Que préférez-vous, de l'explosif ou du revolver de Gordon Hole ? »

Armand espérait un silence mais Roseline annonça vaillamment :

« Nous prenons Gordon... J'ai un compte à régler avec ce monsieur ! »

Surgissant des portes du restaurant, le groupe ramassa le tablier du faux cuisinier. Ils regardèrent de tous côtés, sans repérer nulle part la haute taille de l'Américain. Gordon Hole avait pris la fuite...

« Vite ! Les escaliers ! s'écria Odilon. Pour moi, celui à l'est ! Pour vous mesdames, celui à l'ouest ! »

Les trois se dispersèrent.

De leur côté, Armand et Jules s'étaient mis en quête du conduit de vide-ordures. À quoi pouvait donc ressembler un vide-ordures ? Ou plutôt, comment le démêler de tous ces tuyaux, boyaux et canalisations serrés dans la Tour comme dans un cou humain ?

Ayant contourné la fosse centrale, les deux hommes rencontrèrent la foule qui piétinait devant les guichets. On faisait la queue pour acheter les tickets blancs d'accès à la deuxième plate-forme ou bleus d'accès au sommet. Admis depuis peu, le public commençait d'affluer en blocs compacts démoulés des ascenseurs ou en chaînes serrées montant des escaliers. C'était partout — pavillons, cafés, magasins de souvenirs — un grouillement de population.

Armand joua des coudes pour atteindre une trappe qu'il avait repérée, un peu à l'écart, au creux de l'arbalétrier.

« C'est ici ! » fit l'ingénieur en invitant son oncle d'un geste de la main.

Aussi discrètement que possible, les deux hommes agirent sur le verrou qui fermait le conduit. Une puanteur atroce leur gifla les narines.

« Quelle infection ! toussa Armand. C'est bouché, aucun doute. »

Le tuyau était ainsi positionné qu'on pouvait accéder aux deux premiers mètres depuis la plate-forme, et plus bas encore si l'on prenait le risque d'enjamber le garde-corps. Cherchant à situer le bouchon, Jules se mit à donner du poing et du pied contre le vide-ordures.

« Halte-là ! réagit son neveu. Ce n'est pas la bonne méthode !

— Pourquoi donc ?

— Si, comme je le pense, la bombe est dans ce conduit, le moindre choc peut provoquer la détonation !

— Mais il s'agit de dynamite ! objecta le retraité.

— Vois-tu une mèche ? »

Jules inspecta soigneusement le vide-ordures. Aucune ficelle ne dépassait du tuyau, ni par la bouche ni par les jointures.

« Selon moi, reprit le jeune homme, Gordon Hole a utilisé de la nitroglycérine pure... C'est un produit instable, très sensible aux secousses. Il suffit de l'agiter un peu — et alors... adieu la Tour ! »

L'oncle considéra le vide-ordures d'un œil épouvanté.

« Quelle invention perfide ! Mais d'où viendrait la secousse ?

— Des déchets accumulés sur la charge ! conclut Armand après un temps de réflexion. C'est un dispositif à retardement : chaque fois qu'un garçon de cuisine jette un sac d'ordures, il augmente la pression sur le bouchon d'explosifs. Un jour, le bouchon saute... et le pylône avec. »

Jules élargit d'un doigt pressé le col de sa cravate. Il se sentait tourner de l'œil.

« Armand, écarte-toi du tuyau ! Cette affaire est du ressort de spécialistes... Alertons les gardiens !

— Nous n'avons pas le temps !

— Alors quoi ?

— Alors... ceci ! »

Armand ouvrit le conduit et passa les bras, puis la tête à l'intérieur. En même temps, il donnait des coups de reins pour faire entrer le reste du corps. La section du tuyau — un demi-mètre — permit tout juste le passage des épaules.

Jules n'eut pas le réflexe d'attraper son neveu par les chevilles. Pris de panique, il héla le gardien d'un guichet proche. Le surveillant accourut.

Au même instant, Roseline qui descendait l'escalier du pilier ouest aperçut l'Américain, trois volées plus bas. Elle cria de tous ses poumons :

« Arrêtez-le ! Cet homme est un malfaiteur ! »

Gordon Hole se tourna dans la direction de la voix. Il dégaina son revolver et fit feu. Mais la comédienne, pour gêner la visée, s'était abritée derrière sa large ombrelle en toile de soie. La balle fit jaillir une étincelle d'une marche de tôle.

« C'est ainsi qu'on traite les dames ? » fit un courageux en saisissant le bras de l'architecte. Gordon Hole l'envoya bouler d'un coup dans l'estomac.

Le temps de cet échange, les deux femmes avaient dévalé toute une volée de marches. Elles bondissaient comme des folles, leurs jupons retroussés à mi-cuisse, leurs escarpins tordus contre la tôle. Pour aller plus vite, Roseline arracha les siens et continua pieds nus.

« Stoppez-le ! Stoppez-le ! » criait Salomé d'une voix hachée.

L'Américain attendit d'avoir repris son avance pour ajuster les poursuivantes. La coiffe alsacienne de l'actrice se voyait de loin. Il la prit pour cible et pressa la détente. Une déchirure se fit dans le papillon noir.

« Raté ! siffla la comédienne. Décidément, le pistolet n'est pas votre fort ! Ni à toi ni à Gaspard. »

Gordon Hole eut un hoquet de rage et s'élança dans l'escalier.

Sur le palier suivant, un peintre s'était installé pour croquer la Tour de l'intérieur. Ce n'était pas n'importe quel peintre : il s'agissait d'Auguste Lavastre, l'artiste chez qui Roseline avait posé... Quand le maître vit accourir Gordon Hole, son œil physionomiste reconnut aussitôt son visiteur de l'avant-dernière année. Par suite, il se remémora les douze tableaux dont l'Américain lui avait passé commande, sans en payer l'exécution. Son sang ne fit qu'un tour.

« Te revoilà, Prussien ! Attends que je t'apprenne les manières ! »

Une tempête déferla sur Gordon Hole. Les coups de pinceau — côté pointu — dardaient l'Américain comme un essaim de guêpes. Il put saisir son revolver mais le perdit aussitôt, chassé d'un revers de palette.

« Tu ne me fais pas peur, va ! rugit le peintre. J'en ai rossé de plus épais que toi dans les salons ! »

Un instant plus tard, Roseline et Salomé ajoutaient aux piqûres de brosses de méchants coups d'ombrelle et de talons.

« Grâce, grâce ! » implora l'architecte en croulant sur

les marches. Roseline ramassa le revolver et le mit en joue.

Ce fut la menace d'une autre arme, celle d'un brigadier de police, qui fit sortir Armand du vide-ordures. Du moins en eut-il l'intention, car pour l'extraire de là, il fallut tout bonnement le hisser par les pieds... L'ingénieur réapparut, couvert des saletés qu'il avait brassées au fond du tuyau : ses jambes étaient éclaboussés de sauces aux couleurs variées, ses cheveux abritaient des pelures de pommes de terre. Le cercle des badauds ne tarda pas à s'élargir.

Contre toute attente, la version d'Armand trouva chez le policier une oreille attentive. Seul un motif absurde pouvait pousser un homme à pénétrer volontairement un conduit de vide-ordures. L'ingénieur fut donc autorisé à se munir d'une gaffe, au moyen de laquelle il put extraire, l'un après l'autre et avec mille précautions, les sacs d'immondices qui encombraient le tuyau.

« Il s'agira de les remettre, ensuite ! » avertit le brigadier en se bouchant le nez.

Des derniers sacs émergea bientôt un gros paquet, suffisant pour obturer le conduit. Son emballage de jute portait une boucle de corde, grâce à quoi sans doute il avait été descendu, et put être remonté. Jules prêta son couteau pour déchirer la toile. On trouva à l'intérieur une bonbonne remplie d'un liquide huileux et doré, à l'aspect de miel.

« La nitroglycérine ! » triompha l'ingénieur.

Des applaudissements saluèrent l'étonnante découverte.

« Et cela ? s'informa le brigadier en désignant un sable épais qui enrobait la dame-jeanne.

— Sans doute du kieselguhr, une terre inerte qu'utilisent les chimistes lorsqu'ils manient des explosifs : elle protège des chocs... La bonbonne devait résister aux vibrations et ne détoner qu'en cas de forte secousse — par exemple en se brisant au fond du wagonnet des ordures, après une chute de cent mètres ! »

« Jeune homme, toutes mes félicitations ! »

La voix familière fit sursauter Armand. Il déposa délicatement la bonbonne, à temps pour recevoir Gustave Eiffel qui traversait la foule. Le constructeur gardait autour du cou une serviette au chiffre de la brasserie lorraine du premier étage. La main de l'aîné prit celle du cadet et la secoua chaudement.

« Vous êtes le sauveur de la Tour ! proclama Eiffel en tendant son bras vers le ciel. Par ce geste courageux, vous avez défendu l'œuvre de centaines d'hommes et la vie de milliers d'autres ! Nous vous devons une reconnaissance... »

Eiffel s'était interrompu au milieu de son compliment. Il chaussait ses binocles pour scruter les traits du jeune héros, dont un détail — ce nez en proue de navire — parlait confusément à sa mémoire.

« Mais... cette figure ?

— Armand Boissier ! annonça le jeune homme en secouant ses cheveux pour en chasser les épluchures. Je suis ingénieur, et votre ancien collaborateur... »

Deux émotions rivales parurent se disputer le cœur d'Eiffel à ce moment : l'irritation, au rappel des événements de la dernière année ; la gratitude, car l'ingénieur venait de rendre un grand service. La seconde fut l'antidote de la première. Un sourire pacifia les traits du patron.

« Expliquez-vous ! réclama Eiffel. Car enfin, je n'entends rien à cette histoire de bombe... Certes, mes détracteurs sont nombreux qui approuveraient la destruction de la Tour ; quelques-uns encore parlent d'agir eux-mêmes. Mais qui serait assez fou pour mettre une telle menace à exécution ?

— Cet homme ! »

L'exclamation dévia tous les regards vers l'escalier. Une tranchée s'ouvrit au passage de deux femmes dont l'une, pieds nus, tenait un homme en respect au bout de son revolver.

Comme il est fréquent, la mémoire d'Eiffel fut plus prompte à remettre ce visage ancien qu'à repêcher celui tout frais du jeune ingénieur. Le vétéran de l'école centrale salua avec effusion son condisciple :

« Gordon ! En voilà une surprise !

— Gardez vos distances, monsieur ! l'avertit Roseline. Cet individu a juré votre perte et celle de la Tour ! Il est l'artisan de la bombe ! »

Eiffel ne voulut pas se rendre aussitôt aux apparences. En homme rassis qu'il était, il commença par confisquer l'arme de Roseline et amena tout le monde, plaignants et accusés, au bureau de police.

L'après-midi ne fut pas trop longue pour exposer l'affaire, malgré les efforts des jumeaux pour en taire le superflu — dont certains épisodes qui les mettaient en cause.

Il ressortit des dépositions que les deux ingénieurs n'étaient pas exempts de torts, et encouraient de menues amendes pour leurs démarches parfois intempestives ; mais que Gordon Hole était coupable à coup sûr, et sous divers aspects. On s'étonnait du nombre de victimes qu'avaient pu faire cet homme, comme de l'impunité dont ces victimes, et le destin lui-même, l'avaient longtemps assuré.

Le chef de la sûreté avait sept témoignages sous la main, car le peintre et le cuisinier du bar déposèrent eux aussi. Sans doute, en ouvrant l'enquête, d'autres procès-verbaux viendraient-ils épaissir le dossier : Apolline Sérafin, le Père la Pudeur, le personnel de l'Hôtel Britannique, la Maréchale, les vauriens de la barrière Montparnasse, Gaspard si on pouvait l'appréhender — et combien qu'on oubliait ! Partout où Gordon Hole était passé, il semblait avoir nui.

« C'est l'Attila du crime ! » s'exclama le chef de la sûreté.

Eiffel eut le bon esprit de visiter son condisciple dans le cachot provisoire qu'on lui avait assigné, une pièce vacante du bureau de police.

« Hélas, mon ami ! soupira le constructeur. Seras-tu la prochaine victime de la chaise électrique, cette invention qui vient de remplacer la pendaison dans l'État de New York ? Voilà à quel usage on abaisse le progrès, lui qui peut servir l'essor commun de l'humanité ! »

Gordon Hole ne trouva rien à répondre. Une porte se referma sur lui.

Une fête intime fut donnée par Eiffel pour célébrer cet heureux dénouement.

Le constructeur reçut l'oncle Boissier avec les quatre jeunes gens dans son salon privé, au troisième étage de la Tour. C'était un petit appartement à son usage personnel, qui servirait tantôt à recevoir des invités de marque, tantôt à mener des expériences avec le laboratoire mitoyen. Science et mondanités : la vocation du boudoir reflétait bien la personnalité de son propriétaire.

Accéder au salon privé était un honneur dont Armand et Odilon prirent aussitôt la mesure. Le premier surtout goûtait sa rentrée en grâce : lui, le réprouvé d'hier, devenu l'hôte d'Eiffel, son intime pour ainsi dire ! Ses yeux ne laissaient pas d'admirer l'aménagement cossu du lieu : les murs tapissés de toile crème à lambrequin bleu, les sièges crapauds vêtus de velours, tout comme la banquette originale, en anneau, qui cerclait une colonne. Des lampes Edison montées en lustre répandaient leur éclairage sur le bureau muni d'un téléphone. Chaque détail illustrait le goût somptueux du constructeur, son attrait pour les meubles de prix qui peuplaient ses nombreuses résidences.

« Soyez les bienvenus ! lança Gustave Eiffel en distribuant des coupes de champagne. C'est un plaisir pour moi de vous ouvrir ce petit salon... Il ne l'est pas à tout le monde : je viens d'en refuser l'accès à un couple de jeunes mariés qui voulait y passer sa nuit de noces ! Asseyez-vous, je vous prie... »

Les invités choisirent les places qui leur parurent convenables. L'oncle Jules s'octroya un fauteuil vis-à-vis de celui d'Eiffel, Roseline et Salomé partagèrent le canapé Louis-Philippe où se tassèrent leurs grandes robes à coulisses. Par déférence hiérarchique, les jumeaux de la gomme prirent la banquette, moins confortable du fait de son adossement au poteau. Le champagne moussa et l'on trinqua.

« Rien de plus ennuyeux qu'un compliment qui dure, reprit familièrement l'entrepreneur. Je ferai court en louant votre sagacité, votre persévérance, enfin votre courage au moment d'agir. »

Puis, se tournant vers le sofa féminin :

« C'est même d'héroïsme qu'il faut parler s'agissant de vous, mesdemoiselles : sans votre intervention, Gordon Hole aurait pris la fuite ! Ce haut fait mérite une récompense... Dès demain, je donnerai des instructions pour que la médaille en bronze de la Tour, décernée aux ouvriers, vous soit attribuée nominalement ! Bravo donc... bravo à tous ! Vous avez servi notre cause avec intelligence et brio. Je n'espérais pas une collaboration si facile... »

Certaine inflexion dans les derniers mots du patron accrocha l'oreille d'Armand. Il n'osa pas formuler ses soupçons à voix haute mais échangea un regard entendu avec Odilon.

Eiffel leva de suite toute ambiguïté :

« Oui, chers amis, il s'agit bien d'une collaboration ! Je me dois à présent de vous révéler la vérité... Car nous savons tout, depuis des semaines ! »

Ce coup de théâtre fut diversement ressenti dans l'auditoire : l'oncle Boissier n'eut guère d'émotion, qui tenait Eiffel pour une intelligence hors ligne et voulait bien ajouter le talent de détective à ceux nombreux qu'il lui connaissait déjà ; les jeunes femmes éprouvèrent un choc modéré, leur implication étant récente ; seuls les jumeaux furent réellement bouleversés.

Eux se pétrifièrent sur la banquette et parurent à cet instant, sur le fond de la tapisserie neuve, leur coupe immobile entre les doigts, deux statues de cire comme le musée Grévin venait d'en exposer en hommage aux ouvriers de la Tour. Ils réclamèrent un développement.

« J'étais loin de soupçonner les manœuvres de Gordon Hole. Peut-être vous a-t-il affirmé que je m'étais approprié ses idées, qu'il se faisait justice ? Ce n'était pas son seul mobile, si même c'en était un... En réalité, son dessein était rien de moins que de vendre la Tour en pièces détachées ! Dès les débuts de la construction, il avait loué un bureau à Paris et adressé une circulaire à des marchands de métaux en Europe. La lettre portait cet en-tête : "Société Swimson, adjudicataire de la récupération du matériel de la tour Eiffel."

— C'est inouï ! réagit le Parisien. Que contenait-elle ?

— Un tissu de mensonges... La Tour, prétendait Gordon, devait être démolie après l'Exposition de par l'arrêt du conseil municipal. La société Swimson était chargée d'organiser la vente du fer ainsi déposé : sept mille tonnes soldées vingt centimes le kilogramme, soit le cinquième du prix de revient. Une affaire, en effet ! Il se trouva des ferrailleurs assez jobards pour mordre à l'appât. Gordon Hole toucha quinze millions de francs-or à titre d'arrhes, dont une partie servit au financement de ses coupables entreprises. Mais alors, au lieu de s'enfuir comme n'importe quel escroc d'un peu de jugement, il demeura à Paris... Qu'espérait-il ? Toucher le solde de sa commission ? Défendre un droit absurde sur le matériel de la Tour, à présent que des contrats étaient signés avec les marchands de métaux ? Nul ne le sait... »

L'oncle Jules suivait les révélations d'Eiffel comme un feuilleton de la *Revue illustrée*. Il demanda, passionné :

« Quel lien avec l'attentat ?

— Vous allez comprendre ! Rester en France après son forfait exposait beaucoup Gordon Hole : notre ami devait en subir les conséquences... En effet un des ferrailleurs, saisi de soupçons, eut l'idée de m'écrire pour demander confirmation du marché. Je m'empressai de le détromper et, en parallèle, ouvrai une enquête sur l'auteur de cette escroquerie. Il était déjà trop tard ! Sentant le vent tourner, Gordon Hole avait déposé le bilan de la société Swimson et semblait investir ses efforts dans un autre projet ; nous ignorions lequel à ce moment, toutefois je soupçonnais qu'il s'en prendrait à la Tour...

— ... afin de racheter le fer abîmé et de tenir ses engagements auprès des marchands de métaux ? » présuma Odilon.

L'entrepreneur eut un geste évasif, comme pour dire : « Ça m'est bien égal ! »

« Et ensuite ? gloussa Jules très accroché.

— Mon premier réflexe, bien sûr, fut d'alerter la police... "Vous n'avez pas de preuves", m'objecta l'inspecteur. De fait, Gordon Hole connaissait son affaire : un nom d'emprunt, une fausse signature, des commis qui le représentaient auprès des marchands de métaux... Comment saisir ce fantôme ? Je ne pouvais tout de même pas l'empoigner dans son hôtel !

— Nous avons raisonné comme vous ! observa Roseline.

— À défaut d'attaquer, il fallait se défendre... et avant tout, prémunir la Tour contre une terrible menace ! Une patrouille fut créée pour inspecter régulièrement le pylône. Je recrutai aussi de nouveaux gardiens parmi les riveurs dont l'engagement prenait fin. Quel moyen emploierait Gordon Hole ? Quand agirait-il, et sous quel déguisement ? Nous n'en savions rien, mais nous nous tenions prêts ! Voilà comment nous avons pu déceler la charge de nitroglycérine dans le vide-ordures et la désamorcer avec de la sciure de bois, quelques heures avant votre intervention... »

Odilon suffoquait d'étonnement.

« Alors... tant d'efforts pour rien ?

— Non pas ! Vous étiez la détente du piège que nous tendions à Gordon Hole, et qui a permis son arrestation ! »

Les révélations d'Eiffel laissèrent les jeunes gens dans la confusion la plus totale. Ils s'entre-regardaient, muets et effarés, doutant s'il fallait rire ou pleurer, se plaindre ou se réjouir.

Heureusement l'homme sagace qu'était Jules leur représenta, dans un discret aparté, la chance qui était la leur : et si Eiffel, prolongeant son enquête, n'avait pas seulement découvert les menées de Gordon Hole mais aussi ses complicités, qui impliquaient Armand ? Le malaise des jumeaux en fut aussitôt dissipé.

Toute la compagnie retrouva le sourire et ce fut d'un bel élan que s'entrechoquèrent encore, maintes fois, les six coupes de champagne. La fête dans le salon privé se prolongea jusqu'à la nuit.

SOMMET

Le quatrième étage du pylône, simple terrasse circulaire ceignant le sommet, possédait une curiosité : un phare maritime dont la portée exceptionnelle le plaçait au premier rang des balises du monde.

Bien qu'éteint le jour, le phare brillait déjà. Il le devait à sa teinte dorée, conclusion d'un savant étagement de couleurs qui semblait allonger la Tour au regard — depuis le bronze Barbedienne des pieds, trempés eût-on dit dans du jus refroidi de viande, en passant par un cuivre intermédiaire de plus en plus chaud, jusqu'à l'or pur du campanile.

La nuit, le phare s'éveillait tout à fait. Sa lumière qui combinait un feu blanc et des éclats aux couleurs nationales était visible à des kilomètres à la ronde. Par temps clair, les villes de Fontainebleau, de Chartres, de Provins et même d'Orléans discernaient ce point de clarté : alors les touristes cheminant vers la capitale proféraient un optimiste : « On arrive ! »

En plus du long rayon défricheur d'horizons, la lanterne du phare dardait des rayons courts presque à ses pieds, dans les rues de Paris. Les riverains s'étaient habitués à ces fulgurations qui donnaient à l'île Saint-Louis des allures de rocher en pleine mer et aux péniches sédentaires, des tournures de chalutiers armés pour le grand large.

L'un de ces rayons, traçant un cercle de deux kilomètres autour du pylône, suivait un itinéraire qui passait par le Palais-Bourbon, les Champs-Élysées, la rue de La Boétie, la place de l'Étoile et le parc de la Muette. C'était le rayon de la bourgeoisie, portant le message lumineux du progrès dans les intérieurs déjà bien éclairés, où l'on n'était pas chiche de pétrole ni bientôt d'électricité.

Odilon et Salomé Cheyne, depuis leur mariage, n'avaient pas quitté l'appartement du jeune ingénieur, rue de Berri — peut-être à cause du rayon amical qui zébrait chaque nuit le ciel du huitième arrondissement, en inspirant à leur tout jeune enfant des questions naïves sur ce visiteur de l'ombre.

« Papa, maman, qu'est-ce que c'est, là-haut ?

— C'est l'œil de la Tour ! » répondait Salomé d'une voix grave et ronflante, celle qu'on pouvait supposer au monstre métallique.

« L'œil nous regarde ?

— Il ne lorgne que les enfants désobéissants... Allons, couche-toi et dors, sinon l'œil viendra te scruter au fond de ton lit ! »

Un autre rayon d'envergure supérieure — jusqu'à quatre kilomètres — s'ébattait, lui, dans les quartiers des arts et du spectacle : il empruntait la cour du Louvre, le boulevard des Italiens, la place Tivoli et le jardin du Luxembourg.

Ce faisant, il rendait visite au ménage d'Armand Boissier et de Roseline Page qui occupait toujours le logement de la comédienne, sur l'allée de l'Observatoire. Comme s'y trouvaient beaucoup de miroirs, le rayon se brisait en mille petites flèches ardentes, jaillissant du sol, des murs, des coins de cheminée. On eût dit les chutes lumineuses d'un feu d'artifice... Roseline prisait beaucoup ce spectacle, mais Armand le fuyait : « Un soir d'illuminations, j'ai manqué perdre la vie ! » Le couple bohème refusait encore de se marier, voulant conserver la fraîcheur de leur amour dans le climat tempéré des fiançailles. Ils s'avouaient heureux.

Hélas ! le même rayon jetait sa lumière dans une chambre vide, celle naguère occupée par Gordon Hole à l'Hôtel Britannique. De lumière, l'Américain n'en voyait plus guère... Il avait échappé à la peine capitale comme citoyen américain, mais les témoignages avaient été assez lourds et les preuves assez denses pour l'envoyer en prison. Enfermé derrière les barreaux d'une geôle de son pays, Gordon Hole passait ses journées à caresser les montants de fer, interrogeant cette matière qui avait d'abord fait son succès, avant de précipiter sa chute.

Un troisième rayon, dont la portée dépassait cinq kilomètres, s'aventurait dans les quartiers besogneux de la capitale — cette périphérie mal-aimée où son sillon de lumière n'était plus perçu comme un bienfait mais comme une provocation, parce qu'il exposait la misère et troublait le repos des travailleurs.

Ce rayon rasait de près la détresse humaine. Il plantait un poignard dans les ténèbres de la morgue, dont le sous-sol continuait d'héberger les réunions du cercle spirite, en alternance avec la salle du pilier nord qu'on utilisait pour les grands rassemblements. Le train des séances avait repris, Apolline Sérafin poussait la table miniature pour évoquer les morts et parfois, tandis que le crayon traçait une spirale noire sur le papier, ses propres souvenirs... Salomé lui manquait, elle était d'ailleurs regrettée de tout le monde — non comme une simple absente mais comme la vie même.

Sur son trajet, le troisième rayon allumait un tesson de bouteille. C'était le vestige oublié d'une ancienne querelle, pendant laquelle Gaspard Louchon avait montré sa totale inhabileté à manier l'arme à feu. Les nouveaux locataires, peu fervents de ménage, n'avaient jamais passé le balai sous le meuble : le tesson demeurait là, dernier souvenir de cet homme que la rumeur disait exilé en Cochinchine, s'enrichissant là-bas du trafic d'opium et s'intoxiquant par sa consommation.

Ce rayon maudit éclairait quand même quelques belles façades : ainsi l'hôtel de Jules Boissier, que l'oncle venait de vendre à bon prix pour acquérir une maison sur la planèze de Saint-Flour. Avec ce qui restait du pécule, le retraité s'accorda de ne rien faire jusqu'au terme de ses jours. Ses journées de campagnard, Jules les occupait d'une manière très différente d'en ville : il avait brûlé ses plans et renoncé à breveter le soutien-gorge, pourtant une invention majeure ; désormais et exclusivement, il battait les cartes en compagnie de son frère Hippolyte.

« Joue donc, Jules... joue ! » disait le charpentier à son cadet, un peu rêveur.

Mais l'oncle se laissait distraire par le paysage. De temps à autre, l'odeur de la résine montait des sapinières en contrebas. Jules s'en délectait, les yeux fermés, les mains sur les genoux, songeant que les pylônes de fer pourraient à l'avenir monter encore plus haut, lancer au ciel un défi encore moins raisonnable — jamais on n'y respirerait d'air aussi pur.

Saint-Flour : le regard de la Tour ne portait pas si loin.

Avec le temps, les Parisiens apprivoisèrent le pylône de métal. Les foules qui s'y étaient ruées lors de l'Exposition de 1889 le boudèrent lors de la suivante, en 1900. Des gratte-ciel élevés par les disciples de Gordon Hole montèrent encore plus haut, l'agenouillèrent dans leur ombre. La Tour échappa aux invectives des artistes, qui sont de la part des meilleurs comme un compliment.

Un homme pourtant la regardait toujours avec fierté, avec tendresse : c'était ce vieillard dont elle étayait la démesure et, dans son grand âge, soutenait les pas chancelants ainsi qu'une béquille de fer. Une rue de Dijon portait déjà son nom. Cet homme, c'était Gustave Eiffel...

« Tout ce qu'un homme est capable d'imaginer, d'autres seront capables de le réaliser », avait écrit l'un de ses auteurs favoris, Jules Verne — un passage distingué par ses soins d'un double trait de plume, dans son exemplaire personnel de *Vingt Mille Lieues sous les mers.*

Or, l'inverse se produisait : Eiffel avait réalisé, et depuis, l'imagination ne cessait de courir.

REMERCIEMENTS

Pour écrire *Le fantôme de la tour Eiffel*, il m'a fallu réunir une importante documentation sur les sujets les plus divers : depuis la mécanique du phonographe jusqu'à la pathologie de la syphilis, en passant par le dogme spirite, la hiérarchie des chiffonniers parisiens, la technique des premiers ascenseurs ou le boniment des « pisteurs » de l'Exposition. Pareille enquête suppose d'abondantes lectures et une correspondance suivie, notamment par messagerie électronique, avec des spécialistes dans toutes les disciplines.

Je tiens à témoigner ici ma vive reconnaissance à ceux, professionnels consciencieux ou amateurs passionnés, qui ont accepté de me faire partager leur remarquable érudition ; particulièrement :

— Le personnel de la Société nouvelle d'exploitation de la tour Eiffel (S.N.T.E.) ;

— M.J.F. Danjou, gérant de l'Hôtel Britannique à Paris ;

— M. Agnard, propriétaire d'un musée à Sainte-Anne-de-Beaupré (Québec), consacré à Edison et aux phonographes à cylindre ;

— Mme Josette Martinage, documentaliste à la S.N.C.F. ;

— Mme Sandra Oliel, responsable de l'office de tourisme de Saint-Flour ;

— M. Frédéric Volle, détenteur d'archives sur les Expositions universelles ;

— Mlle Laetitia Bouille, membre de l'Institut européen de pêche hauturière et spirite amateur.

Composition Graphic-Hainaut.
Impression Société Nouvelle Firmin-Didot
à Mesnil-sur-l'Estrée, le 18 avril 2002.
Dépôt légal : avril 2002.
Numéro d'imprimeur : 59355.

ISBN 2-07-076534-2/Imprimé en France.